采 掘 机 械

王改珍　主编

U0922862

山西出版传媒集团
山西人民出版社
山西科学技术出版社

图书在版编目（CIP）数据

采掘机械 / 王改珍主编. -- 太原 ：山西人民出版社，山西科学技术出版社 2014. 6

山西省煤炭中等职业教育系列教材

ISBN 978-7-203-08518-8

Ⅰ. ①采… Ⅱ. ①王… Ⅲ. ①采掘机–岗位培训–教材 Ⅳ. ①TD421.5

中国版本图书馆CIP数据核字(2014)第092699号

采掘机械

主　　编：王改珍
责任编辑：李建业

出 版 者：山西出版传媒集团·山西人民出版社·山西科学技术出版社
地　　址：太原市建设南路21号
邮　　编：030012
发行营销：0351–4922220　4955996　4956039
　　　　　0351–4922127　（传真）　4956038(邮购)
E-mail：sxskcb@163.com　发行部
　　　　sxskcb@126.com　总编室
网　　址：www.sxskcb.com

经 销 者：山西出版传媒集团·山西人民出版社
承 印 厂：山西惠民印务有限公司

开　　本：787mm×1092mm　1/16
印　　张：17
字　　数：350千字
印　　数：1—3000册
版　　次：2014年6月 第1版
印　　次：2014年6月 第1次印刷
书　　号：ISBN 978-7-203-08518-8
定　　价：42.00元

如有印装质量问题请与本社联系调换

《山西省煤炭中等职业教育系列教材》编委会

主　　任	吴永平					
副 主 任	杨茂林	牛建明	武建森	胡万升	王宇魁	李　方
	苗还利	戴子平	徐忠和	韩世敏	白淑艳	张兴元
委　　员	李润宽	邵国荣	王耿升	马光生	刘振民	梁　琲
	李润香	宁　勤	曹世力	贺高旺		
执行主编	李润宽					
执行副主编	梁　琲					
审　　校	魏　巍					
编写人员	贺高旺	毛振西	廉战军	张瑞华	宋彤菊	郭　靖
	张美红	闫建军	王改珍	高贵军	石秀伟	
责任编辑	梁　琲	曹世力	魏　巍			

前　言

为认真落实山西省政府、山西省煤炭厅对煤炭行业从业人员素质提升的指示精神，适应山西省煤炭资源整合、企业兼并重组后现代化矿井建设对技术技能型人才的迫切需求，推进全省煤矿从业人员"人本安全、培训教育、素质提升"工程实施，促进煤矿企业人才队伍"变招工为招生"素质专业化目标实现，按照课程改革、课堂教学改革方案的要求，加快中等职业教育"送教下矿"培养模式的教材改革，使之适应煤炭工业机械化、信息化、现代化建设的人才需求，按照煤矿生产、建设、安全管理实际和对从业人员的具体要求，在认真调研、广泛征求意见的基础上，我们组织骨干教师对2010版山西省煤矿关键岗位从业人员中等职业教材进行了重新修订。

本系列教材在编写修订过程中着重突出以下特点：1.参照教学计划和教学大纲执行两个课改方案要求；2.新技术、新装备、新工艺单独成章，提高学生对现代化矿井的综合认知；3.将"山西省煤矿六个标准"按各专业要求编入其中，并融入"人人都是通风员"的思想理念；4.编入了企业现场实用的系统知识、技能、工艺；5.教材每章均按系统理论、核心知识点、专业技能训练三部分编写，突出技能训练内容，同时编有复习题，新增了讨论题，力求实现理论联系实际的教学目的；6.本系列教材力求简洁、实用、通俗易懂。

本书主编：王改珍

编写人员在教材修订过程中，得到了有关领导和专家的支持、帮助，并参考了大量的文献资料和煤矿企业技术资料。在此，向提供帮助的有关专家、领导及企业表示诚挚的感谢！

希望各位教师、企业工程技术人员、专家能够结合煤矿企业发展现状，将更为先进的、适用的专业技术内容提供给我们。

由于时间仓促，编者水平有限，书中难免有不妥之处，恳请广大师生、企业工程技术人员批评指正。

目　录

第四章 刨煤机和其他类型采煤机

第二篇 支护设备

第五章 单体支护设备

第六章 液压支架

第三篇　掘进机械

第七章　巷道掘进机

第八章　装载机

第九章　凿岩机

第十章　山西省煤矿“六个标准”涉及内容

第十一章　新技术、新装备、新工艺简介

第一篇　采煤机械

采煤机械是机械化采煤工作面的主要机械设备，其主要任务是完成落煤和装煤工序。

综合机械化采煤工作面的配套设备主要有双滚筒采煤机、可弯曲刮板输送机、自移式液压支架。在工作面运输巷内还有桥式转载机和可伸缩带式输送机。通过这些设备的相互配合和协调动作，实现落煤、装煤、支护、运煤的全部机械化。其中，双滚筒采煤机以刮板输送机为轨道，沿工作面往返运行，完成落煤和装煤工序。刮板输送机沿工作面铺设，用千斤顶与液压支架相联系，既为采煤机提供运行的轨道，又完成工作面的运煤工序。液压支架用来及时支护顶板，为采煤作业提供安全的作业空间。综合机械化采煤产量高、效率高、安全性能好，可实现连续作业，达到了高产、高效、经济、安全作业等效果。

本篇主要介绍双滚筒采煤机和在薄煤层中使用的刨煤机。

第一章　双滚筒采煤机

第一部分　系统理论知识

第一节　概述

一、滚筒式采煤机的分类

滚筒式采煤机的种类很多，有不同的分类方法。按截割机构可分为单滚筒式和双滚筒式；按牵引控制方式可分为机械牵引、液压牵引和电牵引；按牵引方式可分为链牵引和无链牵引。

各类采煤机的分类方式、特点和使用范围见表1–1。

表1–1　采煤机的分类方式、特点和使用范围

分类方式	采煤机类型	特点和使用范围
按滚筒数目	单滚筒采煤机	机身较短、重量较轻、不能自开缺口，适宜在煤层起伏变化不大的条件下工作。
	双滚筒采煤机	调高范围大、生产效率高，可在各种煤层地质条件下工作。
按煤层厚度	厚煤层采煤机	机身几何尺寸大，调高范围大，采高大于3.5m。
	中厚煤层采煤机	机身几何尺寸较大，调高范围较大，采高在1.3～3.5m。
	薄煤层采煤机	机身几何尺寸较小，调高范围小，采高小于1.3m。

表1-1(续)

按机身设置方式	骑输送机式采煤机	适用范围广，装煤效果好，适用于中厚及其以上的煤层。
	爬底板式采煤机	适用于薄煤层地质条件。
按牵引控制方式	液压牵引采煤机	操作简便、可靠、功能齐全，适用范围较广。
	电牵引采煤机	控制、操作简便，传动效率高，故障率低，适用于各种地质条件。
按牵引方式	锚链牵引采煤机	牵引力较大，易断链，适用于中厚煤层工作面。
	无链牵引采煤机	牵引力大，工作平稳、安全，适应倾斜煤层开采。
按使用煤层条件	缓倾斜煤层采煤机	设有防滑装置，适用于煤层倾角在15° 以下的工作面。
	倾斜煤层采煤机	牵引力较大，具有制动装置，与无链牵引机构相配，适用于倾斜煤层工作面。
	急倾斜煤层采煤机	牵引力较大，有特殊设计的工作机构与牵引导向装置，适用于急倾斜煤层工作面。

二、滚筒式采煤机的发展

采煤机是20世纪40年代发展起来的。随着采煤机械化的提高，采煤机发生了很大的变化，工作机构由链式发展为滚筒式，滚筒数目由单个发展为两个，由不可调高发展为可调高。牵引机构由钢丝绳牵引发展为链牵引，又由无链牵引取代了链牵引。牵引控制方式由液压牵引发展到电牵引。采煤机的结构布置也发生了根本性的变化。由单电机发展为双电机、多电机驱动。截割电机由纵向布置发展到横向布置，采煤机的性能大大提高，使用范围进一步扩大。采煤机的牵引能力和牵引速度都较大，有完善的安全保护装置。电牵引采煤机效率高、产量大、故障率低、工作可靠性高，已成为主导机型。与液压牵引采煤机相比，电牵引采煤机更容易实现监测和控制自动化，还可以克服液压牵引采煤机制造精度要求高、工作液体易被污染，维修较困难，工作可靠性较差和传动效果较低等缺点，工作效率高、寿命长，便于实现工况参数显示和故障显示。

今后，采煤机械化的发展方向是，高产高效、安全经济，向遥控和自动化控制发展。滚筒式采煤机的适用范围进一步扩大，生产能力和功率进一步提高，检测系统和保护装置不断完善，以保证采煤工作面的安全性，逐步实现标准化和通用化部件，形成以基本型为基础的采煤机系列。

我国煤矿使用的部分国产和国外先进滚筒式采煤机的技术性能见表1-2、表1-3所示。

表 1-2 部分国产采煤机的技术特征

技术特征 \ 型号			MLS_3—340	BM—100，BMD—100（单滚筒）	MXA—300/3.5	MXA—300/4.5	MG300-W / MG2×300-W	IMGD250（单滚筒）	MG200-W / MG2×300-W	MG200-QW / MG2×200-QW（大倾角）	MGD150—W（短壁）	MG344—PWD
生产能力/$t \cdot h^{-1}$			780(1.5) 670(φ1.3)	365 183	708	976						
适用条件	采高/m		1.6~3.0 1.6~2.6	1~1.3 0.8~1.0	1~3.5	2.3~4.5	2.1~3.7	1.3~2.5	1.5~3.0	1.5~3.0	2~2.8	1.0~1.3 1.3~1.6
	倾角/(°)		0~30	0~25	0~40	0~10	0~35	0~35	0~35	0~55	0~25	0~25
	硬度/f		2~4	2.5	2~4	2~4	2~4	≤3	2~3	2~4	2~3	2~3
截割部	滚筒直径/m		1.6，1.3	0.8，0.9	1.6，1.8	2.0，1.4，1.6	1.6，1.8，2.0	1.25，1.4	1.4，1.6，1.8	1.4，1.6，1.8	1.60	0.9，1.0，1.12，1.25，2.54
	截深/m		0.60	0.50	0.625	0.625	0.63	0.63	0.63	0.63	0.6	0.8
	滚筒速度/($r \cdot min^{-1}$或$m \cdot s^{-1}$)		50，64，78	97，87	3.5，3.12	3.9	25.30，37，45	38.2，44.0	43.8，38.6，33.3	38.2，44.0	32	59/69，45/52.5
牵引部	主油泵	型号	B_1—725	720	ZB_2—125	ZB_2—125	ZB_2—125	ZB125—A	ZB—125	ZB125	ZB125	牵引电动机；DMBQ—22S，2×22kW，380V，1470r/min
		流量/$L \cdot min^{-1}$	210	78	275	275	275	155	270	270	275	
		压力/MPa	15.0	15.0	20.0	20.0	16.0	12.8	16	16	15.0	
	油马达	型号	M_1—725	725	ZM_2—125	ZM_2—125	BM—ES630	BM-E630-K38	ZM125	ZM125	BM—630	
		扭矩/$N \cdot m$	205	205	354	354	1300	3944.8	273	273	1300	
		转速/$r \cdot min^{-1}$	1796	693	1958	1958	93.6	106	960	960		

表1-2 （续）

技术特征 \ 型号		MLS_3—340	BM—100，BMD—100（单滚筒）	MXA—300/3.5	MXA—300/4.5	MG300-W / MG2×300-W	IMGD250（单滚筒）	MG200-W / MG2×300-W	MG200-QW / MG2×200-QW（大倾角）	MGD150—NW（短壁）	MG344—PWD
牵引部	牵引速度/m·min^{-1}	0~9.3	0~6.0	0~8.3~4.15	0~8.3~4.15	0~5.98	0~5.5	0~7.5，0~6.5	0~5.5	0~6	0~8.2
	牵引力kN	200	120	204，408	204，408	328~500	250	350，400	350，400	200	350
	牵引机构/mm	链（220×86）	链（18×64）	无链（节矩125）	无链（节矩125）	无链（节矩）	链φ26×92	无链（节矩125）	无链（125）	无链（节）	无链（125）
	调速方式	液压	液压	液压	液压	液压	液压	液压	液压	液压	交流变频
	保护方式	液压与电动机恒功率	液压与电动机恒功率	液压与电动机恒功率	液压与电动机恒功率	液压与电动机恒功率	液压与电动机恒功率	液压与电动机恒功率	液压与电动机恒功率	液压与电动机恒功率	电动机恒功率
电动机	型号	DMB—170S	JDMB—100S	KMB—300S	KMB—300S	YSKBC—300	KMB-250S	KMB-200S	KMB-200S	DMB-150S（c）	截割电动机DM4Q—50S（A），2×150kW，40V，1470r/min
	功率/kW / 电压/V	2×170 / 660/1140	100 / 650	300，2×300 / 1140	300，2×300 / 1140	300，2×300 / 1140	250 / 1140	200，2×200 / 1140	200，2×200 / 1140	150 / 660/1140	
	转速/r·min^{-1}	1460	1475	1470	1470	1472	1470	1470	1740	1475	
灭尘方式		内外喷雾	内外喷雾	内外喷雾	内外喷雾	内外喷雾		内外喷雾	内外喷雾	内外喷雾	内外喷雾
外形尺寸/mm		7800×2113×1400	58793940）×980（940）×350	11241×2244×1605	11241×2342×1905						
质量/t		24.5	12/8	40.3	48.3	40	14	28	26		20

表1-3　　部分先进采煤机的技术性能

技术特征＼型号	Electra1000（安德森）	4LS（久益）	6SL（久益）	E D W-450／1000L（艾柯夫）
装机总功率/kW	最大1220	605（740）	1045	1080（1180）
截割电机功率/kW	2×230，2×230，2×375，2×450，2×500	2×268，2×395	2×410	500×2（550×2）
牵引电机（直流）功率/kW	2×26，2×41，2×56	2×26	2×45	2×40DC
牵引速度（直流）/m·min^{-1}	10／23	12.2／20	9.1／15.2	7.5／12.3
泵站电机功率/kW	1×37.5	8.5	30×2	
牵引力/kN	390～600	460	510	584
供电电压/V	1140，2300，3300	2300，3300	2300，3300	3300，5000（2300，4160）
摇臂长度/mm	2400	1943	2510	1960
滚筒直径/m	1.4~2.7	1.22~1.52	1.52~2.44	1.8~2.3
滚筒截深/mm	767~1100	680~1020	762~1020	850~1000
滚筒转速/r·min^{-1}	25，29，33，35	37~60	30	23，26，30
采　高/m	1.6~5	1.2~2.6	1.8~4.5	2.2~4.2（5.0）
机身长度/m	12.63	10.52	13.3	10.85
机身高度/m	1.4~2.4	0.915~1.22	1.42~1.905	1.7~2.0
过煤高度/mm	457~1140	305~610	560~1040	550，830
机重/t	60~80	32	49	63（92）
配重输送机宽度/mm	760~1000	760~1000	760~1000	730~1100

三、滚筒式采煤机的组成

采煤机的类型尽管很多,但是基本以双滚筒采煤机为主。它们的组成是大体相同的,主要由牵引部、截割部、电气部和辅助装置组成。如图1-1所示。

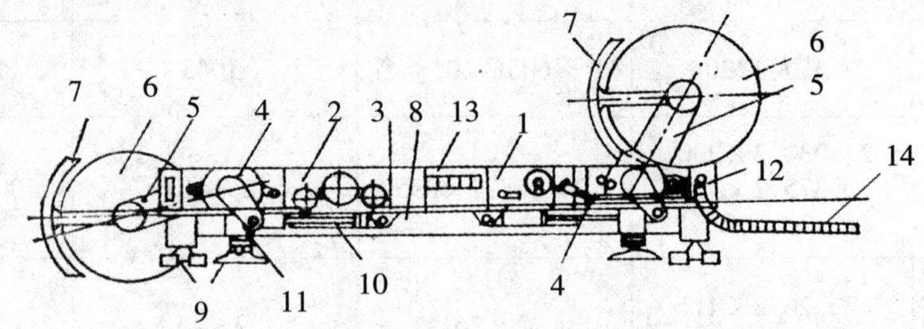

图1-1 采煤机的组成

1——电动机;2——牵引部;3——牵引链;4——左右截割部减速箱;5——左右摇臂;6——左右滚筒;7——弧形挡煤板;8——底托架;9——滑靴;10——调高油缸;11——调斜油缸;12——拖缆装置;13——电控箱;14——电缆

(一)牵引部

牵引部的作用是控制采煤机,使其按照要求沿工作面往返运行,实现牵引。牵引部由牵引机构和牵引传动装置组成。牵引机构直接驱动采煤机沿工作面往返运行,它分为有链牵引和无链牵引两种。目前,使用的主要是无链牵引机构。常用的无链牵引机构有齿轮销排式、滚轮齿条式、复合齿轮齿条式等。

牵引传动装置的作用是将电动机的能量传递给链轮或者驱动轮,从而实现牵引。主要有液压牵引和电牵引两种类型。

(二)截割部

截割部的作用是落煤和装煤。截割部包括截割工作机构和传动装置。工作机构由滚筒、截齿组成,直接用来截煤和装煤。传动装置是将电机的能量经过减速传给螺旋滚筒。

(三)电气部分

电气部分是采煤机的动力来源,为采煤机提供动力和控制保护。它由电动机和电气控制箱组成。

(四)辅助装置

采煤机的辅助装置包括底托架、电缆拖移装置、喷雾冷却装置、防滑装置、破碎装置、调高装置等。辅助装置配合采煤机的其他部分实现采煤机的各种动作,保证安全可靠工作。不同型号的采煤机有不同的辅助装置。

四、滚筒式采煤机的工作原理

滚筒式采煤机工作时,是利用安装在滚筒上的截齿切入煤壁来实现落煤的。

同时,通过螺旋滚筒的螺旋叶片将煤抛到刮板输送机的溜槽中实现装煤。

双滚筒采煤机工作时,前滚筒割顶煤,后滚筒割底煤。如图1-2所示。这样,采煤机往返一次进两刀,称为双向采煤法。

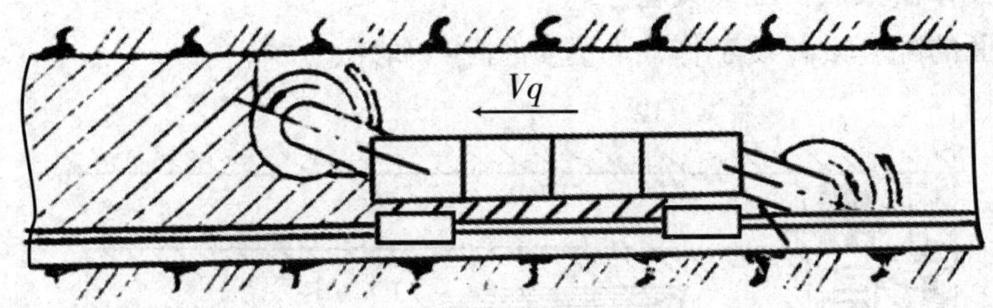

图1-2　双滚筒采煤机的工作原理

为了使滚筒截割的煤装入刮板输送机，滚筒螺旋叶片的旋向必须与其旋转方向适应。即："左旋左转，右旋右转。"在采空区来看，顺时针旋转为右转，逆时针旋转为左转。

五、采煤机的配套设备

（一）普采工作面采煤机的配套设备

普通机械化采煤工作面的配套设备主要由单滚筒采煤机（或双滚筒采煤机）、刮板输送机及支护设备组成。支护设备用金属摩擦支柱时，称普采工作面；支护设备采用单体液压支柱时，称高档普采工作面。普采工作面布置如图1-3所示。

单滚筒采煤机1坐在刮板输送机2上，并以输送机导向，沿工作面移动进行落煤和装煤。用金属支柱3和金属铰接顶梁4支护裸露出的顶板。当采煤机采装完煤以后，用千斤顶5把刮板输送机推向煤壁一个步距。推移步距等于采煤机的截深，即滚筒的宽度。推溜完毕后应立即架设支架。当工作面控顶距离达到一定值后，在采空区不再需要支护的地方，应将金属支柱和顶梁拆除回收，使顶板岩石冒落下来，称为回柱放顶。沿工作面全长采完一刀，工作面推进一个步距，称为完成一个循环。

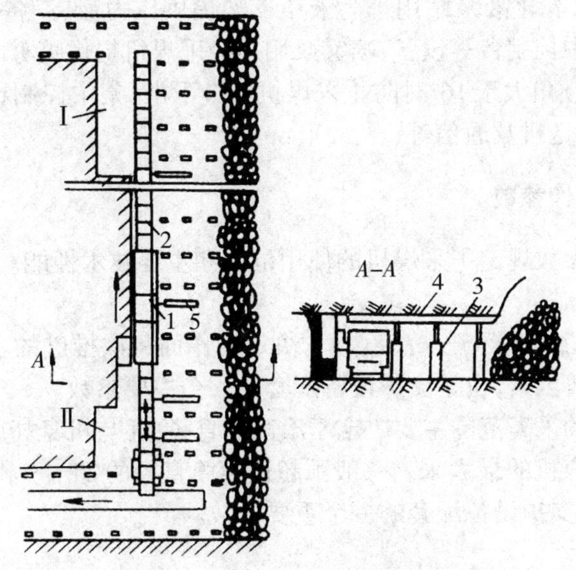

图1-3　普采工作面布置

1——单滚筒采煤机；2——刮板输送机；3——金属支柱；4——金属铰接顶梁；5——千斤顶

(二)综采工作面采煤机配套设备

综采工作面的配套设备及工作面布置如图1-4所示。

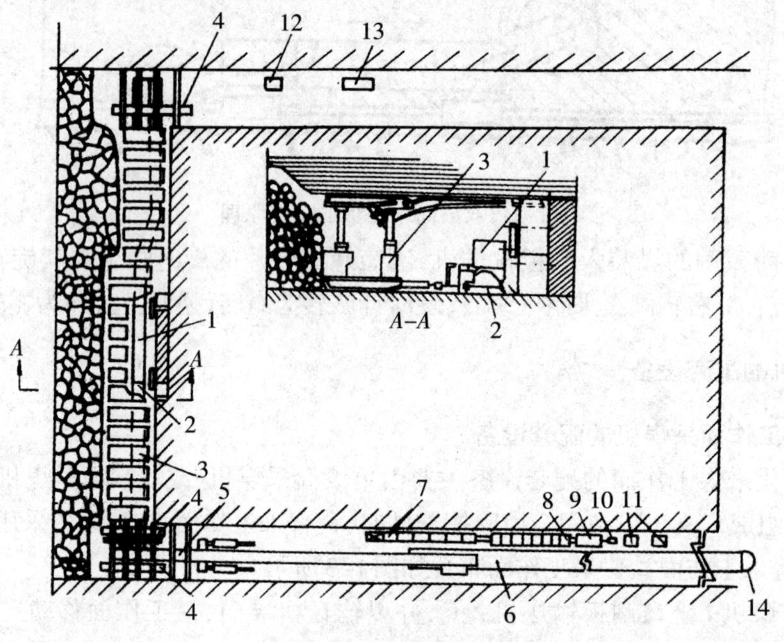

图1-4　综采工作面布置

1——采煤机;2——可弯曲刮板输送机;3——液压支架;4——端头支架;5——桥式转载机;6——带式输送机;7——集中控制台;8——配电箱;9——乳化液泵站;10——设备列车;11——移动变电站;12——液压安全绞车;13——喷雾泵站;14——煤仓

采煤机、刮板输送机和液压支架用来组成工作面设备,端头支架用来推移输送机机头、机尾并支护端头空间,桥式转载机与刮板输送机搭接,用来将工作面运来的煤转载到可伸缩带式输送机上运出,乳化液泵站用来为液压支架提供压力液,设备列车用来安放移动变电站、乳化液泵站、集中控制台等设备,喷雾泵用来为采煤机提供喷雾冷却用的压力水,液压安全绞车用于当煤层倾角大于16°时防止采煤机断链下滑,集中控制台用于控制刮板输送机、桥式转载机、带式输送机及通信等。

六、采煤机的工作参数

采煤机的工作参数规定了采煤机的使用范围和主要技术性能。

(一)采高

采高是指采煤机的实际开采高度。它决定工作面每次推进的步距,是决定采煤机装机功率和生产率的主要因素,也是支护设备配套的一个主要参数。

双滚筒采煤机的采高范围主要决定于滚筒的直径,还与机身高度、摇臂长度及其摆动角度有关。双滚筒采煤机的最大采高一般不超过滚筒直径的2倍。采高既规定了采煤机的适用煤层厚度,也是与支护设备配套的一个重要参数。

(二)截深

截深是指采煤机的滚筒每次切入煤体的深度。它决定工作面每次推进的步距,是决定采煤机装机动率和生产率的主要因素,也是支护设备配套的一个主要参数。

滚筒式采煤机一般采用浅截深(500～700 mm)。目的是为了充分利用煤的压张效应，减少刀具的受力和能耗。它决定工作面每次推进的步距，是决定采煤机装机功率和生产率的主要因素，也是支护设备配套的一个主要参数。

采煤机的截深与煤层厚度、煤质硬度、顶板岩性等因素有关。在薄煤层中，为了提高采煤机的生产率，应当采用较大截深；在厚煤层中，为了减少顶板悬露面积，避免冒顶、片帮等事故，宜采用浅截深。

采煤机的截深还与配套使用的液压支架的步距有关。截深应略小于支架的移动步距。这样可以保证采煤机每采完一个截深，支架可以推进一个步距。

(三)牵引速度

采煤机的牵引速度是指采煤机沿工作面运行的速度。

采煤机工作时，牵引速度越大，单位时间内的产煤量越大，同时，电动机的负荷和牵引力也越大。

当采煤机的截割阻力较小时，应加大牵引速度，以便获得较大的切削厚度，增加产量；当采煤机的截割阻力较大时，应该降低牵引速度，防止电动机过载，保证机器正常工作。因而，采煤机的牵引速度应当是无级的，能够随着截割阻力的变化自动调节。目前，双滚筒采煤机的最大牵引速度可以达到10m/min～12m/min。截煤时，牵引速度一般不会超过5m/min～6 m/min，而较大的牵引速度只用于调动机器和返程清理浮煤。

(四)截割速度

采煤机的截割速度是指截割滚筒上截齿齿尖处的圆周切线速度。

截割速度对采煤机的功率消耗、装煤效果、煤的块度和煤尘大小有直接影响。

为了减少截割时产生的细煤和粉尘，应当适当降低截割速度。滚筒截割速度一般为3.5m/s~5 m/s。

(五)牵引力

影响采煤机牵引力的因素有煤质、采高、牵引速度、工作面倾角等。

采煤机牵引力是随工作条件的变化而变化的。

(六)生产能力

采煤机的生产能力是指单位时间内采煤机所产煤的多少。

采煤机的理论生产能力 Q=60HBVr

式中　H——采高(m)

B——截深(m)

V——牵引速度(m/min)

r——煤的密度(t/m^3)

当采煤机的结构和工作条件一定时，采煤机的生产能力主要取决于其牵引速度。

(七)装机功率

采煤机的装机功率是指采煤机装备电动机的总功率，包括截煤功率、装煤功率和牵引功率三部分。采煤机的装机功率越大，可采煤层的硬度就越高，生产能力也就越高。采煤机装机功率大多用于截割部。

采煤机装机功率与采煤机采高的关系如表1–4所示。

表1–4　　采煤机装机功率与采高的关系

采高(米)	装机功率(千瓦)	
	单滚筒采煤机	双滚筒采煤机
0.6～0.9	<50	<100
0.9～1.3	50～100	100～150
1.3～2.0	100～150	150～200
2.0～3.0	150～200	200～300
3.0～4.5	—	300～450

第二节　滚筒式采煤机的牵引部

双滚筒采煤机牵引部的特点：

(1)有足够大的牵引力。在无链牵引方式中常采用双牵引方式，牵引力可成倍提高。

(2)牵引速度一般为0~10 m/min，并且可以实现无级调速，适应不同煤质条件下工作。在液压牵引采煤机中通过改变液压泵的流量来实现，在电牵引采煤机中通过改变电动机的转速来实现。

(3)能实现正反向牵引。液压牵引采煤机中是通过改变液压泵的供液方向来实现的。电牵引采煤机是通过改变牵引电机的转向来实现的。

(4)有完善可靠的安全保护装置。

(5)操作方便。牵引部有手动操作、离机操作及自动调速等。

双滚筒采煤机牵引部由牵引机构和牵引传动装置组成。

一、牵引机构

牵引机构是直接移动机器的装置，分为有链牵引和无链牵引两种类型。采煤机向大功率、重型化和大倾角方向发展以后，链牵引机构已经不能满足要求。目前综采工作面采煤机的链牵引机构已经逐渐减少，无链牵引得到了广泛应用，如MG300型、AM500型及电牵引采煤机都采用无链牵引机构。

(一)无链牵引的特点

无链牵引机构的优点有：

(1)无链牵引取消了牵引链，采煤机移动平稳，振动小，降低了故障率，延长了机器的使用寿命。

(2)采用多级牵引，牵引力提高(可以达到400kN~600kN)。可以适应在大倾角(最大可以达到54°)的条件下工作。利用制动器可以使机器的防滑问题得到解决。

(3)可以实现工作面多台采煤机同时工作,以提高产量。

(4)啮合效率高,牵引机构的传动损失小,可以将牵引力有效地利用在割煤上。

(5)消除了断链事故,提高了采煤机的安全性能。

无链牵引的缺点是:对输送机的起伏不平要求较高,底板及输送机的起伏太大会影响牵引机构的啮合情况,造成传动件的损坏。对煤层的地质条件的适应性较差,无链牵引机构使机道宽度增加100mm,提高了对支架控顶能力的要求,提高了对工作面管理水平的要求。

(二)无链牵引机构的类型

无链牵引机构取消了固定在工作面两端的牵引链,通过采煤机牵引部的驱动轮(或者再经中间轮)与铺设在输送机上的齿轨相啮合,从而使采煤机沿工作面移动。无链牵引的结构型式很多,主要有以下几种:

1.齿轮销排型无链牵引机构

如图1-5所示,这种牵引机构是通过驱动齿轮经齿轨轮与铺设在输送机上的圆柱销排式齿轨的啮合来带动采煤机牵引的。

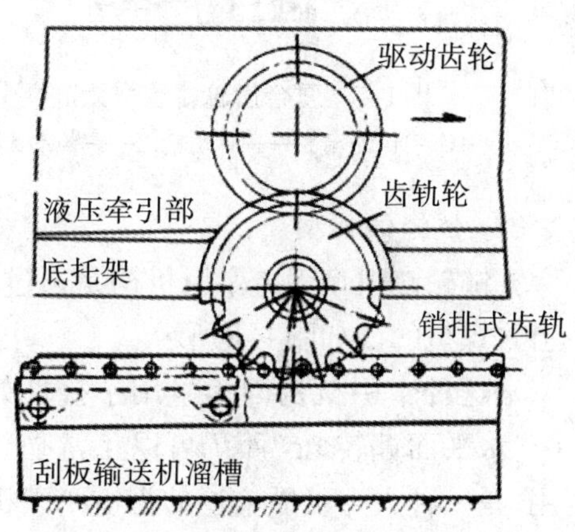

图1-5　齿轮销排型无链牵引机构

其中,驱动轮的齿为弧齿,中间轮为摆线齿轮。销轨固定在输送机槽的销轨座内,当驱动轮转动时,传动齿轮通过和销轨的啮合作用而沿销轨运动,带动采煤机实现牵引。

2.滚轮—齿轨式无链牵引机构

这种牵引机构由装在底托架内的左右两个牵引传动箱分别驱动滚轮(销轮),与安装在输送机上的齿条啮合来带动采煤机移动。如图1-6所示。

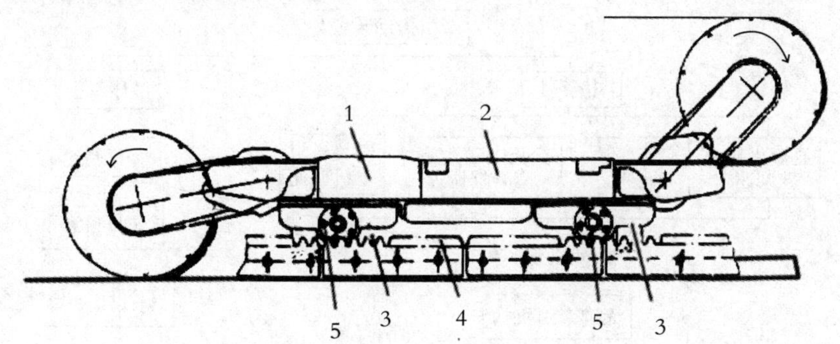

图1-6　滚轮—齿轨式无链牵引机构

1——电机;2——牵引部泵箱;3——牵引传动箱;4——齿轨;5——滚轮

牵引泵的主泵经过两个液压马达分别驱动牵引传动箱,是一种无链双牵引系统。这种牵引机构的牵引力大,可以用于大倾角煤层工作,MG300型、AM500型采煤机都采用这种无链牵引机构。

3.复合齿轮齿条型

复合齿轮齿条型如图1-7所示，它的驱动轮和传动轮都是交错齿轮，与固定在输送机的交错齿条啮合来牵引采煤机。这种无链牵引机构的强度高、寿命长、啮合运行平稳。

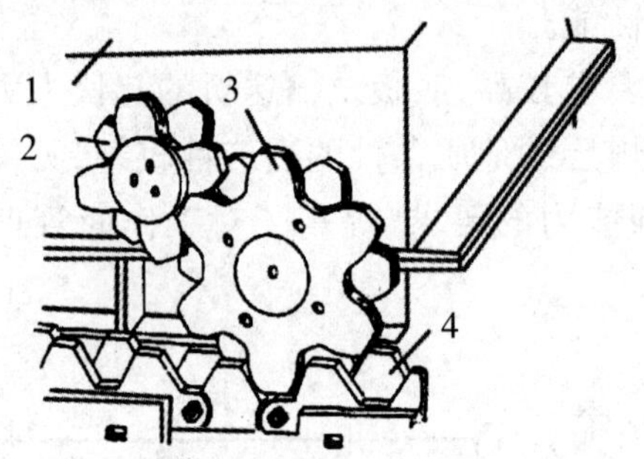

图1-7　复合齿轮齿条型无链牵引机构

1——牵引传动箱；2——驱动轮；3——传动齿轮；4——齿条

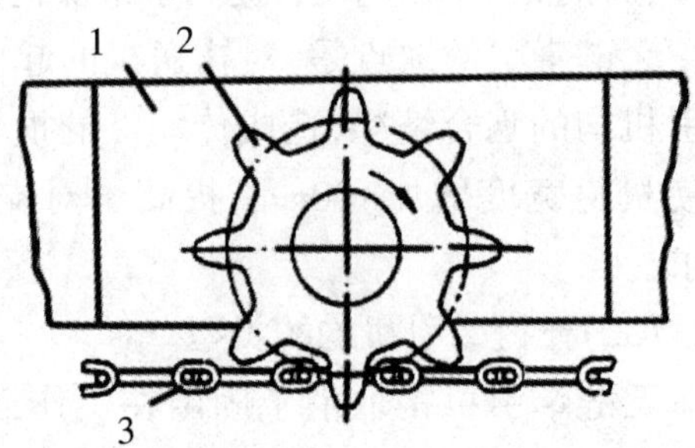

图1-8　链轮链轨型无链牵引机构

1——传动装置；2——驱动链轮；3——链轨

4.链轮链轨型

链轮链轨型无链牵引机构是通过驱动链轮和铺设在输送机链轨架上的圆环链啮合来牵引采煤机的。如图1-8所示。

这种牵引机构因为采用了挠性好的圆环链作齿轨，允许输送机溜槽在垂直面内偏转6°、水平面偏转1.5°而仍可以正常啮合。所以适合在底板起伏大并有断层的煤层条件下使用，是一种大有发展前途的无链牵引机构。

二、牵引传动装置

牵引传动装置的作用是将采煤机电动机的动力传到主动链轮或者驱动轮并且实现无级调速。

目前采煤机的牵引传动装置包括液压牵引和电牵引两种。牵引传动装置的分类方法如图1-9所示。

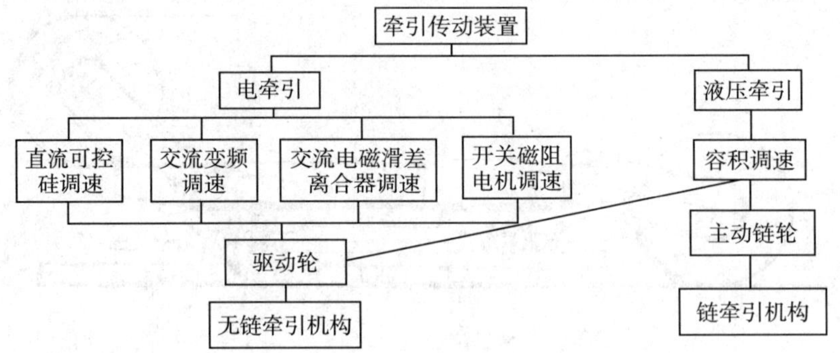

图1-9　牵引传动装置的分类方法

(一)液压牵引

液压牵引一般采用液压泵—液压马达组成的容积调速系统来实现牵引。

这种牵引调速方式可以实现无级调速，能够根据负载自动调速，换向、过载保护易于实现,保护系统比较完善,所以应用比较广泛。

液压牵引通过改变双向变量泵的流量来改变牵引速度;通过改变液压泵的供液方向来改变牵引方向。如图1-10所示。

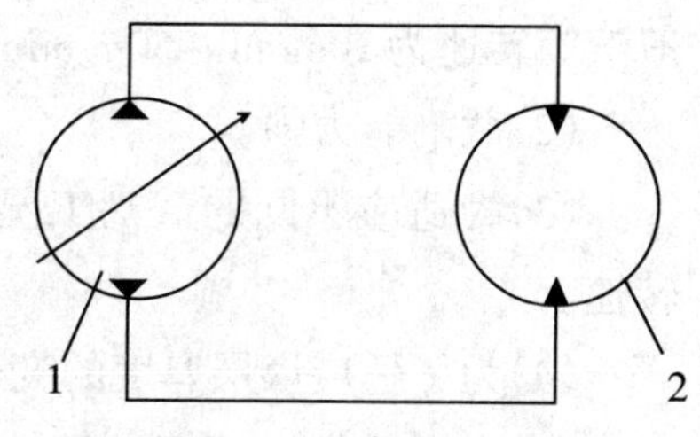

图1-10　主回路

1——双向变量泵;2——双向定量马达

泵一般采用轴向柱塞泵。轴向柱塞泵具有压力高、效率高、转速高、体积质量小、惯性小、变量换向容易等特点,因而适用于采煤机的牵引部。

牵引部液压马达一般使用的有3类。

高速马达:转速较高,为1500r/min ~ 2000r/min,需要经过3 ~ 5级减速来带动链轮。目前采用的高速液压马达型式大多是和液压泵结构形式相同的柱塞式。如图1-11(a)所示。

中速马达:中速马达的转速为160r/min~320r/min。一般需经过一定的减速带动驱动轮,减速比不大,通常用在无链牵引机构中。常采用行星转子摆线式。如图1-11(b)所示。

低速马达:低速马达的转速一般为0r/min~40r/min,一般经过一级减速或直接驱动链轮。机械结构简单,但由于马达径向尺寸大,不好布置,并存在反链敲缸现象,已经很少应用。如图1-11(c)所示。

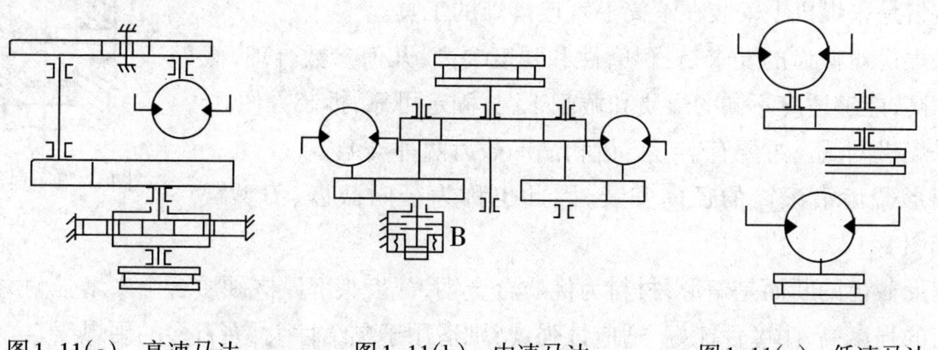

图1-11(a)　高速马达　　图1-11(b)　中速马达　　图1-11(c)　低速马达

(二)电牵引

电牵引是由单独的牵引电机通过齿轮传动来驱动牵引机构的。有直流可控硅调速、交流变频调速、交流电磁滑差离合器调速、开关磁阻电机调速等。

电牵引克服了液压牵引工作介质易受污染、效率低的缺点,调速性能好;采用了固体元件,抗污染能力强;除电刷和整流子外没有易损坏零件,因而寿命长、效率高、维修量小;电子控制的响应快,容易实现各种保护、检测和显示;电牵引采煤机的结构简单,机身长度缩短,提高了采煤机的安全性能和开缺口效率。

电牵引已在很多类型采煤机上得到广泛应用。

第三节　滚筒式采煤机截割部

双滚筒采煤机截割部的特点:

(1)截割部采用机械传动,传动比比较大。因为电动机转速较高而滚筒转速比较低,一般滚筒转速为20m/min~50m/min。

(2)截割能力强。

(3)为适应不同的截割工况,在截割部减速箱中设有可滑移的变速齿轮来改变滚筒的转速。

(4)为了适应煤层厚度的变化,采煤机的滚筒高度是可以调节的。

(5)在电动机和滚筒之间的传动装置中设有离合器。采煤机检修或者试验牵引时都需要打开离合器,使滚筒停止转动。此外为了人员安全,当采煤机停止工作时,也需要将滚筒与电动机断开。

双滚筒采煤机截割部由截割机构和传动装置组成。

一、截割工作机构

滚筒采煤机的截割工作机构是指滚筒和安装在滚筒上的截齿。

(一)截齿

1.截齿的种类

截齿是采煤机上安装在滚筒上直接落煤的工具。

采煤机对截齿的要求是:耐磨性和强度要高;几何参数合理,截割效率高,能够适应不同的煤质和截割工况;固定可靠,拆装方便。

采煤机的截齿主要有扁形截齿和镐形截齿两种类型。

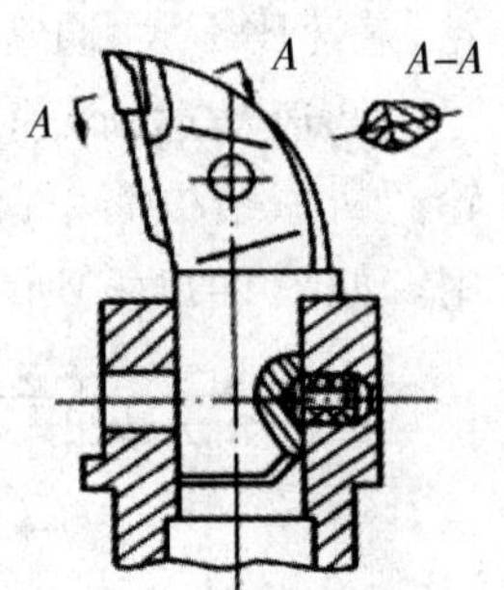

图1–12 扁形截齿

扁形截齿沿滚筒的径向安装,因此也称为径向截齿、刀型截齿。如图1–12示。

扁形截齿的断面是矩形,材料为优质合金钢,截齿头部镶嵌硬质合金来增强耐磨性。扁形截齿的强度高、耐磨性能好、适应性强,特别适用于黏结性大,夹石多的硬煤层。

镐型截齿基本沿滚筒的切向安装,所以也称为切向截齿。如图1–13所示。

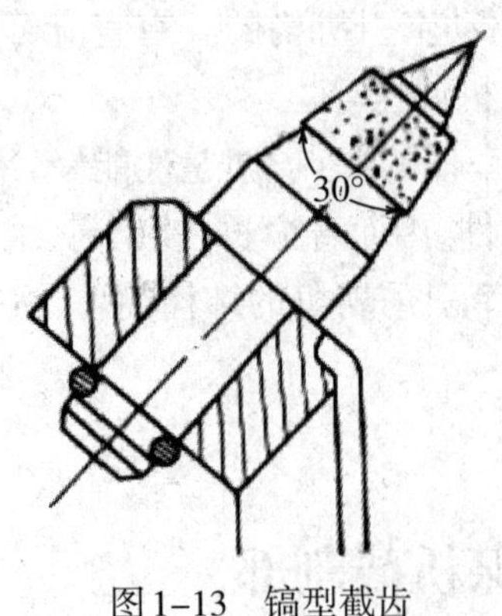

图1–13 镐型截齿

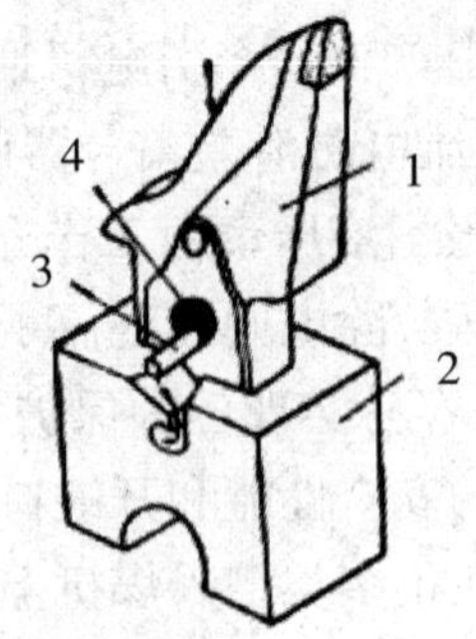

图1–14 截齿的固定

1——截齿;2——齿座;3——圆柱销;4——橡胶塞

镐型截齿依靠齿尖的尖劈作用将煤破碎。适用于脆性大、裂隙多的松软煤层。

目前截齿的主要固定方式是利用圆柱销和弹性挡圈固定。如图1–14所示。

2.截齿的失效形式

截齿的失效形式有磨损、弯曲、崩合金片、掉合金、折断、丢失等,其中主要的失效形式是磨损、截齿的磨损量主要取决于煤层及夹矸的磨蚀性。截齿磨损后其端面与煤的接触面积增大,使阻力急剧增大,一般规定截齿齿尖的硬质合金磨去1.5 ~ 3mm或煤的接触面积大于$1cm^2$时,应及时更换截齿。

(二)滚筒

1.螺旋滚筒的结构

螺旋滚筒是滚筒式采煤机的工作机构,如图1-15所示,由螺旋叶片、端盘、齿座、筒毂等组成。筒毂与滚筒轴联结,螺旋叶片和端盘焊接在筒毂上,螺旋叶片和端盘的周边按一定的排列方式焊接有齿座,齿座内固定有截齿。

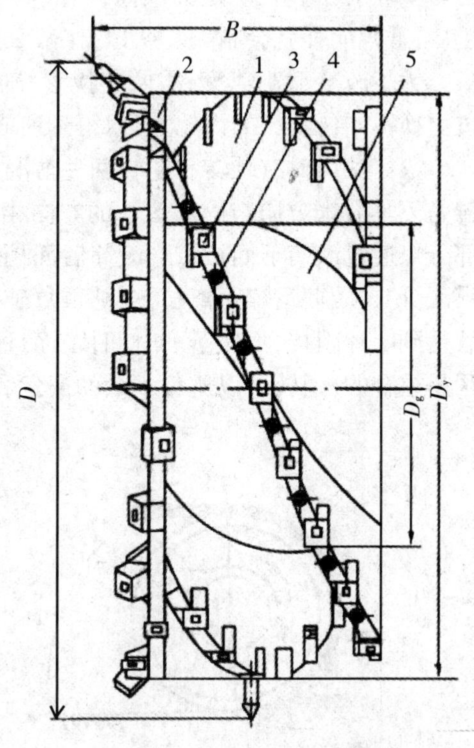

图1-15　滚筒的结构

1——螺旋叶片;2——端盘;3——齿座;4——喷嘴;5——筒毂

螺旋叶片用来将落下的煤推向输送机,叶片上装有进行内喷雾的喷嘴,以降低粉尘。

2.螺旋滚筒的参数

螺旋滚筒的参数包括结构参数和运动参数两类。

滚筒的结构参数有滚筒直径、宽度和螺旋叶片的参数。运动参数有转速和转向。

螺旋滚筒的三个直径是指滚筒直径D、螺旋叶片外缘直径Dy和筒毂直径Dg。

滚筒直径是指截齿齿尖处的直径,它已成系列,可根据采煤机所采煤层的厚度来选择。目前我国使用的采煤机的滚筒直径系列有1000、1250、1500、1750、2000、3000mm等。螺旋叶片的外缘直径是指齿座突出的最大直径。筒毂直径越小,叶片的运煤空间越大,越有利于运煤,一般Dg与Dy的比值为0.4~0.6。

滚筒的宽度是滚筒边缘到端盘最外侧截齿齿尖处的距离,也即采煤机的理论截深。

我国采煤机的滚筒宽度系列为:500、600、700、750、800和1000mm。其中以600mm的用得最多。

螺旋叶片的参数包括螺旋升角、叶片头数及叶片在筒毂上的包角。

螺旋滚筒叶片的旋向有右旋和左旋两种。

螺旋升角指的是螺旋线的切线与垂直螺旋轴心平面的交角。

不同的位置,螺旋升角是不同的,叶片升角的大小直接影响装煤效果。一般来说,升角越大,叶片的排煤能力越大,但是升角过大,会将煤抛出很远,使能耗增大。试验证明,螺旋叶片的外缘升角在8° ~ 24°之间,装煤效果较好。

目前双滚筒采煤机多采用二至四头螺旋叶片的滚筒,直径较小的滚筒一般用双头螺旋叶片,直径较大的滚筒一般用三头或四头的螺旋叶片,这样可以减小重复破碎,得到较好的落煤和装煤效果。

螺旋叶片在筒毂上的包角是指叶片围绕筒毂转过的角度。

滚筒的运动参数有转速和转向。滚筒的转速对煤的块度、生成的粉尘量及装煤能力都有影响。对于直径一定的滚筒,当滚筒的转速越高时,截割速度就会越大,产生的粉尘就会越多,截割能耗就会越大。所以,一般采用较低的滚筒转速,为30r/min~50r/min。

为了改变截割速度,需要变换滚筒的转速。在采煤机的减速箱里,一般有变速齿轮,通过更换不同传动比的齿轮,可以得到所需要的滚筒转速。

滚筒截煤时有顺转和逆转两种情况。顺转是刀具截煤方向与碎煤落下的方向相同。逆转是刀具截煤方向与碎煤落下的方向相反。如图1-16所示,顺转时,叶片加速碎煤下落,大部分煤通过滚筒下面被带到滚筒后面挡煤板侧堆积,再依靠螺旋叶片运走,截割区与非截割煤区分开,因此运煤距离长,煤被重复破碎的可能性大,装煤单位能耗也大。运转时,碎煤落后受到叶片阻挡,不仅落下时间长,而且随落随装,碎落的煤堆积在滚筒前面,装煤区和截煤区是重合的,逆转可以避免多余的搬运和重复破碎,装煤单位能耗低,但装煤阻力增大。

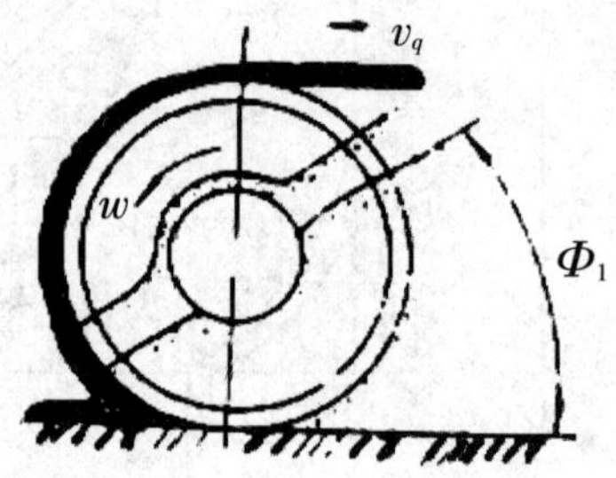

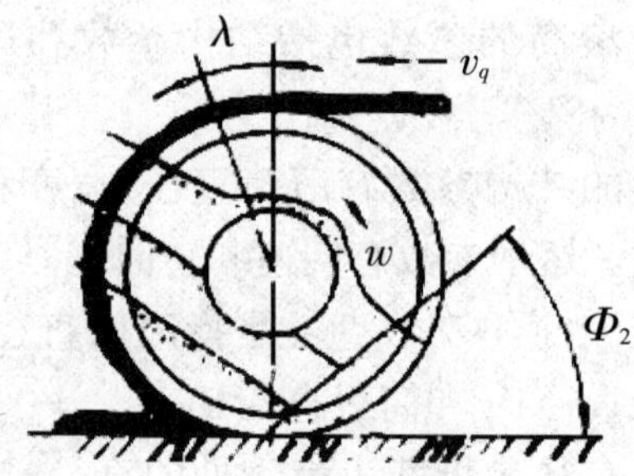

图1-16 滚筒的转向

(a)顺转 (b)逆转

双滚筒采煤机双向工作时,每个滚筒都有顺转和逆转两种工况。

为使两个滚筒产生的截割阻力相互抵消、增加机器的工作稳定性,两个滚筒的转向相反。

当滚筒直径较大时,两个滚筒的转向一般采用前顺后逆,称为反向对滚。如图1-17所示,这种方式装煤效果好,煤尘较少。当滚筒直径较小时,两个滚筒的转向采用前逆后顺,称为正向对滚。如图1-18所示,这种方式不经摇臂下面装煤,提高了装煤效率。

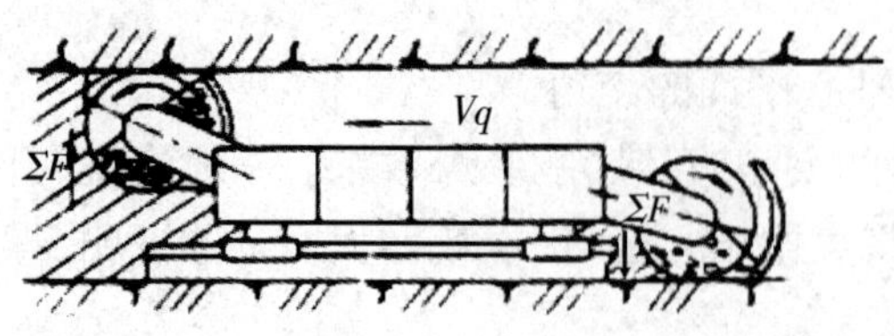

图1-17 反向对滚

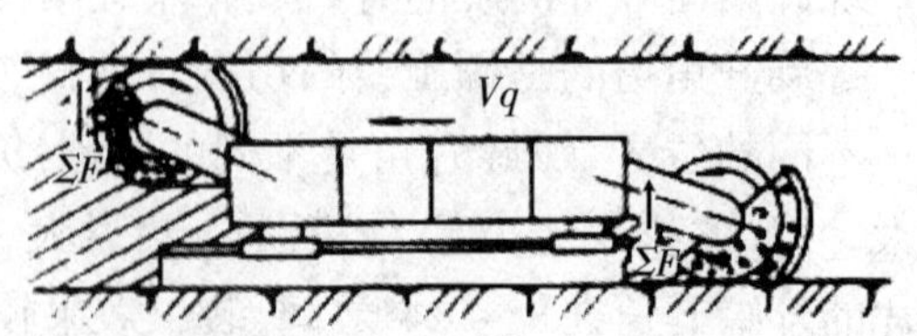

图1-18 正向对滚

二、传动装置

截割部的传动装置包括机头减速箱和摇臂减速箱。通过传动装置将电动机的动力传递给滚筒。

传动方式主要有三种:圆锥——圆柱齿轮传动;圆锥——圆柱齿轮——行星齿轮传动;圆柱齿轮——行星齿轮传动。如图1-19所示。

(1)电机——机头减速箱——摇臂减速箱——滚筒,如图1-19(a)所示。这种方式传动简单,采用端面摇臂,支承可靠,但是卧底量较小。

(2)电机——机头减速箱——摇臂减速箱——行星齿轮传动——滚筒,如图1-19(b)所示。这种传动方式装了行星齿轮,简化了传动系统,但是筒毂尺寸有所增加。所以适用于中厚煤层的采煤机。如MG-300型、AM-500型采煤机都采用这种方式。

(3)电机——摇臂减速箱——滚筒,如图1-19(c)所示。这种传动方式电机轴和滚筒轴平行,取消了易损坏的锥齿轮,传动简单,调高范围大。电牵引采煤机多采用这种传动方式。

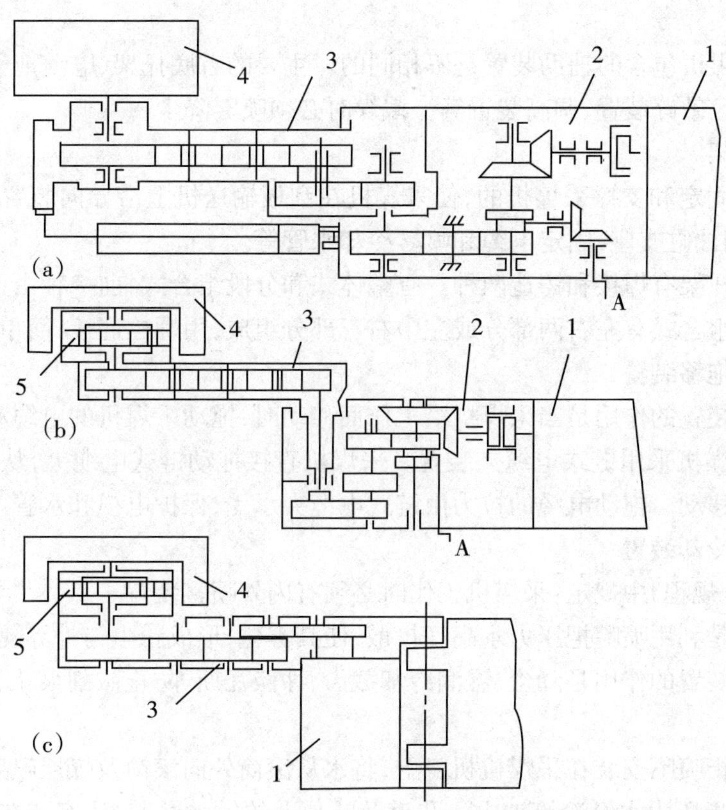

图1-19　截割部的传动方式

1——电动机;2——固定减速箱;3——摇臂减速箱;

4——滚筒;5——行星齿轮传动

第四节　电气部

双滚筒采煤机电气部的特点：

采煤机的电气部分主要有隔爆型三相异步电动机、隔离开关、中间箱、集中控制箱、电缆等组成。不论哪种类型的采煤机，所使用的电动机都有共同特点：都是矿用隔爆型，机壳由钢板焊接而成，机壳内设有螺旋水套作为冷却水道；电机轴为偏心出轴，一般可绕纵轴翻转180°使用；电动机除具有接线腔外，还设有电气控制腔，内装隔离开关和其他电气控制元件。一般都设有热保护元件。

电气部分为采煤机提供动力来源，并对采煤机的启动、停止进行控制，对电动机及液压系统的超温、过载、过流等进行保护。

第五节　辅助装置

不同的采煤机包含的辅助装置是不相同的。主要的有底托架、电缆拖移装置、喷雾冷却装置、防滑装置、破碎装置、调高装置等。截煤时必须喷雾降尘。

(一)底托架

底托架是固定和支撑采煤机的，使采煤机在刮板输送机上沿导向装置平稳移动。同时固定调高、调斜油缸支座，固定电缆和喷雾冷却水管等。

采煤机底托架有焊接和铸造两种。有整体式和分段组合式，前一种由于入井困难，已很少使用。分段组合式有左右两部分或左中右三部分组成，用螺栓连接，简单可靠，拆装方便。

(二)电缆拖移装置

电缆拖移装置的作用是当采煤机沿工作面移动时，拖动采煤机的电缆和水管。

大部分采煤机采用链式电缆夹装置。采煤机直接拖动链式电缆夹，从而带着电缆和水管跟随采煤机移动。拖动电缆的拉力由链式电缆夹承受，保护电缆和水管。

(三)喷雾冷却装置

《煤矿安全规程》中规定：采煤机工作时必须有内外喷雾装置。

喷雾降尘是利用喷嘴把压力水高度扩散，使其雾化，形成粉尘与外界隔离的水幕。

喷雾冷却装置的作用是降尘、湿润冷却截齿、冲淡瓦斯、防止截割火花、稀释有害气体浓度等。

外喷雾是指喷嘴安装在采煤机机身上，将水从滚筒外向滚筒及煤层喷射。

内喷雾是指压力水经滚筒轴中心孔道及叶片上的供水通道，从安装在滚筒叶片上和端盘上的喷嘴喷出水雾的降尘方式。

外喷雾的喷嘴离粉尘源较远，降尘效果一般且耗水量大，供水系统的密封和维护比较容易。内喷雾喷嘴离截齿近，可以把粉尘扑灭在尚未扩散的阶段，降尘效果好。但供水管要通过滚筒轴和滚筒，需要可靠的回转密封，喷嘴易堵塞和损坏。

采煤机冷却系统用来冷却采煤机的电动机、截割部、牵引部。

(四)防滑装置

《煤矿安全规程》规定:当工作面倾角大于15°时,采煤机必须有可靠的防滑装置。常用的防滑装置有防滑杆、防滑绞车、液压制动器等。

最简单的防滑装置是采用防滑杆,即在采煤机底托架下面顺着煤层倾斜向下的方向设置防滑杆。使用手把操纵,在采煤机上行时将防滑杆放下,这样万一断链下滑,防滑杆即可以顶在刮板输送机上,防止机器下滑;采煤机下行时,将防滑杆抬起即可。这种防滑装置只适用于中小型采煤机。

在无链牵引采煤机中,采用设在牵引部液压马达输出轴上的摩擦式液压制动器,代替设在上顺槽的液压安全绞车,进行防滑。

(五)破碎装置

当煤层较厚、煤的块度较大或者片帮煤较多时,采煤机要设破碎装置。破碎装置由破碎滚筒及其传动装置组成。

(六)调高装置

调高装置用来调节采煤机滚筒的高度,从而使采煤机适应煤层厚度的变化。双滚筒采煤机滚筒的调高方式有摇臂调高、截割部调高、机身调高。大多数采煤机采用摇臂调高。摇

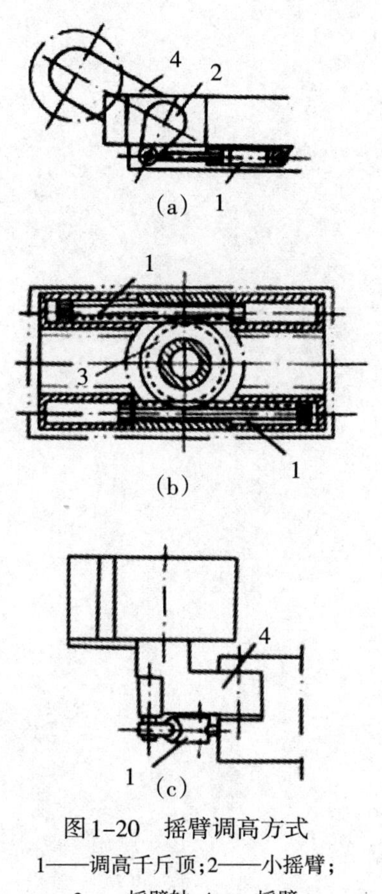

图1-20　摇臂调高方式

1——调高千斤顶;2——小摇臂;
3——摇臂轴;4——摇臂

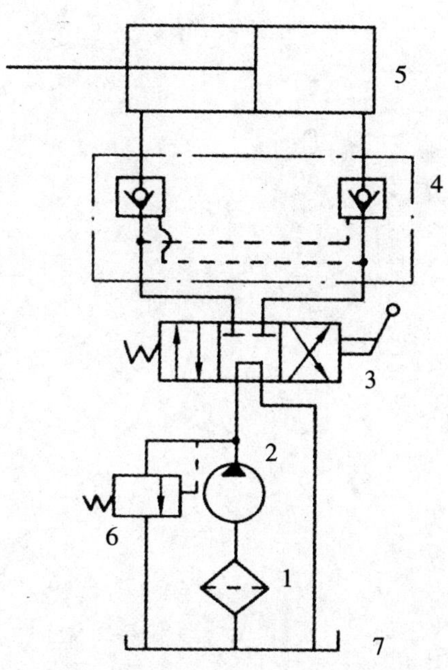

图1-21　典型的调高液压系统

1——过滤器;2——调高泵;3——手动换向阀;
4——双向液压锁;5——调高千斤顶;
6——安全阀;7——油箱

臂调高一般是靠调高油缸(千斤顶)来实现的。大多数调高千斤顶安装在采煤机的底托架内,如图1-20(a)所示。也有将调高千斤顶设在截割部固定减速箱内部的,如图1-20(b)所示,通过齿条千斤顶带动齿轮和摇臂轴实现摇臂的升降。也有将调高千斤顶设在端部的,如图1-20(c)所示,通过小摇臂与摇臂轴使摇臂升降。

典型的调高液压系统如图1-21所示,调高泵经过滤油器从油箱里吸油,通过换向阀和双向液压锁实现调高千斤顶的升降。

当手动换向阀在中位时,调高泵压力油经换向阀中位流入油池,这时滚筒保持在原有的位置。

当调高手把向外拉时,换向阀处于左位,调高泵压力油经换向阀和液压锁2进入油缸的右腔,活塞杆伸出,截割滚筒升高。油缸左腔的油经液压锁和换向阀左位返回油池。

同理,当调高手把向里推时截割滚筒降低。

液压锁用来锁紧千斤顶活塞的两腔,使滚筒在调好的位置上固定不动。

第二部分　专业核心知识点

1.采煤机的组成和工作原理。

2.采煤机的主要工作参数。

3.采煤机的配套设备。

4.无链牵引的类型和特点。

5.牵引传动装置的作用和类型。

6.截割机构(截齿、滚筒、叶片)的作用、结构及参数。

7.采煤机的传动装置(固定减速箱、摇臂减速箱、传动方式)。

8.采煤机的附属装置。

9.采煤机的安装、试运转。

10.采煤机的操作、润滑、维护和故障处理。

第三部分　专业技能训练

一、双滚筒采煤机的认识

(1)针对双滚筒采煤机(实物、模型),认识采煤机的四大组成部分。

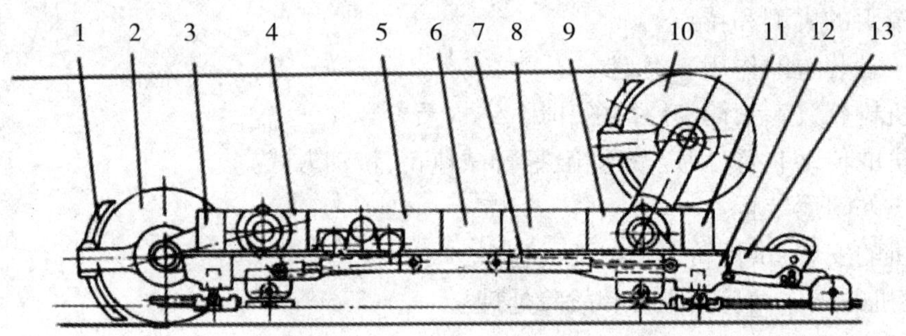

图 1-22　MLS_3-170采煤机的结构组成

1——弧形挡煤板;2——左螺旋滚筒;3——电液控制箱;4——左截割部;5——液压牵引部;6——中间箱;7——调高千斤顶;8——电动机;9——右截割部;10——右螺旋滚筒;11——接线箱;12——底托架;13——防滑装置

(2)明确采煤机的调高液压系统。

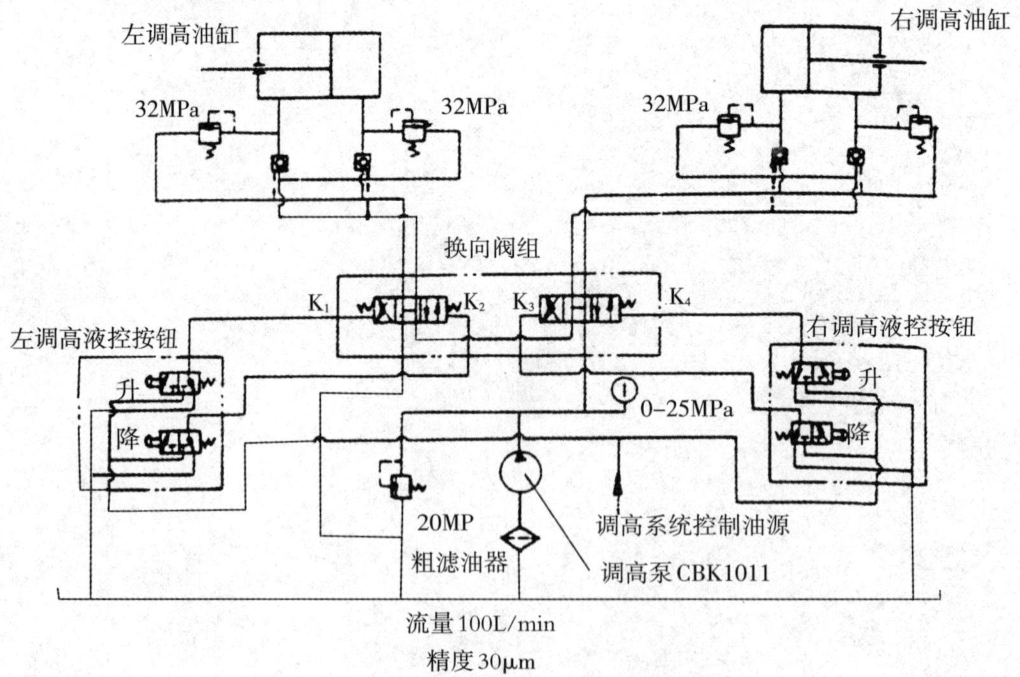

图1-23　MG475采煤机的调高液压系统

该系统由粗滤油器、调高泵、高压安全阀、液控换向阀及左右液压调高按钮、左右调高油缸、液压锁、安全阀和液压管路组成。

左右滚筒的调高分别由相应安装在机组两端的液压按钮控制。当液控换向阀处于中位时,调高泵排除的压力油经中位机能返回油箱,此时滚筒依靠液压锁保持在原有的高度。操作上升按钮,由辅助泵提供的控制油推动液控换向阀的阀芯,使液动换向阀处于左位,此时调高泵排除的压力油经过液动换向阀进入调高油缸的活塞腔,活塞杆外伸,活塞杆腔的回油经液压锁和液动换向阀流回油箱,滚筒上升。操作下降按钮,由辅助泵提供的控制油推动液控换向阀的阀芯,使液动换向阀处于右位,此时调高泵排除的压力油经过液动换向阀进入调高油缸的活塞杆腔,活塞杆缩回伸,活塞腔的回油经液压锁和液动换向阀流回油箱,滚筒下降。

其中,调高泵的最大工作压力通过安装在排油口的高压安全阀来控制,调定值为20mpa。

(3)明确国产滚筒采煤机产品型号编制方法及含义。

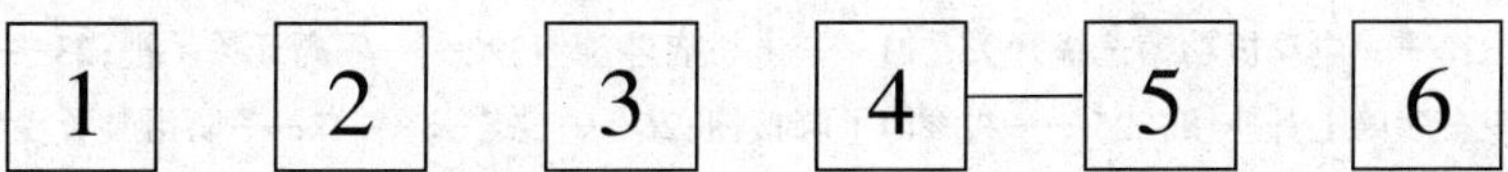

1——生产厂家(给予阿拉伯数字顺序号,以示区别同型机)

2——采煤机代号　　M:采煤设备　G:滚筒式

3——滚筒数目代号　　D:单滚筒　　双滚筒可省略

4——配用主电机功率(kw),双电机时用“2×”表示

5——用途及结构代号　　H:厚煤层　B:薄煤层　G:高型　A:矮型　P:爬底板　W:无链牵引　F:外牵引　J:机械牵引　D:电牵引

6——修改序号

注:当采煤机产品的用途及结构特点为基本型、骑溜型、圆环链或钢丝绳牵引、内牵引、液压牵引、用于中厚煤层时,其用途及结构代号不用表示,即无字母。

例如:MG2×300-AW型采煤机表示:

无链牵引、双滚筒采煤机、双电机驱动,每台电动机功率为300kw,矮型机身,无链牵引。

MG344-PWD型采煤机表示:

双滚筒采煤机,电机功率为344kw,爬底板式,无链牵引,电牵引。

(4)熟悉采煤机的操作手把、按扭、开关,如图1-24为MLS_3-170型采煤机的操作按钮、开关、手把。

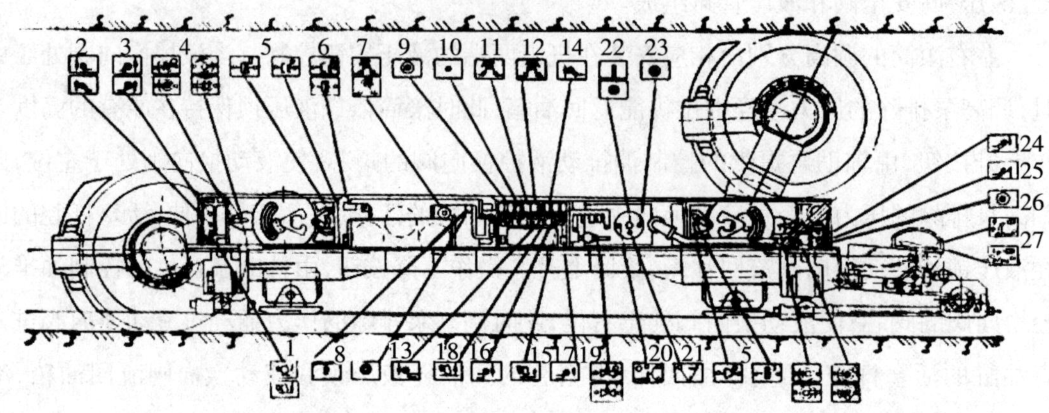

图1-24　MLS$_3$-170型采煤机的操作按钮、开关、手把

1——机身调斜手把;2——左滚筒调高手把;3——右滚筒调高手把;4——翻转挡煤板手把;5——截割部离合器手把;6——牵引部离合器手把;7——牵引部调速换向手把;8——开关阀手把;9——急停按钮;10——联锁按钮;11——向左牵引调速按钮;12——向右牵引调速按钮;13——左滚筒上升按钮;14——左滚筒下降按钮;15——机身调斜按钮(向下);16——右滚筒上升按钮;17——右滚筒下降按钮;18——机身调斜按钮(向上);19——供水开关;20——电动机功率选择开关;21——电机启停旋钮;22——隔离开关手把;23——紧急停机按钮;24——右滚筒上升按钮;25——右滚筒下降按钮;26——急停开关;27——防滑装置操作手把

二、双滚筒采煤机的特点

(1)滚筒的调高范围较大,可以在中厚煤层一次采全高,并且可以适应煤层厚度的变化和地板起伏不平的条件。

(2)双滚筒采煤机可以在工作面两端自开缺口。

(3)双滚筒采煤机功率大。目前,国内外大功率采煤机的电动机功率已经超过1000kw。

(4)双滚筒采煤机的生产能力较高,可达到600t/h~1000t/h。

(5)双滚筒采煤机的保护装置比较完善。采煤机的牵引部有自动调速装置,提高了工作可靠性。

(6)双滚筒采煤机操作方便。有手把操作、按钮操作,还有无线电操作方式。

三、采煤机的安装与试运行

(一)地面检查与试运转

采煤机下井前必须按照井下工作情况在地面设长度不小于30米的输送机,使采煤机在其上运行,进行地面检查与试运转,确认合格后方可下井。

1.试运转前的检查

检查采煤机各部件是否齐全、完好,安装是否正确;检查连接螺栓是否缺少或者松动、各运动部件及操作手把是否灵活、各油池和润滑部位是否按规定加注清洁油液;检查水路是否畅通;检查各出轴处、盖板等处是否漏油;检查电气部分的绝缘隔爆是否符合要求;检查调高及喷雾冷却系统的管路是否齐全和良好等。

2.试运转

启动前把各手把置于中立。

(1)地面试运行一般不少于30分钟的整机运行。

(2)检查各操作手把和按钮是否灵活可靠。

(3)注意各部分机体运行的声音和平稳性。

(4)观察各处的温度是否符合要求。

(5)检查采煤机摇臂升降是否灵活。

(6)操作牵引换向手把,使采煤机正反向牵引,测量其空载转速是否符合要求,手把在中间零位时牵引速度是否为零。

(7)在试运转期间,检查各连接管路是否漏油,运转声音是否正常。

(8)检查各个压力表的读数是否正常平衡。

(9)测量电机三相电流是否正常平衡。

(二)采煤机的井下运输

采煤机的装车顺序是由现场安装地点和井下运输条件来确定的。零部件的下井顺序一般是右滚筒、右摇臂、右截割部减速箱、底托架、牵引部、电动机、左截割部减速箱、左摇臂、左滚筒及护板等。

井下运输注意事项:

(1)采煤机下井时,尽可能分解成比较完整、比较大的部件,从而减少运输安装的工作量,防止设备的损坏。并且要根据井下的安装场地和工作面情况,确定各部件的下井顺序。

(2)下井前所有的油液要全部排放干净,所有的外露孔口要密封,外露的结合面及易损坏的操作手柄要采取适当的保护。

(3)比较大比较重的部件要用平板车运送。平板车的尺寸要符合井下的巷道运输条件。

(4)在运输工程中,要避免剧烈的震动、撞击,避免损坏设备。

(5)起吊工具要求紧固可靠,经过检查才可以使用。对于起吊装置,要具有5倍以上的安全系数;对于推拽装置,要具有2倍以上的安全系数。

(三)采煤机的安装

1.安装顺序

(1)采煤机安装前,液压支架和输送机必须先安装好,但输送机的机尾要待采煤机部件吊入输送机的机道后才能安装。

(2)采煤机的井下安装是在工作面输送机上进行的。安装地点的支架要用横梁加固,以保证起重时能承受机器的重量,同时有足够的长度和大约2.5米的宽度。

(3)先把底托架安装到工作面输送机上。

(4)把牵引部、电动机和电控箱放到底托架的正确位置上,用螺栓与底托架固定。

(5)在采煤机两端分别对接左右截割部,用螺栓固定好。

(6)连接调高调斜油缸、油管、水管、电缆等附属装置。

(7)安装左右滚筒、挡煤板。

2.安装注意事项

(1)安装前要制定安装作业规程和安全技术措施。

(2)零部件要齐全合格,确保安装质量。

(3)碰伤的结合面要进行修理,合格后才可以安装。

(4)安装销、轴时,要清洗干净,涂上油脂,严禁在没有对准时用大锤硬砸而损坏零件。

(5)在安装花键时,一要清洗干净;二要对准键槽;三要平稳拉紧。

(6)安装时要保护好电气元件和操作手把按钮,避免损坏。

(7)结合面处要清洗干净并涂上密封胶。

(8)安装完毕后,要进行检查,并且把滚筒处的杂物清理干净,确认没有问题后方可试车。

3.安装质量要求

(1)零部件完整无损,螺栓齐全紧固,手把按钮动作灵活、位置正确。

(2)油质油量都符合要求,没有漏油漏水现象。

(3)电动机的接线正确,滚筒转向符合要求。

(4)空载试验时,低压正常,运转声音正常。

(5)电缆尼龙夹齐全,电缆长度符合要求。

(6)冷却喷雾系统符合要求。

(7)各种安全保护装置齐全,试验合格,工作可靠安全。

(四)采煤机的井下试运转

进行采煤机试运转前,先让采煤机空机运转10~15分钟,然后沿工作面带负荷运行一个循环。

采煤机要达到以下要求:

(1)机器没有异常响动,各部位的温度符合规定。

(2)牵引正常,控制灵活。

(3)液压系统的压力符合规定。

(4)滚筒升降灵活,升降的速度符合规定。

(5)电流电压正常。电缆水管拖移装置状态正常。

(6)冷却喷雾系统水流畅通,水压符合要求。

(7)采煤机没有漏油、漏水的现象。

四 、采煤机的操作

(一)开机前的检查

1.工作面检查

(1)检查支护情况,主要检查液压支架的接顶状态、架间密封和护帮情况。

(2)观察煤层的变化情况,顶地板的起伏变化情况。

(3)注意采煤机周围是否有障碍、杂物及人员。

2.设备检查

(1)各操作按钮、旋钮、手把应灵活可靠,并置于“零位”或者“停止”位置。

(2)必须将截割部离合手把打到“断开”位置,并插上闭锁插销。

(3)滚筒截齿要齐全、锐利和牢固。

(4)各连接螺栓要齐全牢固。

(5)无链牵引的轨道连接销要牢固。

(6)电缆及电缆拖移装置应完好无损。

(7)水管完好无损,水冷及喷雾防尘装置要齐全完好,喷嘴畅通,水压和流量符合规定。

(8)各部分油量要适宜(符合润滑规定)。

3.试运转

每班开始工作前,要求脱开滚筒和牵引链轮,停止供水进行空运转10分钟,使油温升至40℃左右时再正式开机。

试运转时要注意观察滚筒的截割情况和运转声音;观察液压系统的压力变化等。

试运转结束后,方可发出预警信号,准备开机。但是有下列情况之一者,不准开机割煤:

(1)无冷却水或者水量不符合规定。

(2)遇到坚硬夹层超过采煤机的截割硬度指标时。

(3)采高低于作业规程要求。

(4)刮板输送机出现急弯情况。

(二)开机顺序

(1)解除各紧急停止按钮。

(2)打开供采煤机冷却用水的截止阀。

(3)合上断路器控制手把至“接通”位置。

(4)旋一下启动电动机旋柄或按钮,再旋到“停止”位置,待电动机即将停止转动时,合上截割部离合器及破碎机构离合器手把。

(5)按规定的截割方向、采高和倾斜旋动相应的手把或按钮,将滚筒与机身调到要求的位置。

(6)空转试车前必须发出警告信号或喊话。当确认机组周围无人妨碍采煤机正常工作时方可启动电动机。空转试车时,检查滚筒旋转方向是否正确,各部分动作和声响是否正常。

(7)当初次开车或者停车时间较长的采煤机再开车时,应在不给水的情况下(电动机不得断水)打开截割部离合器空转10~15min,使油温升至40℃,并按要求排净混入液压系统的空气。

(8)正式开动时,先给输送机发出讯号,待输送机“启动”后再打开给水截止阀。

(9)采煤机开动时,应先将滚筒转起来,再给牵引速度,牵引速度应由小逐渐加大到整定值。

(三)停机操作

1.正常停机操作

正常停机操作的原则是:先停牵引,后停电动机。

(1)将牵引调速手把打到零位,停止牵引;

(2)待截割滚筒内余煤排净后,用停止按钮停电动机;

(3)把离合器及隔离开关操作手把打到断开位置,关闭进水截止阀。

以上是液压牵引采煤机正常停机操作情况。对于电牵引采煤机,正常情况下停机要先"牵停",再停牵断,最后"主停",然后将离合器、隔离开关手把打在断开位置上,同时关闭冷却、喷雾水路。

2.停机要求

(1)一般应选择顶板完整、无淋水的位置停机,采煤机停止运转后,司机必须将所有的离合、隔离开关手把打在断开位置上。

(2)临时停机时,在电动机隔离开关未停、滚筒离合器未脱离的情况下,司机不得离开岗位。

(3)停机后如司机要暂时离开或长时间停机,要将两个滚筒放到底板上,将隔离开关打在断开位置,滚筒离合器手把打在脱离位置上,关闭进水总截止阀。

(4)采煤机必须在无载情况下停机。

(5)电动机正常停机,不允许使用隔离开关手把,只有在特殊情况下或停止按钮不起作用时才可使用,但此后必须检修隔离开关的触点。

3.紧急停机

遇到下列情况之一需紧急停车:采煤机在工作中负荷太大,电动机发生闷车现象时;附近有严重片帮冒顶时;采煤机内部发生异常声响时;电缆拖移装置卡住时;出现人身或其他重大事故时。

(四)操作注意事项

(1)没有经过培训且没有取得上岗证的人员不得开车。

(2)采煤机禁止带负荷启动和频繁启动。

(3)一般情况下不允许用隔离开关或断路器断电停车(紧急情况除外)。

(4)无冷却水或冷却水的压力、流量达不到要求不准开机,无喷雾不准割煤。

(5)截割滚筒上的截齿应无缺损。

(6)严禁采煤机滚筒截割支架顶梁和输送机铲煤板等物体。

(7)采煤机运行时,随时注意电缆的拖移情况,防止损坏电缆。

(8)必须在电动机即将停止时操作截割部离合器。

(9)采煤机应设有制动措施。

(10)采煤机在截割过程中要割直、割平并严格控制采高,防止出现工作在弯曲和台阶式的顶板和底板上。

(11)牵引部顶部的手动操作手柄或旋钮,只允许在处理事故中使用。

(12)检查滚筒、更换截齿或在滚筒附近工作时,必须打开截割部离合器并对工作面输送机施行闭锁。

(13)开机前,应注意查看采煤机附近有无人员及可能危害人身安全的隐患,然后发出信号及大声喊话。

(14)注意防止输送机上的重大异物带动采煤机强迫运行。

(15)工作面遇有坚硬夹矸石黄铁矿结核时,应采取松动爆破措施处理,严禁用采煤机强行截割。

(16)认真填写运转记录和班检记录。

五、采煤机的维护与检修

由于采煤机负荷大、工作条件恶劣,并且是在移动中工作,因此采煤机使用寿命的长短和其工作效能能否发挥,在很大程度上取决于对它维护的好坏。这就必须严格执行采煤机的一系列维护保养制度。

(一)采煤机设备的完好标准

1.机体

(1)机壳、盖板无裂纹,固定牢靠,不漏油。

(2)操作手把、按钮、旋钮完整,动作灵活可靠,位置正确。

(3)仪表齐全,灵敏准确。

(4)水管接头牢固,截止阀灵活,过滤器不堵塞,水路畅通,不漏水。

2.牵引部

(1)牵引部运转无异响,调速均匀准确。

(2)无链牵引滚轮或齿轮与齿条或销排的啮合灵活可靠。

(3)液压油质量符合《综采、普采设备各油脂管理办法补充规定(草案)》。

3.截割部

(1)齿轮传动无异响,油位适当,在倾斜工作位置,齿轮能带油,轴头不漏油。

(2)离合器动作灵活可靠。

(3)摇臂升降灵活,升起后不自动下降。

(4)摇臂千斤顶无损坏,不漏油。

4.截割滚筒

(1)滚筒无裂纹或者开焊。

(2)设有内外喷雾装置的滚筒,喷雾装置齐全,水路畅通,喷嘴不堵塞,水成雾状喷出。

(3)螺旋叶片磨损量不超过喷雾的螺纹。无内喷雾的螺旋叶片,磨损量不超过原厚的1/3。

(4)截齿缺少或截齿无合金的数量不超过10%;齿座损坏或短缺,数量不超过2个。

5.电气部分

(1)电动机冷却水畅通,不漏水。电动机外壳温度不越过80℃。

(2)电缆夹齐全,不出槽,电缆不受拉力。

6.安全保护装置

采煤机所有安全保护装置,如刮板输送机的闭锁装置、制动装置、过载保护装置、电动机恒功率装置及各种电气保护装置等齐全可靠,整定合格。

7.底托架、破碎机

(1)底托架无严重变形,螺栓齐全紧固,与牵引部及截割部接触平稳,挡铁严密。

(2)滑靴磨损均匀,磨损量不大于10mm。

(3)支撑架固定牢靠,滚轮转动灵活。

(4)破碎机构动作灵活可靠,无严重变形及磨损,没有破缺。

(二)采煤机的"四检"

采煤机的"四检"是指班检、日检、周(旬)检和月检。

"四检"的重点是注油、油质、油量、连接螺栓、截齿、外露水管、油管和电缆等。

1.班检

由采煤机司机和小班检修工进行,不少于30分钟。检查内容有:

(1)检查和处理采煤机表面情况,保持采煤机各部位清洁,无浮煤、浮矸,无积水和其他杂物。

(2)检查各种信号、压力表、油位指示,保持各信号、压力表、油位可以正确显示。

(3)检查各部位螺栓(机身对口、滑靴、滚筒等易松部位)是否松动、断折,进行紧固、更换。

(4)检查采煤机导向或齿条连接装置连接是否牢固齐全。

(5)检查各部位是否漏油、渗油,保持规定液面,在运行卡中记录,对渗漏现象进行处理。

(6)更换、补充损坏和缺少的截齿,检查齿座损坏情况,齿座应齐全完整、无开焊变形,截齿锋利不短缺,连接销齐全牢固。

(7)检查电缆、电缆夹的连接与拖拽情况。电缆应连接可靠、无扭曲挤压,电缆夹板无缺损,并记录电缆破坏情况。

(8)检查操作手把、按钮是否灵活可靠。

(9)检查制动装置是否达到制动可靠、动作灵活。

(10)检查并询问冷却、喷雾、供水情况,水流畅通无泄漏,喷雾效果良好,供水压力流量符合要求。

2.日检

由检修班长、机组长负责,不少于5人,检修时间不少于6小时。检修内容有:

(1)处理班检中处理不了的问题。

(2)处理电缆、电缆夹板、电缆槽故障,电缆无扭结、拖拽自如,电缆夹板完好。

(3)处理滑靴、对口连接等处的螺栓,进行紧固、防松。

(4)检查冷却喷雾系统(水压、水量)水管畅通无泄漏,喷雾畅通无损坏。按冷却图检查水泵流量、压力,牵引部最小流量应符合规定。

(5)检查各部分的油位和注油点。按润滑油图表要求加注润滑油,油质符合规定,油量适宜。

(6)检查调斜、调高千斤顶。要求无损坏、泄漏,动作灵活可靠。

(7)检查和处理滚轮、牵引齿条等装置出现的故障。

(8)检查和处理制动装置故障,要求其动作灵活,安全可靠。

(9)检查和处理操作手把按钮故障。

(10)检查和处理过滤器,使其保持正常的过滤效果。

3.周(旬)检

由机电科长、综采队长、机电工程师组织人员检修。内容有:

(1)处理日检处理不了的问题。

(2)检查各部分的油质和油量。按润滑图表加注油脂,油质符合规定,油量适宜并取油样进行外观检查。

(3)检查和处理滑靴、支撑架、机身之间的连接部位,应紧固可靠。

(4)检查电气控制箱,要求防爆面符合规定,接线不松动,控制箱保持干燥,无杂物、油污。

4.月检

由机电矿长或副总工程师组织人员检修。内容有:

(1)处理周(旬)检处理不了的问题。

(2)处理漏油并取样检查,按油脂管理细则规定取油样化验和进行外观检查,按规定更换或清洗油池,处理各连接部位的漏油。

(3)检查滑靴的磨损量,一般不越过10mm。

(4)检查和处理齿条、齿形的变形情况。

(5)进行电动机绝缘性能测试。用1000V摇表,绝缘电阻大于1.1Ω,密封良好。

(6)检查电动机密封。

(7)根据电动机的特殊要求,对其轴承注入锂基脂。

(8)检查电气箱防爆面和电缆,要求其符合防爆规定。

(9)检查防滑自动闸。

(10)检查滚筒轴承运转情况,连接螺栓紧固情况,滚筒是否有裂纹、开焊、严重磨损。

(三)采煤机的检修质量标准

1.采煤机牵引部检修质量标准

(1)牵引部箱体内不得有任何杂物,各零部件必须清洗,不允许有锈斑。

(2)组装时必须认真检查各零部件的连接,安装管路必须正确无误。

(3)伺服机构调零必须准确。

(4)按规定注入新油液。

(5)各类保护装置必须灵敏可靠,绝不允许随意更改或甩掉不用。

2.采煤机截割部检修质量标准

(1)机壳内不得有任何杂物,不允许有锈斑。

(2)各传动齿轮完好无损,啮合状况符合规定。

(3)各部位轴承符合配合要求,无异常。

(4)各部油封完好无损,不得渗漏。

(5)按规定注入新的润滑油和润滑脂。

(6)离合器手把、调高手把、挡煤板翻转手把等必须动作灵活、可靠,位置正确。

(7)滚筒不得有裂纹和开焊现象,螺旋叶片的磨损量不超过原厚度的三分之一。

(8)端面及径向齿座完整无缺,其孔磨损不超过1.5mm,补焊齿座的角度应正确无误。

3.采煤机附属装置检修质量标准

(1)内外喷雾系统水路畅通,喷嘴齐全,不得有漏水现象。

(2)底托架和挡煤板应无变形、裂纹及开焊现象。

(3)滑靴磨损量不得超过10mm,其销轴磨损量不得超过1mm。

(4)冷却系统必须工作可靠,冷却管、管路均应做到1.5倍额定压力的耐压试验,不得有变形和渗漏现象。

(5)导向器不得有变形、卡阻现象。

(6)牵引链张紧装置齐全可靠。液压张紧油缸应按规定试验合格,弹簧张紧器伸缩灵活,弹簧不得疲劳变形。

(7)无链牵引装置连接可靠,各零部件磨损量不超限。

(8)防滑装置应可靠无误,制动力矩应符合原设计要求。

(四)采煤机的小、中、大修

为了保证采煤机的正常运转和设备完好,除了做好采煤机的日常维护工作,严格执行“四检”外,还必须定期对采煤机进行强制检修。按采煤机的检修内容分为小修、中修、大修三种。

1.小修

采煤机小修是指采煤机在工作面运行期间,结合“四检”进行强制维修和临时性的故障处理(包括更换个别零部件及注油),以维持采煤机的正常运转和完好。小修周期为一个月。

2.中修

采煤机中修是指采煤机采完一个工作面后,整机(至少是牵引部)升井由使用单位进行定期检修和调试。中修除完成小修内容外,还需要完成以下任务:

(1)采煤机全部解体清洗、检修、换油,根据磨损情况更换密封圈及其他外供零部件。

(2)采煤机各种护板的整形修理和更换,底托架及滑靴(或滚轮)的修理。

(3)截割滚筒的局部整形及齿座修复。

(4)导轨、电缆槽和电缆拖移装置的修理、整形。

(5)控制箱的检验和修复。

(6)整机调试,试运转合格后方可下井使用,并要求实验记录齐全。

3.大修

在采煤机运转2~3年,或产煤240~300万吨后,如果其主要部位磨损超限,整机性能普遍降低,并且具备修复价值和条件的,可以进行恢复其主要性能为目的的整机大修。采煤机检修质量应符合《综采设备检修质量暂行标准》。

大修除完成中修任务外,还须完成以下任务:

(1)截割部的机壳、端盖、轴承杯、轴、摇臂、小摇臂的修复或更换。

(2)摇臂的机壳、轴承座、行星轮架(系杆)、连接凸缘的修复或更换。

(3)截割滚筒的整形及配合面的修复。

(4)调高、调斜千斤顶的修复或更换。

(5)牵引部的液压泵、液压马达、辅助泵及所有阀件及其他零件的修复或更换。

(6)牵引部行星轮机构的修复。

(7)冷却喷雾系统的修复。

(8)电动机整机重绕或者更换部分线圈,以及防爆面的修复。

(9)为恢复整机性能所必需的其他零件的修复或更换。

(10)整机调试试运转合格后,喷涂防锈漆。

(五)采煤机维护检修时应遵守的规定

(1)坚持"四检"制度,不准将维修时间挪做生产或他用。

(2)严格执行采煤机使用的有关规定、管理制度及标准要求。

(3)充分利用维修时间,合理组织安排人员,认真完成维修计划任务。

(4)检修标准按原煤炭部1987年颁发的《煤矿机电设备检修质量标准》执行。

(5)未经批准,严禁在井下打开牵引部机盖。必须在井下打开牵引部机盖时,需由矿机电部门提出申请,经矿机电领导批准后实施。

(6)检修时,检修班长或施工组长(或其他施工人员等)要先检查施工地点、工作条件和安全情况,再把采煤机各开关、手把反置于停止或断开位置,并打开隔离开关(含磁力启动器中的隔离开关),闭锁工作面输送机。

(7)注油清洗要按《油质管理细则规定》执行,注油口设在上盖上,注油前要先清理干净所有碎杂物,注油后要清除油迹,并加密封胶,然后紧固好。

(8)检修结束后,按操作规程进行空运转,试验合格后再停机断电、结束检修工作。

(9)检查螺纹连接件时,必须注意防松螺母的特性,不符合使用条件或失效的应予更换。

(10)在检修和施工过程中,应做好采煤机的防滑工作。注意观察周围环境变化情况,确保安全施工。

(11)维修工作结束后要做好检修维护记录。

六、采煤机的润滑

采煤机维护的好坏,很大程度决定于润滑情况的好坏。尤其是液压牵引采煤机,其三分之二的故障是由于润滑方面造成的,因此必须高度重视采煤机的润滑问题。

(一)采煤机对润滑材料的要求

(1)具有适宜的黏度和良好的黏温性能,黏度指数应大于90。

(2)有良好的润滑性和抗磨性。

(3)化学性能稳定,抗氧化能力强,抗泡性好。在贮存及工作过程中不应氧化生成胶质,能长期使用且不变质。当系统温度、压力变化时,油液的性能不变。

(4)有良好的防锈性能和抗乳化性能。

(5)有良好的抗腐蚀性能。

(6)抗剪切性能好。

(7)闪点高,凝点低。

(8)对密封材料适应性强,不影响密封件的使用寿命。

(二)润滑油选用的一般原则

(1)机件运动速度高,宜选低黏度的润滑油;反之,应选高黏度的润滑油。

(2)载荷重时,应选择高黏度的油;反之,宜选低黏度的油,以减少能量消耗和发热。受冲击载荷振动大的机件,应选高黏度或极压性的油。

(3)运动副部件做往复、间歇、变速运动时,应选较高黏度的油。

(4)温度高时应选高黏度的油。

(5)潮湿环境应选具有良好防锈性能的油。裸露工作的部件应选高黏度的油。

(6)间隙小、加工精度高时,应选低黏度的油。

(7)根据润滑方式的不同选用润滑油。如采用机械循环、毛毡滴油等润滑方式应选低黏度的油;采用飞溅、压力循环待润滑方式应选氧化稳定性好的油。

(8)注意润滑油接触其他物质时的相容性。

(三)齿轮油

齿轮油是专门用于齿轮的润滑油。它广泛用于采煤机整个截割部及破碎滚筒的传动部分。

1.齿轮油的作用

(1)减少齿轮及其他运动件的磨损,使设备正常运转,保证有关零件的使用寿命。

(2)降低摩擦系数,从而减小摩擦力,减少功率损失,提高效率,降低能耗。

(3)分散热量,起冷却作用。

(4)减轻振动,减小噪音程度,缓解齿轮之间的冲击。

(5)冲洗污物及固体颗粒,减少齿面的磨粒磨损。

(6)防止腐蚀,避免生锈。

2.极压齿轮油

在润滑油中加入极压添加剂,在高温、重载、高应力的条件下,它能使金属表面形成一层牢固的化合物质,防止金属表面直接接触,造成胶合、烧结、熔焊等摩擦面损伤。它的极压性能好、承载能力高,适用于重载、高温和受冲击载荷大的齿轮传动装置。

这种含有极压添加剂的润滑油称为极压油。采煤机牵引部传动齿轮箱和截割部齿轮传动系统的润滑较多使用极压工业齿轮油。极压工业齿轮油分为铅型极压工业齿轮油和硫磷型极压工业齿轮油两类。由于采煤机中的齿轮在工作环境恶劣、载荷大且冲击大、温度高的条件下工作,所以大多采用硫磷型极压齿轮油。

(1)铅型极压工业齿轮油。这种油适合在承受重载荷、冲击载荷,且一般不接触水的机械中润滑。该油加有极压添加剂等多种添加剂,因此油膜强度大,摩擦系数小,可对高载荷及冲击载荷维持有效的油膜,润滑性能可靠,有较好的抗氧化安定性、抗腐蚀性、防锈性、抗泡性。

(2)硫磷型极压工业齿轮油。这种油采用深度精制润滑油,按成品黏度需要调成基础油,加入硫磷型极压抗磨剂以及防锈、抗泡剂制成,因此与铅型极压工业齿轮油相比有较为突出的特点,即:有极好的抗磨性和极压性;良好的分水性,可及时排出混入油中的水分,不易乳化;抗氧化安定性好,能在800℃以上高温的齿轮箱中较好地工作。这种油适用于重载荷、反复冲击载荷的封闭式齿轮传动装置,特别适用于极易进水、使用条件恶劣、油温很高的采煤机截割部齿轮箱。目前，我国大功率采煤机都采用N220、N320号硫磷型极压工业齿轮油。

(四)采煤机液压油

在液压传动系统中，液压油既是传递动力的介质，也是液压传动机构的润滑剂。此外还有冷却、防锈的作用，不同于一般的润滑油。液压油对液压系统的工作性能会产生很大的影响。因此选择液压油时，要从传递动力和润滑两个方面来考虑，只有选择黏度合适的液压油，才能充分发挥设备的效能。采煤机液压油主要用于牵引部液压系统和附属液压系统。

抗磨液压油是以深度精制的润滑油作为基础油，加入抗磨、抗氧化、抗泡、增黏、降凝等多种添加剂调合制成的。目前国产和引进采煤机的牵引部大多使用N100、N150号抗磨液压油。

(五)润滑脂

润滑脂由基础油、稠化剂、稳定剂和添加剂组成，是半固体可塑性润滑材料。采煤机上常用的润滑脂有锂基润滑脂、钙钠基润滑脂和钙基润滑脂。

1.润滑脂的选择

(1)选择润滑脂时，首先要求润滑脂滴点温度至少比轴承的最高工作温度高出20℃~30℃。使用温度越接近滴点，润滑脂变质失效和流失得就越快。

(2)润滑脂所适应的轴承运转速度是有限的，一般在DN值大于30000cm.r/min~35000cm.r/min时，不宜采用润滑脂润滑。

(3)负荷高的轴承应选择针入度较小即较硬的润滑脂；

(4)根据外界条件合理选择润滑脂。

2.润滑脂使用中应注意的问题

(1)保持油脂干净；

(2)油脂按规定使用，按时按量注油脂，不得混用；

(3)经常检查，注意油量和油质的变化；

(4)润滑脂变质达不到要求性能指标，必须及时更换。

(六)采煤机对工作油液的使用要求

(1)每班均需注意各部油位，如果缺油不许开动机器。尤其是牵引部油池，无论在什么情况下，均应保持油标所示的油量，以保证正常运转。

(2)每班应随时注意精过滤器情况，如堵塞应立即清洗或更换滤芯。

(3)随时注意油温。

(4)每周用现场观察油质的方法检查油质；每月用化验的方法检验油质。

(5)在更换各处滤芯时，应防止脏物进入系统内部。

(七)给采煤机注油的注意事项

(1)按设备润滑图表要求的油脂品种、牌号加注润滑油脂，严防加错油。

(2)油桶、油抽子要专用，油枪及其他油具要清洁，严防把杂物带进油池。

(3)液压油、齿轮油经过过滤后再注入采煤机，确保注入的油符合要求。

(4)注油量要适当,要符合说明书的要求。

(5)换油时油池中的旧油要放净,并将油池清洗干净。

(6)注油时严防水进入油池。

(7)注油后,盖板要密封可靠,螺丝紧固,严禁松动,以防水和杂质混进油中。

(八)油液的更换

1.油液更换注意事项

(1)超过油液更换标准时,应立即更换。

(2)不同牌号的油液不得混合使用。

(3)旧油排尽后,各油箱应用新油液冲洗干净。

(4)新油液注入机器过程中,应严格过滤。更换新油后,机器要空运转。

2.油液的更换标准

现场判断油质标准见表1-5。

表1-5 油液的更换标准

外观检查	气味	处理意见
透明、澄清	良好	照常使用
透明、有小黑点	良好	过滤后可使用
乳白色	良好	更换新油
黑褐色	恶臭	更换新油

3.油液的存放、输送及注油

(1)油液存放时,必须注意防水、防尘、防氧化,要有清晰的油液型号标记。

(2)从地面运送到井下的油,必须经过过滤,过滤精度为0.01mm~0.02mm之间,以专用的密封油桶运至井下工作面。

(3)注油时,必须先仔细清理注油口周围,防止煤及水混入,应用手摇泵注油。

4.工作面采煤机打开机盖时的防护措施

(1)主机周围须适量洒水,适当减少风量,停止其他作业,并选择顶板较好的地点。

(2)在主机上方架起防止顶板落碴的帐篷。

(3)彻底清理上盖及螺钉、螺钉窝内的煤尘。

(4)直接参加拆装人员的矿工帽、工作服、工具和手等必须清洁;工具的数目清楚,修理完后要清点工具件数,以防遗落在机壳内。

(5)排除故障后,箱内的油液应按更换油液标准处理。

(6)禁止用纱布、棉纱、破布等擦拭液压油池及液压元件,可用泡沫塑料、海绵擦拭。

七、采煤机常见故障分析与处理

采煤机的故障类型主要有三大类:一是液压传动部分的故障;二是机械传动部分的故障;三是电气控制部分的故障。

(一)采煤机常见故障分析判断

1.判断故障的程序

根据实践经验,判断故障的程序是听、摸、看、量和综合分析。

听:听取当班司机介绍机器发生故障前后的运行状态、故障征兆等,征询司机对故障的看法和处理意见,必要时可开动采煤机听其运转声音。

摸:用手摸可能发生故障点的外壳,判断温度变化情况,也可用手摸液压系统查看有无泄漏,特别是主油泵配流盘、接头密封处、辅助泵、低压安全阀、旁通阀等是否泄漏。

看:看运行日志以及主要液压元件、电气元件、轴承的使用和更换时间,看液压系统图、电气系统图、机械传动系统图和油脂化验单;到现场看采煤机工作时液压系统高低变化情况,过滤系统是否正常。

量:通过仪表测量绝缘电阻、冷却水压力、流量和温度,检查液压系统中高低压变化情况,油质污染情况,主液压泵、液压马达的漏损和油温变化情况;检查伺服机构是否失灵,检查高压和低压安全阀、背压阀开闭情况是否正常和各种保护系统是否正常等。

分析:根据以上听、摸、看、量取得的材料进行综合分析,准确地找出故障原因,提出可行的处理方案,尽快排除故障。

2.判断故障的方法

为了准确迅速地判断故障,查找到故障点,必须了解故障的现象和发生过程。其判断的方法是先部件、后元件,先外部、后内部,层层解剖。

(1)先划清部位。首先判断是电气故障、机械故障还是液压故障,对应于采煤机的部件便是电动机部、截割部、牵引部的故障。

(2)从部件到元件。确定部位后,再根据故障的现象和前面所述的判断故障的程序查找到具体元件,即故障点。

3.采煤机故障处理的一般原则和步骤

一般原则:先简单后复杂,先外部后内部,先机械后液压。

一般步骤:首先了解故障的现象和发生过程,然后分析引起故障的可能原因,最后做好排除故障的准备工作。

(1)分析故障原因:

分析故障原因时,要在熟悉机器各部分的结构和动作原理的基础上,结合有关故障的具体情况来分析各种可能的原因,最后再做出判断。

采煤机的故障可能发生在机械部分,也可能发生在液压部分,还可能发生在电气部分或者冷却、喷雾部分。

机械部分的故障可能是属于连接件方面的,如因连接松动、连接件断裂或脱落,引起有关机件相对位置的变动而造成的故障;可能是属于传动件方面的,如因机件过度磨损,变形过大,甚至断裂损坏而引起的;也可能是属于润滑方面的,如因缺乏润滑油脂而造成温升过高,甚至机件黏结、烧坏而引起的;也可能是属于其他方面的,如箱壳、座架变形、断裂等等。

液压部分的故障可能是机械方面的故障,如机件松动、磨损、黏结、变形或者断裂等;可能是液压方面的故障,如因密封失效而漏油、串油或进气,以致压力上不去,流量不够或运转不稳定等;还可能是液压油方面的故障,如油量不足,油中混入水、气,油液老化、污染或滤油器失效等等。

电气部分的故障可能是电气元件的机构失灵或机件损坏;也可能是电气元件的绝缘失

效、短路、接地等;还可能是主回路、控制回路内的接点接触不良,或断线、脱焊等等。

(2)做好排除故障前的准备工作:

排除故障前,要先把情况了解详细,原因分析清楚,并把需要的工具、备件和材料等准备齐全,同时还要把场地周围和其他准备工作做好。

(3)排除故障:

排除故障中,打开盖板或拆卸机件时,要记住机件的相对位置和拆卸顺序。安装时要注意机件位置是否正确,连接是否牢固,连接件是否齐全等。作业中要注意保持四周环境清洁,严防杂物落入箱内。

对于采煤机的各种故障,应当根据实现情况具体分析处理。

4.处理采煤机故障时应注意的事项

(1)排除故障时,必须先检查处理好顶板、煤壁的支护状态;断开电动机的电源,打开隔离开关和离合器,闭锁刮板输送机;接通采煤机机身处的照明,使防滑、制动装置处于工作状态;将机器周围清理干净,机器上方挂好篷布,防止碎石掉入油池中或冒顶片帮伤人。

(2)判断故障要准确、彻底。

(3)更换元部件要合格。

(4)元件及管路的联接要严密牢固,无松动,不渗漏。

(5)元件内部要清洁,无杂质及细棉丝等物。

(6)拆装的部件顺序要正确。

(7)处理完毕后,一定要清理现场,清点工具,检查机器中有无废弃异物,然后盖上盖板,注入新油并排气后再进行试运转。试运转合格后检修人员方可离开现场。

(二)采煤机的常见故障及其处理方法见表1-6、表1-7、表1-8所示

表1-6　　采煤机牵引部常见故障现象、可能原因和处理方式

故障现象	可能原因	处理方式
牵引力太小 (高压表压力过低)	1.主油管路漏油 2.油马达泄漏过大 3.冷却不好(除AM500采煤机规定油温74℃外,其余规定为70℃) 4.高压安全阀、过压关闭阀整定值过低 5.补油量不足 6.液压油不合格(黏度低、黏度指数低、变质)	1.拧紧、更换密封件或换油管 2.更换 3.调定供水压力,流量达到适宜值重新整定,达到规定值 4.清洗过滤器或更换泄漏量小的补油泵 5.背压阀调至规定值 6.更换合乎规定的液压油
牵引速度低(主油泵流量小) **表1-6(续)**	1.管路漏油 2.油马达或主油泵泄漏过大 3.主油泵调节机构不正确 4.过滤器堵塞	拧紧或更换 更换 重调至要求 清洗或更换

故障现象	可能原因	处理方式
高压表频繁跳动	主泵柱塞卡死,复位弹簧断裂（主泵配油盘严重磨损）	更换
补油压力低（低压表压力过低）,补油泵排量不足	1.滤油器堵塞 2.补油泵漏损严重 3.油面低	清洗或更换 更换 注油至要求
补油回路泄油	1.背压阀整定值低 2.管路漏油	重调定至要求 拧紧或更换
牵引力超载采煤机不停	高压安全阀失灵	重调或更换
牵引部发出异常声响	主油路系统不正常（缺油、漏油、混入空气,油泵、油马达损坏）	加油,排空气,拧紧,更换。
牵引部油乳化	油中进水 1.冷却器漏水 2牵引部上盖封闭不严渗水 3.湿空气吸入 4.油质低劣	更换 换密封,涂密封胶 定期从排油孔排出一定的含水油 更换合格油品
牵引部机头齿轮箱发热	1.油品不合格(混入水.杂质及低劣油质) 2.油位过低 3.轴承等摩擦副卡研或损坏 4.齿轮传动件研损、擦伤	更换合格油品 注新油 更换 更换

表 1–7　　采煤机截割部常见故障现象、可能原因和处理方式

故障现象	可能原因	处理方式
开机摇臂立即升起或下降	控制系统失灵 1.控制按钮失灵 2.控制阀卡研 3.操作手把松脱	更换 更换 紧固或更换
摇臂升不起,升起后自动下降或升起后受力下降	油路密封不严 1.液压锁失灵 2.油缸串油 3.管路漏油 4.安全阀整定值过低	更换 更换 拧紧或更换 重调至要求
液压油箱和摇臂温度过高	1.轴承副研损 2.齿轮副擦伤、胶合 3.油质低劣 4.油泵运转蹩劲 5.冷却效果不好	更换 更换 换合格油 更换 加强合适的通水压力和流量
离合器手把蹩劲	离合器变形、卡研	更换或修复

表1-8　　采煤机电气设备常见故障现象、可能原因和处理方式

故障现象	可能原因	处理方式
电动机启动后操作牵引按钮时不牵引	1.牵引控制回路断线 2.供电电压太低	修复 恢复供电电压
只有一个方向牵引	一个方向的电磁铁断路	修复
牵引速度只增不减或只减不增	1.按钮接触不良 2.电磁铁或阀芯卡住	修复 修复或更换
电动机启动不起来	1.控制回路断路 2.主线路接触器烧损	接通 更换
一启动就停	1.保护系统动作 2.接地 3.相间通路	调整至要求 更换 更换
电动机温度过高	1.冷却水量小或无 2.轴承副研损 3.断笼条	按规定给水 更换 更换

八、《煤矿安全规程》对双滚筒采煤机的规定

第六十九条　使用滚筒式采煤机采煤时，应遵守下列规定：

（一）采煤机上必须装有能停止工作面刮板输送机运行的闭锁装置。采煤机因故暂停时，必须打开隔离开关和离合器。采煤机停止工作或检修时，必须切断电源，并打开其磁力启动器的隔离开关。启动采煤机前，必须先巡视采煤机四周，确认对人员无危险后，方可接通电源。

（二）工作面遇有坚硬夹矸或黄铁矿结核时，应采取松动爆破措施处理，严禁用采煤机强行截割。

（三）工作面倾角在15°以上时，必须有可靠的防滑装置。

（四）采煤机必须安装内、外喷雾装置。截煤时必须喷雾降尘，内喷雾压力不得小于2MPa，外喷雾压力不得小于1.5MPa，喷雾流量应与机型相匹配。如果内喷雾装置不能正常喷雾，外喷雾压力不得小于4MPa。无水或喷雾装置损坏时必须停机。

（五）采用动力载波控制的采煤机，当2台采煤机由1台变压器供电时，应分别使用不同的载波频率，并保证所有的动力载波互不干扰。

（六）采煤机上的控制按钮，必须设在靠采空区一侧，并加保护罩。

（七）使用有链牵引采煤机时，在开机和改变牵引方向前，必须发出信号，只有在收到返向信号后，才能开机或改变牵引方向，防止牵引链跳动或断链伤人。必须经常检查牵引链及其两端的固定联接件，发现问题，及时处理。采煤机运行时，所有人员必须避开牵引链。

（八）更换截齿和滚筒上下3m以内有人工作时，必须护帮护顶，切断电源，打开采煤机隔离开关和离合器，并对工作面输送机施行闭锁。

（九）采煤机用刮板输送机作轨道时，必须经常检查刮板输送机的溜槽联结、挡煤板导向管的联结，防止采煤机牵引链因过载而断链；采煤机为无链牵引时，齿（销、链）轨的安设必须紧固、完整，并经常检查。必须按作业规程规定和设备技术性能要求操作、推进刮板输送机。

复习题

1.采煤机主要由哪几部分组成？各部分有什么作用？

2.说明双滚筒采煤机的工作原理。

3.解释名词：采高、截深、调高、喷雾降尘。

4.采煤机的截割部有什么特点？

5.采煤机截割部对截齿有什么要求？

6.截割部的传动方式有哪几种？

7.采煤机的调高有哪几种方式？

8.无链牵引机构有什么特点？

9.常用的无链牵引机构有哪几类？

10.牵引部的传动装置有哪几种方式？

11.简述喷雾冷却系统的组成和作用。

12.喷雾灭尘有哪几种形式？各有什么特点？

13.简述采煤机的开机和停机步骤。

14.什么情况下采煤机可以实现紧急停机？

15.简述采煤机的“四检”内容。

16.采煤机故障处理的基本原则是什么？

17.说明采煤机故障处理的一般步骤。

18.说明采煤机小、中、大修的内容。

讨论题

1.调查了解当地使用的采煤机有哪些型号，属于哪种类型？

2.为什么电牵引采煤机已成为采煤机的发展方向？

3.说明采煤机的检修质量标准。

4.简述《煤矿安全规程》对双滚筒采煤机的相应规定。

第二章 MG300-W 液压牵引采煤机

第一部分 系统理论知识

第一节 概述

MG300-W 采煤机是一种适合于中厚煤层长壁回采工作面的浅截深的双滚筒采煤机。

该型号的含义是：M：采煤机；G：滚筒式；300：电动机功率为300kw；W：无链牵引。

MG300-W 采煤机是我国鸡西煤矿机械厂的产品。它是我国自行设计、研制的大功率采煤机，用于开采厚度为2.1~3.7m、倾角小于35°的中硬或硬煤层。

表 2-1 MG300-W 采煤机各种机型的使用范围

机型	型号	机面高度（mm）	摇臂长度（mm）	滚筒直径（mm）	最大采高（mm）	卧底量（mm）	采高范围（m）	倾角（°）
基型	MG300-W MG2×300-W MGD300-W	1600	1695（弯）	1600 1800 2000	3521.6 3621.6 3721.6	216 316 416	2.1~3.7	35 45
高型	MG300-WG MG2×300-WG	1900	2015（直）	2000 2300	4345 4495	155 305	2.5~4.5	35
矮型	MG300-WA MG2×300-WA MGD2×300-W	1200	1695（弯）	1400 1600 1800	3118 3218 3218	123 136 236	1.6~3.2	35 45

注：表中D表示单滚筒；2×300表示双电机，功率分别为300kW；G为高型；A为矮型。

一、主要组成部分

MG300-W 采煤机和其他的采煤机一样主要由截割部、牵引部、电气部和附属装置组成。如图2-1所示。

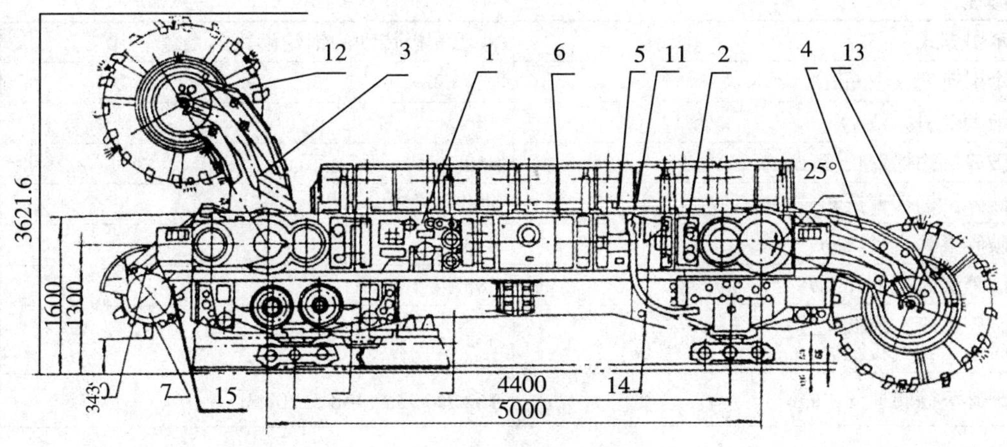

图2–1　MG300–W 采煤机

1——液压传动部；2——左、右截割部固定减速箱；3、4——左、右摇臂；5——中间接线箱；6——电动机；7——破碎滚筒；8——牵引传动箱；9——底托架；10——破碎滚筒调高油缸；11——拖缆装置；12、13——左、右滚筒；14——喷雾冷却装置；15——破碎摇臂

二、工作原理

该采煤机采用的是滚轮齿轨式无链牵引机构，四个滚轮装在底托架的两个牵引传动箱上，通过四个并联的液压马达带动。齿轨铺设在整个输送机上，滚轮与齿轨啮合，使采煤机沿工作面往返移动。

滚筒转动，截齿破煤，通过螺旋叶片实现装煤。同时，在采煤机的端头装有破碎机构，来破碎大块片帮煤。

三、主要技术特征

如表2–2所示。

表2–2　MG300–W采煤机主要技术特征

生产能力（t／h）	600
截深（mm）	630
摇臂长度（mm）	1695
摇臂摆动角度（°）向上	57
向下	25
滚筒直径（mm）	1600，1800，2000
采高（m）	2.1 ~ 3.7
卧底量（mm）	216，316，416
滚筒转速（r／min）	25，29.7，36.9，45.6
截割速度（m／s）	
D滚=1600	2.10，2.48，3.09，3.82
D滚=1800	2.36，2.80，3.48，4.30
D滚=2000	2.62，3.11，3.86，4.77

续表

牵引方式	液压无极传动的销轮齿轨式无链牵引
牵引速度(m/min)	0~5.98
最大牵引力(kN)	456
破碎机构摇臂长度(mm)	850
破碎机构摇臂摆角(°)	水平下摆40
破碎滚筒直径(mm)	850
破碎滚筒宽度(mm)	485
破碎滚筒在最低位置 时齿尖到底板距离(mm)	343
破碎滚筒转速(r/min)	162.7,193.1,168.5,208.3
破碎截割速度(m/s)	7.24,8.59,7.50,9.21
电动机	
型号	YSKBC300-4
型式	偏心双出轴定子水冷防爆型
功率(kw)	300
电压(V)	1140±5%
喷雾方式	内外喷雾
冷却方式	电动机、牵引部、截割部为循环水冷却 摇臂为水套冷却

四、特点

(1)功率较大,截割能力比较强。

(2)牵引行走机构中的驱动轮、滚轮和导向滑靴都布置在一垂直线上,对工作面底板起伏的适应性好。

(3)牵引部的液压传动箱和牵引传动箱分开布置,可以满足各自对油质的要求,提高了采煤机的工作可靠性;牵引传动箱布置在底托架内,使采煤机的机身长度缩短,机器的稳定性好。

(4)采煤机的截割传动系统设有安全剪切销,可以避免其他零部件的损坏。

(5)采用了弯摇臂结构,装煤效率高。

(6)采煤机上装有破碎机构,可以破碎大块煤,解决大块片帮煤堵塞装煤空间的问题。

(7)设有中间手动、两端液控的操作方式。

(8)液压系统采用了集成阀块结构,减少了连接油管,并采用了多种保护系统和显示装置。

(9)MG300系列采煤机零部件通用性能好。

第二节　MG300-W采煤机的组成

一、截割部

采煤机由一台300kw的电动机带动，其传动系统和齿轮的技术特征如图2-2和表2-3所示。

表2-3　　MG300-W采煤机齿轮特征

部位	截割部																			
代号	C	C_1	Z_1	Z_2	C_2	Z_3	Z_4	C_3	Z_5	Z_6	Z_7	Z_8	Z_9	Z_{10}	Z_{11}	Z_{12}	Z_{13}	Z_{14}	Z_{15}	Z_{16}
齿数	32	32	16	33	50	26 29 33 37	50 47 43 39	40	19	36	36	36	36	47	13	26	65	23	16	16
模数	5		12		3	10		3	10								10	4		

部位	破碎机构							液压箱					牵引传动箱					
代号	C_4	Z_{17}	Z_{18}	Z_{19}	Z_{20}	Z_{21}	Z_{22}	Z_{23}	Z_{24}	Z_{25}	Z_{26}	Z_{27}	Z_{28}	Z_{29}	Z_{30}	Z_{31}	Z_{32}	Z_{33}	W
齿数	32	21 17	31	26 30	19	26	26	35	31	46	48	32	45	17 (19)	83 (18)	15 (17)	13	45	5
模数	5	10							5					5			9		

电动机的左右出轴分别由通轴通过液压传动部和中间接线箱，把动力传给左右截割部的离合齿轮，再通过一级弧齿锥齿轮（Z_1、Z_2）、两级直齿轮（Z_3、Z_4、Z_5、Z_6、Z_7、Z_8、Z_9、Z_{10}。其中，Z_3、Z_4为滑移齿轮，Z_6、Z_7、Z_8、Z_9为惰轮）和行星轮系（Z_{11}、Z_{12}、Z_{13}）进行减速，将动力传到滚筒。

截割传动系统经过4级减速，通过滑移齿轮、滚筒可获得4种不同的转速。

操纵离合器可以将滚筒接通或者断开。

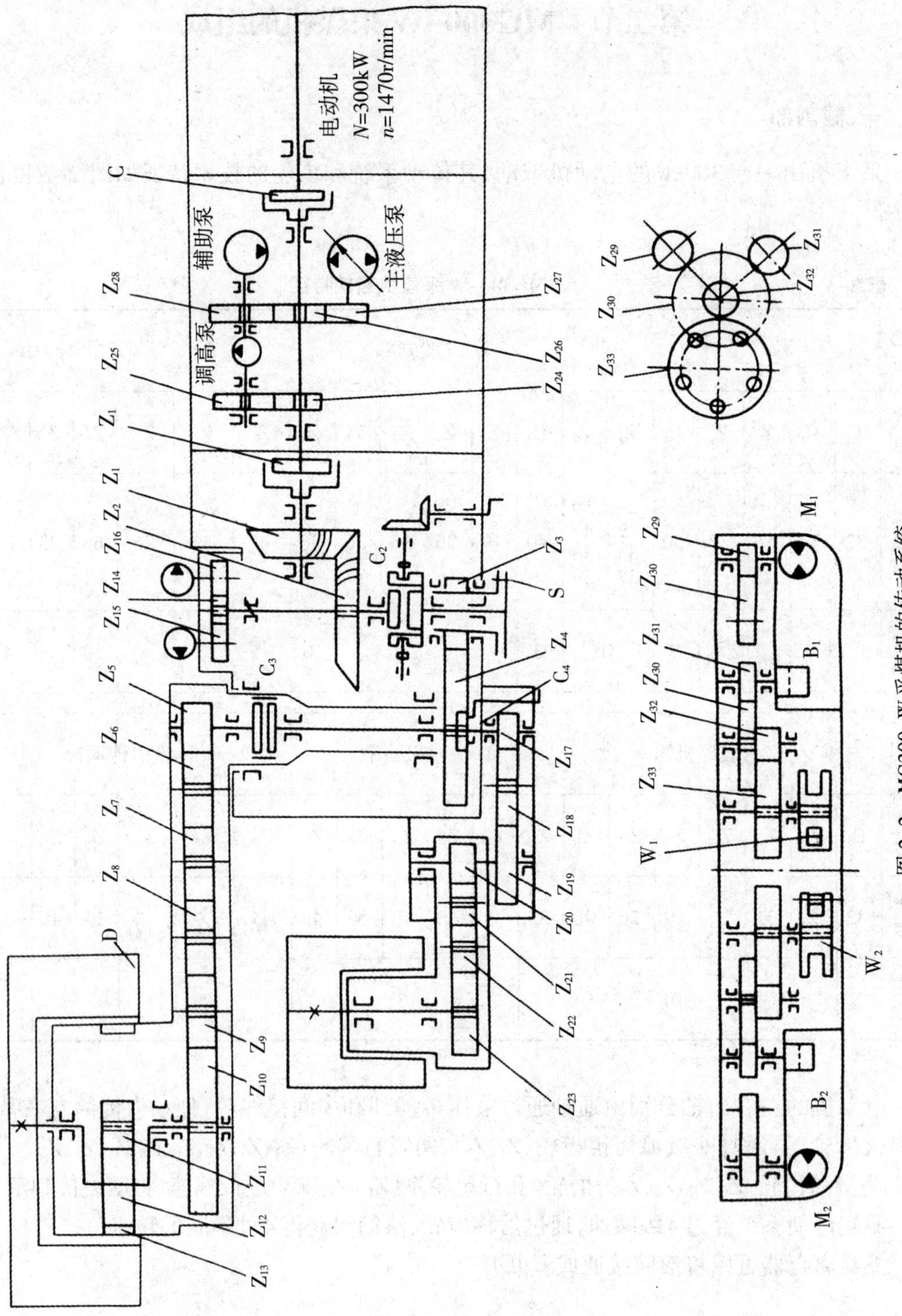

图 2-2 MG300-W 采煤机的传动系统

二、牵引部

MG300-W采煤机的牵引部包括液压传动箱和牵引传动箱两部分。

（一）液压传动箱

液压传动箱由机械传动和液压传动两部分组成。两者相互隔开，分别布置在两个隔腔内。

1.液压传动箱的机械传动

从图2-2可看出，液压传动箱的机械传动是通过齿轮减速驱动主液压泵、通过齿轮减速驱动辅助泵、通过齿轮减速驱动调高泵的。调节主油泵的排油量，可以实现牵引速度的无极调速。液压马达通过出轴经过两级齿轮（齿轮29、30；齿轮32、33）减速，使牵引滚轮获得所需要的转速。滚轮与齿轨相互啮合，实现采煤机的牵引。

2.液压传动系统

如图2-3所示。包括主油路系统、保护系统和操作系统。

（1）主油路系统：

主油路系统包括主回路和补油热交换回路。

①主回路：

主回路是由液压泵和液压马达组成的闭式系统。

MG300-W采煤机的主回路中，液压泵是ZB125型斜轴泵，马达是4个并联的BM-ES630摆线马达。

液压泵是双向变量泵，液压马达是双向定量液压马达。通过改变液压泵的缸体摆角大小和摆向来改变液压泵的排量和排油方向，改变液压马达的转速和转向，从而实现采煤机的调速和换向。

②补油热交换回路：

由于闭式主回路的散热条件较差，容易渗漏，需要强化冷却，补充工作介质，防止主液压泵吸空。所以必须加设补油热交换回路。

辅助泵经过粗滤油器，从油池中吸油，排除的油经过精滤油器、单向阀进入主回路的低压侧进行补油。

液压马达排出的部分热油经梭形阀和背压阀排出，进入冷却器后回油箱，实现冷却。

辅助泵12是外啮合齿轮泵，只能单向工作，不允许反转。

低压安全阀7是直动式溢流阀，调定压力为2.94MPa，限制辅助泵的最高压力。背压阀9是先导式溢流阀，调定压力为1.96MPa，起背压保护作用。单向阀6是为了保护精滤油器而设置的，当精滤油器堵塞时打开。单向阀11是为了在更换冷却器时，使油液不向外漏油。粗滤油器3是网式和磁性滤芯的组合，需要进行定期清洗。精滤油器是纸芯式，属一次性的，要防止滤芯击穿，需要及时更换。

（2）保护系统：

①电动机功率超载保护：

电动机功率超载保护是当电动机功率超载时，使采煤机的牵引速度自动减慢或停止牵引。从而减小电动机的功率。当负载减小时，牵引速度可以自动增大，直到原来调定的调定

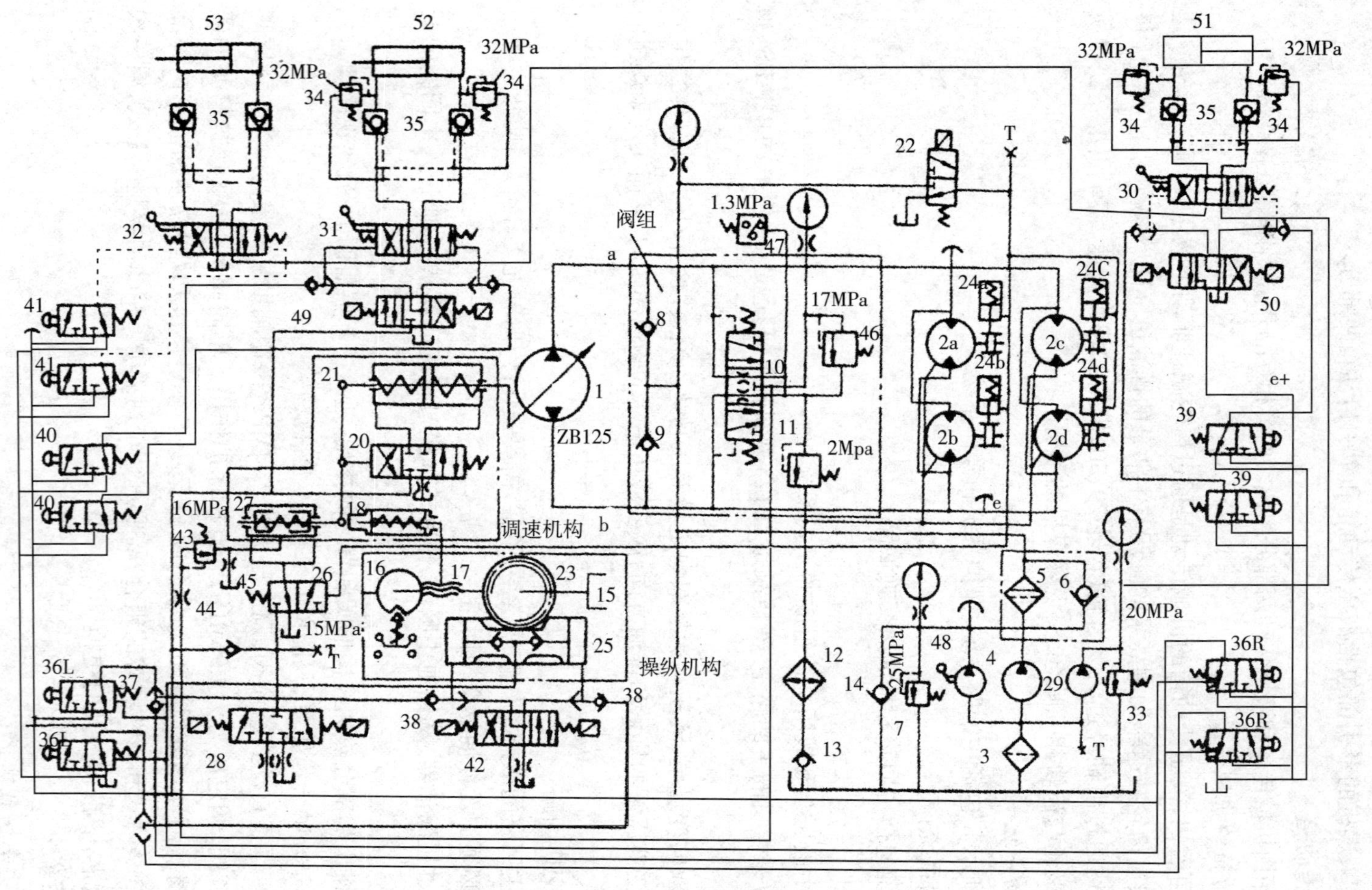

图2-3　MG－300(W)型采煤机液压系统图

1——主液压泵；2——液压马达；3——粗过滤器；4——辅助泵；5——精过滤器；6、8、9、13、14——单向阀；7——溢流阀；10——整流阀；11——背压阀；12——冷却器；15——手把；16——开关圆盘；17——螺旋副；18——调速套；19——杠杆；20——随动滑阀；21——变量油缸；22——齿轮；23——齿轮；24——液压制动器；25——调速缸；26——失压控制阀；27——回零油缸；28、42、49、50——电磁阀；29——调高泵；30、31、32——手液动换向倒；33、34、46——安全阀；44、45——节流器；47——压力继电器；48——手压泵；49、50——电磁阀；51、52——截割滚筒调高液压缸；53——破碎滚筒调高液压缸值。这样使采煤机的电动机在接近满载的工况下工作,既可以避免损坏电动机,又可以充分发挥电动机的功率。

该保护装置是由电磁阀28、回零油缸27和调速套18组成的(见图2-3)。

采煤机正常工作时,电磁阀通常处于欠载位置,即左位。回零油缸27中的弹簧在控制油压的作用下压缩,调速套被解锁,可以通过操作调速手把来任意调定牵引速度。当电动机过载时,功率控制器发出信号,使电磁阀28处在超载位置,即右位。回零油缸27中的控制油经过电磁阀回油箱,回零油缸27中的弹簧迫使拉杆向减速方向运动,由于调速手把没有动,拉杆只能压缩调速套中的记忆弹簧。电动机超载消失后,电磁阀又恢复到欠载位置,回零油缸解锁,在记忆弹簧的作用下回复到原来调定的牵引速度。

②恒压控制系统:

恒压控制是当牵引力小于额定值时,采煤机以调速手把所调定的速度牵引。当牵引力大于额定值时,牵引速度自动降低,直到回零。当牵引力低于额定值时,牵引速度又自动恢复。恒压控制特性曲线如图2-4所示。图中AB是牵引速度限制线,BC是牵引力限制线。如果手把整定的牵引速度是3m/min,那么在牵引力小于400kN(即主回路高压侧的压力达到16Mpa)时,采煤机的工作点在图中的虚线上移动。当牵引力不小于400kN时,牵引速度沿BC线下降,直到降到零。在此过程中,如牵引力减小到额定值以下,那么牵引速度就又恢复到整定值运行。

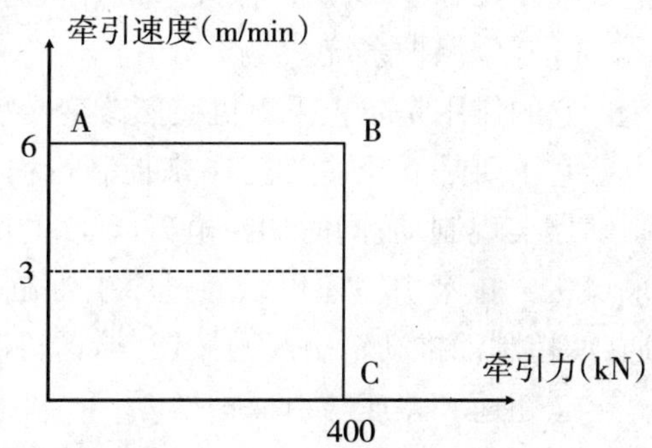

图2-4 恒压控制系统特性曲线

该装置是由远程调压阀和回零油缸实现的(见图2-3)。在正常工作时,远程调压阀43关闭,回零油缸处于解锁状态,当主回路的油压由于牵引负载增大而超过15.68MPa时,远程调压阀打开,溢出的低压油一部分旁路分流,一部分进入回零油缸的弹簧腔内推动活塞迫使调速机构中的拉杆向减小主油泵流量的方向移动,记忆弹簧同时受压缩。当主回路中的油压降到15.68MPa以下时,远程调压阀关闭,回零油缸解锁,牵引速度自动恢复。

远程调压阀是直动式溢流阀。

节流器R_1起滤波作用,R_2是为了改善控制系统的阻尼比,提高系统的稳定性。

③高压保护系统:

在恒压控制系统中,当牵引阻力突然增大时,牵引速度下降比较缓慢(受分流阻尼作用)。所以,为了采煤机的安全,设置了高压保护系统。

高压保护是利用高压安全阀46来实现的,其调定压力为16.66MPa。当系统压力达到该值,高压安全阀动作,溢出的油液回到回路低压侧,压力不再上升,牵引速度很快下降,实现超载保护。并且当远程调压阀失灵时,高压安全阀可以保护系统安全(见图2-3)。

④低压保护系统:

低压保护的作用是使系统保持一定的背压,是通过失压控制阀46和压力继电器47来实现双重保护的(见图2-3)。

失压控制阀26的保护压力限制为1.47MPa。当系统的低压侧压力降到1.47MPa时，失压控制阀的阀芯在弹簧力的作用下复位，回零油缸的控制油接通油池，在回零油缸的弹簧力作用下，迫使调速机构中的拉杆回到零位，采煤机停止牵引。如果失压控制阀失灵，当系统低压侧压力低于1.27MPa时，压力继电器47动作，切断电动机电源，机器停止工作。

⑤停机主油泵自动回零保护系统：

当电动机因故障停机后，如果主油泵没有自动回零而有较大的摆角，当电动机再次启动时，会产生很高的瞬时超载值，使油泵损坏。停机主油泵回零保护系统可以改善主油泵的启动性能(保证下次开机时主泵在零位启动)，又可以降低对采煤机司机的操作要求。

当采煤机停机时，电磁阀22断电，失压控制阀27失压，依靠回零油缸弹簧推动回零油缸把主油泵拉到零位，从而保证下次开机时主油泵在零位启动。

⑥零位保护系统：

它的作用是防止采煤机突然改变牵引方向时引起冲击。

它主要是靠开关圆盘16来控制行程开关，使之在零位时断开，使电磁阀22断电，从而使制动器实现制动；同时切断电磁阀42的电源，使其回到中位，调整速缸25的活塞停止运动，采煤机停止牵引。还可以通过牵引油缸25活塞中部的Φ3小孔和油缸Φ 2的孔在零位时接通，使控制油推动牵引阀的按钮，给司机停机信号，防止采煤机反向牵引。

⑦超速和差速防滑保护：

《煤矿安全规程》规定："工作面倾角在15°以上时，必须装有可靠的防滑装置。"

本机型的防滑保护是采用4个制动器来实现的。通过二位三通电磁阀22来控制制动器的动作。

采煤机正常运行时，二位三通电磁阀22带电，制动器松闸，4个液压马达同步运转。

当4个液压马达运转不同步时，机器会开始下滑。当下滑速度超过10m/min或者4个牵引滚轮的速度差大于2m/min时，装在牵引传动箱齿轮上的速度传感器会发出信号，通过电器系统切断二位三通电磁阀22的电源，制动器立即制动，防止采煤机下滑。

(3)操作系统见技能操作部分。

(二)牵引传动箱

牵引传动箱的结构如图2-5所示。牵引传动箱由互相对称、结构相同、各有独立油池的两套传动系统组成，每套为两级正齿轮传动，其动力来自液压传动部的主油泵。主油泵同时对两个牵引传动箱的四台摆线液压马达供油。液压马达通过花键与Ⅱ轴上的齿轮相连，并与Ⅲ轴齿轮相啮合，最后经一对圆柱齿轮传动驱动销轮。与Ⅱ轴上齿轮相啮合的Ⅰ轴上还装有液压制动器。

三、电气设备

MG300-W 采煤机的电器设备采用了国内先进的电子技术和集成器件。由电动机、中间箱、左右急停按钮、电缆等组成，可以实现单点启动，多点停止采煤机和运输机。

电气设备的主要技术参数见表2-4。

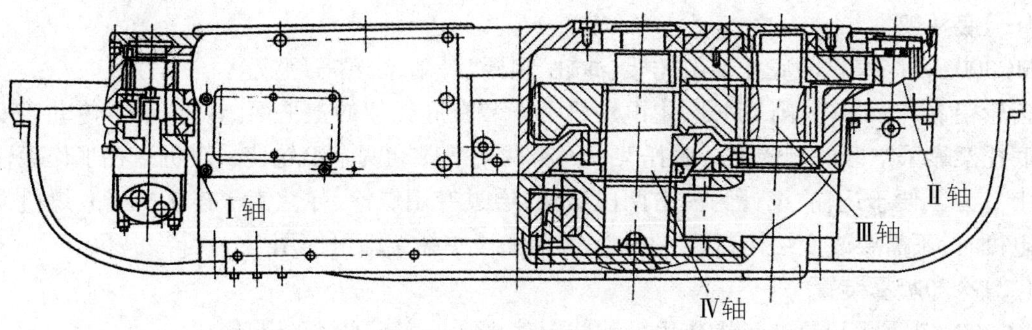

图2-5　牵引传动箱

表2-4　　MG300-W采煤机电气设备的主要技术参数

控制电源	采煤机电控系统的电源由SMY-BK-300型变压器提供，变压器容量300VA，原边电压1140V，副边有两个绕组电压输出分别为220V和28V。
电动机恒功率控制	在常温下，恒功率系统整定在如下状态： （1）电动机电流$I<90\%I_N$时，为欠载状态，采煤机加速牵引； （2）$90\%I_N\leq I\leq 110\%I_N$时，为满载状态，采煤机匀速牵引； （3）$I>110\%I_N$时，为超载状态，采煤机减速牵引。 此外，当电动机温度达到+135℃时，电动机降低容量15%左右运行。
无线电遥控	工作频率：157MHz； 频偏：约4KHz； 发射功率：≥50MW； 指令：10个，多路传输，调宽一调频制； 控制距离：综采工作面上不小于15m。
电动机热保护	（1）电动机温度≥135℃时，集中显示窗上红色预警显示； （2）电动机温度≥155℃时，切断主电源，红色闪光显示约32s。
超速保护	每2s内，牵引平均速度大于10m／min时，切断主电源，红色闪光显示约32s。
差速保护	左（或右）行走箱上两个速度传感器输出的速度脉冲，每2s内发生两次或两次以上不同步时，切断主电源，红色闪光显示约32s。
失压保护	牵引部辅助油路失压引起压力继电器状态转换时，切断主电源，红色闪光显示约32s。
回“零”抱闸	（1）牵引回“零”时，松闸电磁铁失电，抱闸停机，黄色松闸显示熄灭。 （2）无线电或手动电控牵引回零时，松闸电磁铁失电，抱闸停机，待无线电或电控按钮松开后再次按下时，才能继续牵引。

四、辅助装置

MG300-W采煤机的辅助装置包括底托架、冷却喷雾装置、电缆拖拽装置、破碎装置、侧护板和顶护板等。

(一)底托架

MG300-W采煤机的底托架由托架、油缸、侧板、滑靴、滚轮等组成。

齿轮箱、中间箱、液压传动部、主电动机都安装在底托架的上平面。两个牵引传动箱安装在底托架靠采空区的侧壁上。底托架下面有两个滑靴和两个滚轮使采煤机骑在工作面输送机上。为了便于运输,设计为左右两段结构,通过专用螺栓、弹性销等连接。当采煤机使用双电机时,不需要改变结构,只要在中间加接一段中托架即可使用。

(二)冷却喷雾装置

MG300-W采煤机是通过操作手柄和球形截止阀来实现水源的开闭的。

该机的喷嘴有两种规格,一种是PZA1.5-45型的喷嘴,安装在滚筒上做内喷雾用;一种为PZB2.5-70型,安装在摇臂上做外喷雾用。

冷却喷雾系统如图2-6所示 。

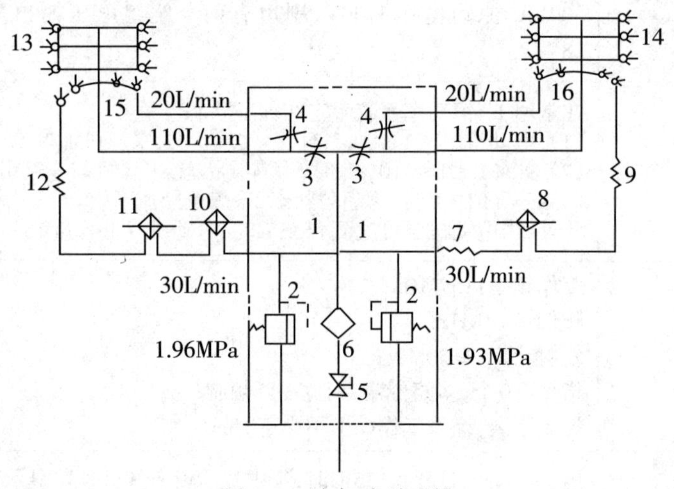

图2-6 冷却喷雾系统

1、3、4——流量调节阀;2——安全阀;5——截止阀;6——过滤器;7——主电机水套;8——右齿轮箱冷却箱;9——右摇臂水套;10——牵引部冷却器;11——左齿轮箱冷却箱;12——左摇臂水套;13、14——左、右滚筒内喷雾;15、16——左、右外喷雾装置

来自泵站的320L/min的水通过水管经过电缆槽到采煤机的电缆拖移装置,进入安装于中间箱的水阀,分配为左右各三路,实现采煤机的内外喷雾和冷却。

1.冷却水路

由水阀左路出来的冷却水经液压传动箱冷却器10、左齿轮箱冷却器11、左摇臂水套12,由安装在左摇臂水套下的喷嘴喷出,以冷却摇臂,降低左滚筒装煤口处的粉尘。由水阀右路出来的冷却水经过主电机水套7、右齿轮箱冷却器8、右摇臂水套9后,由安装在右摇臂下的喷嘴喷出。

2.内外喷雾水路

内喷雾水路是由分配阀把水分为左右两路分别进入左右行星头中心水管,再接入左右滚筒的3个叶片,经叶片流通后,由安装在截齿前的喷嘴喷出,实现灭尘、冷却功能。

外喷雾的喷嘴设在摇臂头上的弧形盖板上,左右摇臂各设3个喷嘴。喷雾水由分配阀后的节流阀4来实现。

为了控制冷却水的水量和水压，在左右冷却水路上都设有节流阀1和安全阀2。调节节流阀1，使冷却水路的流量为30l/min；调节安全阀2，使水压为1.96MPa。

为了保证截割时上下滚筒都有较好的喷雾降尘效果，在水阀上设置了分配阀3，通过调整分配阀3来满足上下滚筒对于水量的不同要求。

（三）破碎机构

MG300-W 采煤机设有破碎机构，用来破碎片帮煤和大块煤。安装在靠工作面输送机尾侧的截割减速箱上。

破碎机构的传动系统如图 2-2 所示。

破碎机构的动力经过齿轮离合器4，经过两级减速（齿轮17、18、19；齿轮20、21、22、23）到破碎滚筒。

（四）电缆拖移装置

电缆拖移装置如图2-7所示。

它的作用是保护随采煤机来回移动的电缆和水管，使其不受拖拽的拉力。

拖动的电缆及电缆夹的总长度要比采煤机的运行长度的一半长出2米左右，以便能够打弯和适应工作面延长的需要。

电缆夹板采用有一定强度、抗磨性能较好的尼龙电缆夹。夹板间用销子连接，并用开口销防松。采煤机使用单电机时，把电缆和一根水管分别放在电缆夹的两边，当采用双电机时，在电缆夹一边放一根电缆，在另一边放一根电缆和一根水管。

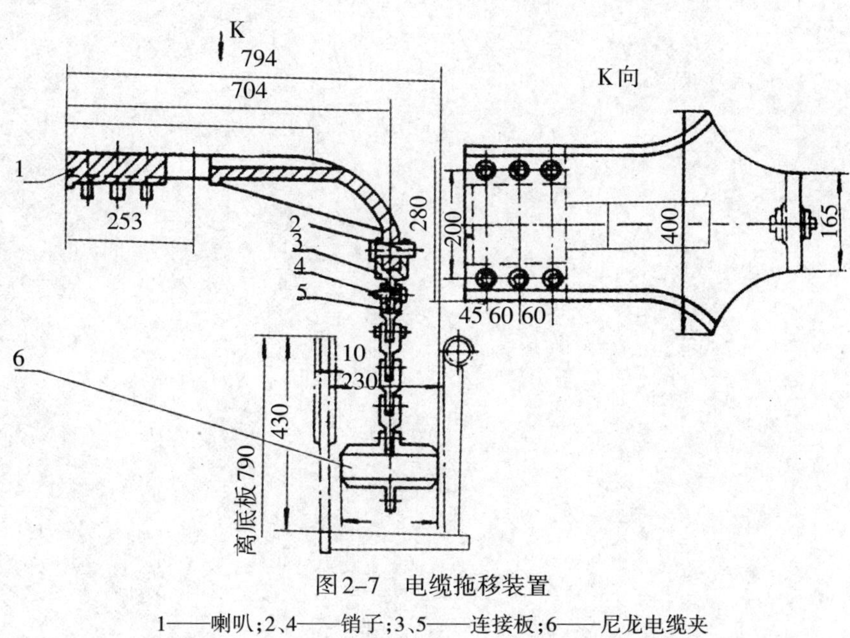

图2-7　电缆拖移装置

1——喇叭；2、4——销子；3、5——连接板；6——尼龙电缆夹

第二部分　专业核心知识点

1.MG300-W 型采煤机的技术特征和特点。

2.MG300-W 型采煤机的传动系统。

3.MG300-W 型采煤机的液压系统(主油路、保护回路、操作系统)。

4.MG300-W 型采煤机的喷雾冷却装置、破碎装置。

5.MG300-W 型采煤机的润滑(注油位置、油液牌号、使用要求)。

6.MG300-W 型采煤机的常见故障及处理。

第三部分　专业技能训练

一、MG300-W 采煤机的组成

利用采煤机实物，使学生对MG300-W 采煤机的结构有明确的认识。

(一)截割部

1.固定减速箱

固定减速箱的结构如图2-8所示。

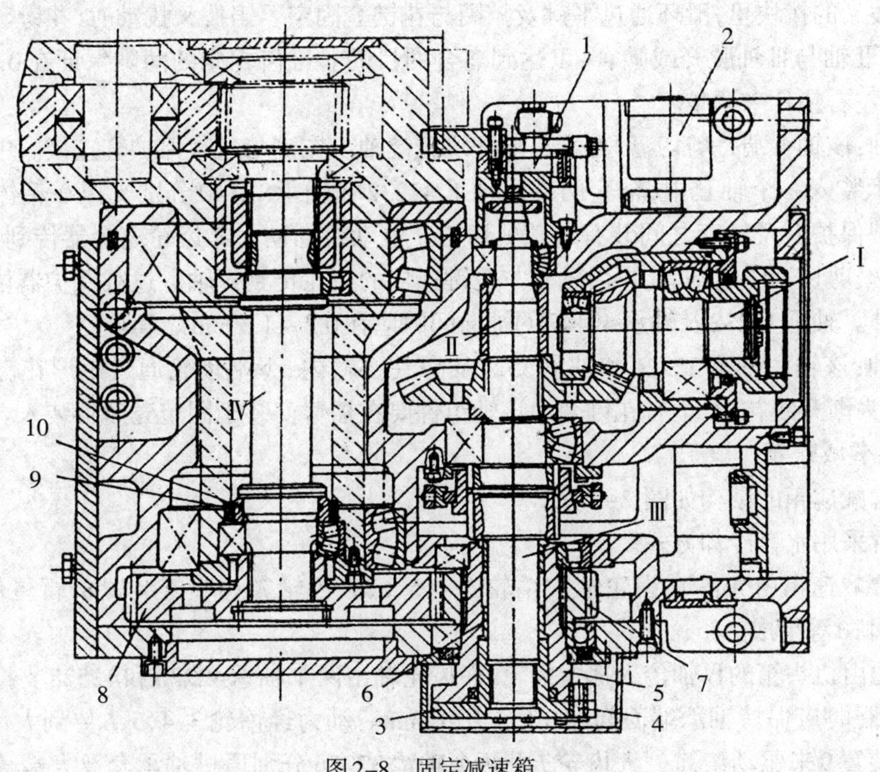

图2-8　固定减速箱

1——润滑油泵；2——冷却器；3——过载保护套；4——安全销；5——轴套；6——滑动轴承；7、8——齿轮；9、10——密封圈

固定减速箱的箱体为一铸造矩形结构。箱体内主传动轴承孔、离合器安装孔、放油孔、放气孔、加油孔与底托架的定位孔、螺栓孔等的位置都是上下对称的，因此，在减速箱进行组装时，箱体没有左右之分，可以翻转180°使用。但已经装好的左右固定减速箱不能互换。

固定减速箱内装有两级齿轮传动(共四个轴系组件)、齿轮离合器和两个润滑油泵。Ⅱ轴靠采空区侧的端部，通过齿轮离合器与Ⅲ轴连接。Ⅲ轴端部用花键与过载保护套3连接。保护套又通过安全销4与轴套5(由两个滑动轴承6支撑)连接。两轴套与齿轮7是通过花键连接的。这样，动力由齿轮离合器→Ⅲ轴→过载保护套→安全销→轴套→齿轮7→齿轮8传至Ⅵ轴。当滚筒过载时,安全销被剪断,电动机及传动件得到保护。过载保护装置位于采空区侧的箱体之外,其外面有保护罩,一旦安全销断裂,更换比较方便。

Ⅰ轴:锥齿轮轴Ⅰ装入轴承杯中,由轴承3613及轴承7524(两个)支撑,联轴器压紧7524轴承的内圈。采用这种结构是为了使轴上的锥齿轮处于两支座的中间,可改变其受力状态。轴承杯上开有缺口,使小锥齿轮外露,确保小锥齿轮的啮合。轴承3613只承受径向力,而轴承7524不仅承受径向力,还要承受轴向力,左轴承受拉,右轴承受推,依靠调整垫来调整两轴承的轴向间隙保持在0.08~0.15 mm之间。

Ⅱ轴:大锥齿轮通过矩形花键安装在轴上,而轴由轴承3613和轴承3622支撑在箱体内。轴承3613只承受径向力,而轴承3622承受径向力和轴向力。轴的左端安装有一对小齿轮($m=3$,$z_1=37$,$z_2=15$)来驱动润滑泵。轴的右端为渐开线花键,并有花键滑套。花键上有滑环嵌在拨叉的拨块里,滑环通过平键及挡圈与花键套固定。当拨叉拨动时,花键套向左或右移动,使Ⅱ轴与Ⅲ轴脱开或啮合,以达到离合的目的。锥齿轮副的间隙保证在0.3~0.4 mm之间,由左右垫片来调整。

Ⅲ轴:该轴下端是剪切盘,上端是渐开线花键轴。花键与过载保护套连接。中间部分用滑动轴承装入一个轴套中,轴套两端靠轴承42232和轴承42140分别支撑在箱体和大盖板上。过载保护套及轴套之间装有过载剪切销。电动机的动力靠齿轮离合器传到Ⅲ轴,经过载保护套、剪切销传给轴套,再由轴套与花键连接的齿轮传到Ⅳ轴。过载保护器位于采空区侧箱体外。轴承42232及轴承42140的轴向间隙应在0.2~1.3 mm之间。

Ⅳ轴:该轴由轴承32226和轴承3524支撑在摇臂内,下端齿轮通过矩形花键固定在轴上,上端为渐开线花键,上有花键套。该轴组件要在摇臂安装于固定壳后再装入。

2.摇臂减速箱

摇臂减速箱的结构如图2-9所示。

摇臂采用水套冷却方式。

摇臂减速箱由壳体1,齿轮轴2,惰轮3、4、5、6,大齿轮7,内喷雾装置8,行星传动装置9及转向阀10等组成。

动力由机头箱的Ⅳ轴传人摇臂齿轮,而齿轮轴由两个轴承42230和42528支撑在摇臂壳体内,装配时应保持轴承端面间隙0.15~0.20 mm。动力经惰轮3、4、5、6传到大齿轮7及行星齿轮装置9来驱动滚筒。大齿轮7由两个轴承32236分别通过轴承套及大端盖固定在摇臂壳上,应保持两个轴承端面间隙0.15~0.20 mm。行星齿轮传动装置的中心轮是浮动结构,它通过中心轮花键侧隙来保证浮动。行星传动装置的内齿圈及轴承架用16根M24螺栓和6根φ30 mm圆柱销紧固在摇臂箱上。

3.滚筒

滚筒的螺旋叶片为3头,适应滚筒直径大、转速低的特点,提高装煤效率。

4.截割部的润滑

采煤机截割部传递功率大,发热严重,必须实现良好的润滑。

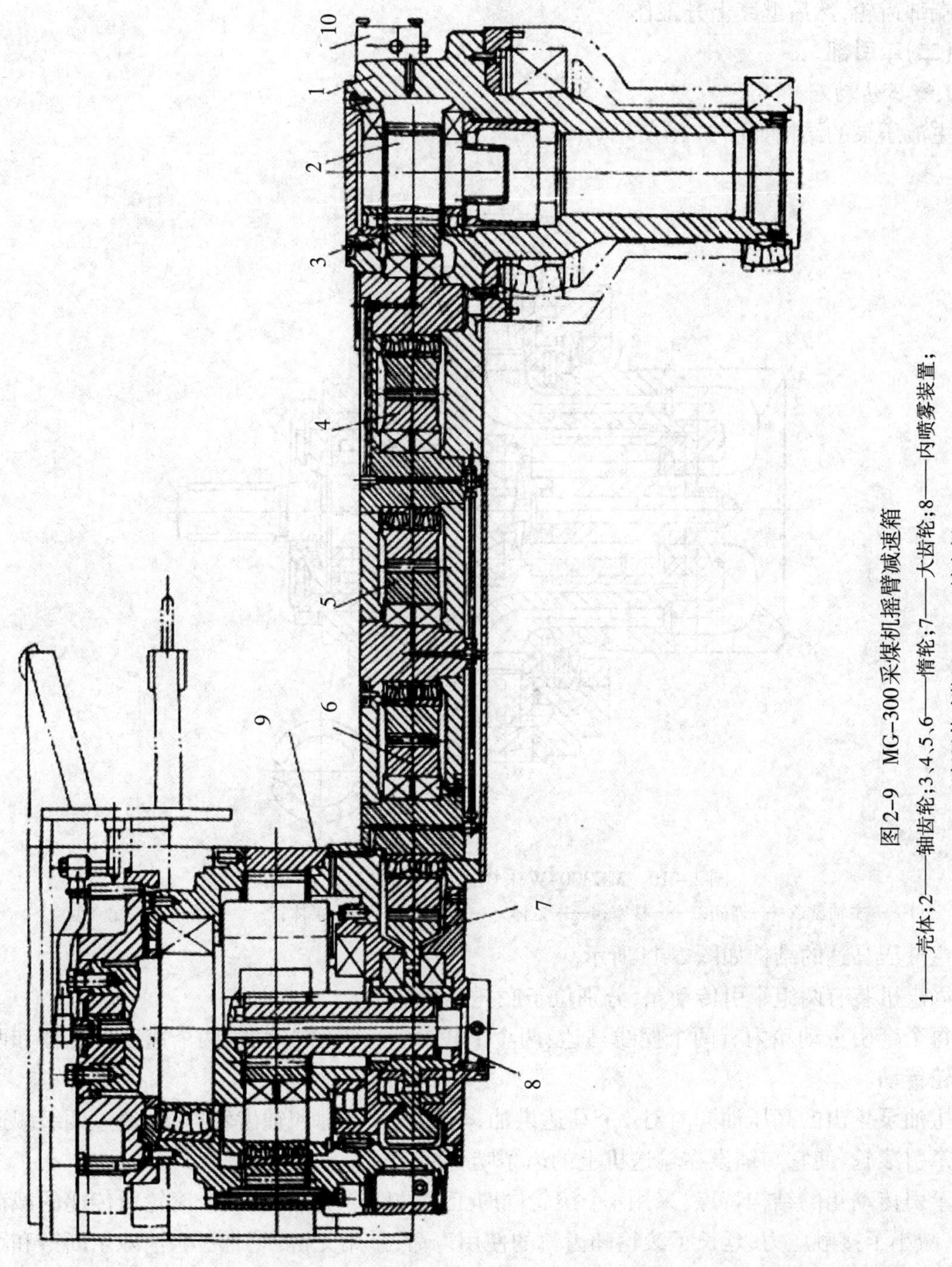

图2-9 MG-300采煤机摇臂减速箱

1——壳体;2——轴齿轮;3、4、5、6——惰轮;7——大齿轮;8——内喷雾装置;
9——行星传动装置;10——转向阀

减速箱中常用的润滑方式是飞溅润滑,即将传动齿轮浸在油池内,靠其旋转时将油液带起来实现润滑。飞溅润滑强度高,工作零件散热快,不用润滑设备。但是要求油面布置接近在同一水平。

摇臂内传动零件的润滑比较困难。前滚筒割顶煤,端部齿轮得不到良好润滑;后滚筒割底煤,润滑油集中在摇臂端部。因此,规定滚筒割顶煤一段时间后,要停止牵引,下降摇臂,润滑端部齿轮，然后继续上升工作。

（二）牵引部

1.液压传动箱

主液压泵的结构如图2-10所示。

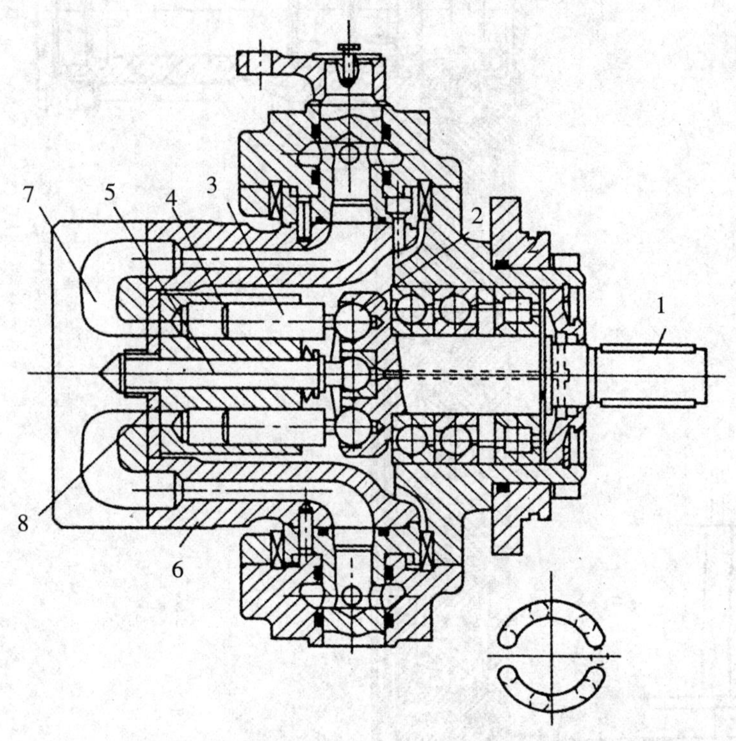

图2-10　MG300-W采煤机主液压泵（ZB125型）

1——主轴盘；2——连杆；3——柱塞；4——缸体；5——销轴；6——后泵体；7——后盖；8——配流盘

主液压马达的结构如图2-11所示。

采煤机装有两组牵引传动箱，分别位于底托架两端。

每个牵引传动箱内有两个摆线马达、两个滚轮、两个液压制动器、两个速度传感器和两级齿轮传动。

主油泵排出的高压油同时对4个马达供油，马达通过花键和轴齿轮连接，通过两级减速驱动牵引滚轮，使它与铺设在输送机上的齿条啮合而实现牵引。

牵引传动箱的结构特点：采用4个滚轮同时工作的四牵引系统，每个滚轮所传递的载荷较小，减小了接触应力，延长了滚轮和齿轨的使用寿命；采用无链牵引机构，消除了断链和跳链事故；减轻了采煤机移动时的脉动和机器的振动，提高了采煤机的寿命；装有制动器，采煤机的运行更加可靠安全；装有速度传感器，用于采煤机的超速和差速保护。

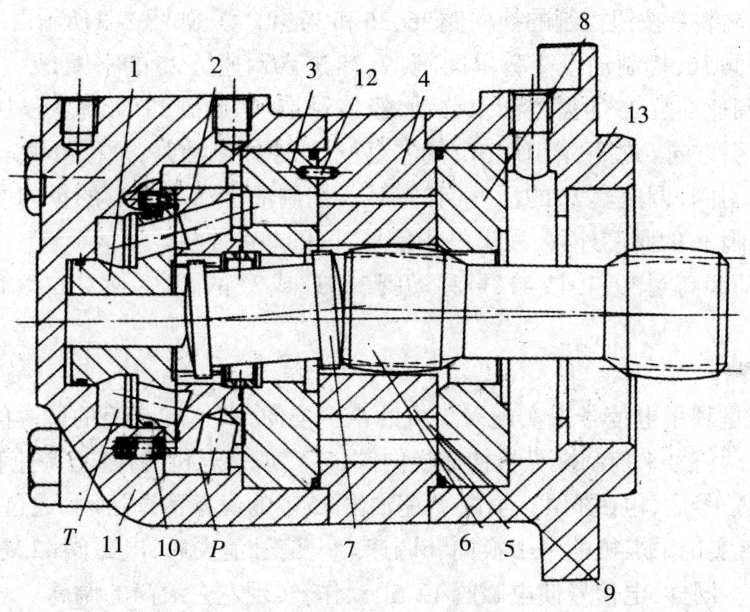

图2－11　MG300-W采煤机主液压马达(BM型)

1——补偿盘;2——配流盘;3——辅助配流板;4——定子;5——柱子;6——长花键联轴器;7——短花键联轴器;8——前侧板;9——滚柱;10——弹簧;11——后壳体;12——定位销;13——前壳体

2.操作系统

该采煤机设有控制牵引起停、调速和换向及截割滚筒和破碎滚筒的调高操作系统。有手动、液动和电动操作。

(1)手动操作:

牵引换向、调速起停由同一个牵引手把15来实现。如图2-3所示。

牵引手把在中间位置时,开关圆盘的缺口对零,行程开关断开,电磁阀22断电处于下位,液压马达的液压制动器24泄油制动。同时,失压控制阀26的控制口失压,弹簧使阀芯复位,回零油缸27中的弹簧将主油泵拉到零位。

当顺(或逆)时针方向转动手把15,开关圆盘16使行程开关闭合,电磁阀22通电,使液压制动器松闸;同时,失压控制阀左移,电磁阀28一般处于左位,故控制油通过28、26进入回零油缸27,实现对主油泵的解锁。这时,通过螺旋副17可使调速套18移动,通过杠杆19带动随动滑阀20的阀芯,使变量油缸21的活塞移动,从而实现采煤机的调速和换向。

截割滚筒和破碎滚筒的调高是通过调高泵29和换向阀30、31、32来实现的。

换向阀30、31控制左右截割滚筒的升降;换向阀32控制破碎滚筒的升降。当换向阀在中位时,滚筒保持在原有位置,当调高手把向外(里)拉(推)时,换向阀处于右(左)位,实现滚筒的升高(降低)。

安全阀33限制调高泵的工作压力。安全阀34防止滚筒截割顶板时调高泵过载。液压锁使滚筒在调好的位置上固定不动。

(2)液压操作:

液压操作时通过手液动换向阀来实现牵引换向、调速和滚筒调高的。

采煤机两端装有按钮控制的换向阀36、36和39、40、41，如图2-3所示。

按动牵引阀36，控制油经交替单向阀37、38进入调速缸25的一腔，另一腔经电磁阀42回油。这时，调速油缸25的齿条活塞移动，经齿轮23、螺旋副17和调速套18改变采煤机的牵引速度和牵引方向。放开牵引阀36，阀芯复位，切断控制油路，泵位被锁定。

按反向牵引阀，调速套25的活塞回到零位，控制油经活塞中心的单向阀及油缸中部的孔道推动牵引阀36的阀芯外移，发出停止信号，司机即可停机。

同样，按动调高阀39、40或41，可移动阀30、31或32的阀芯，使左右滚筒和破碎滚筒实现调高。

(3)电气操作：

电气操作是利用电信号来实现采煤机的牵引换向、调速和滚筒的调高的。是通过将电信号转换为液动信号来控制操纵机构或换向阀，来实现采煤机的换向、调速和调高的目的。

当发出电信号后，电磁阀42动作，调速油缸25中的齿条活塞运动，通过齿轮23、螺旋副17和调速套18实现采煤机的牵引换向和调速。电信号消失后，电磁阀42复位，采煤机以调定的速度牵引。同样，电信号使电磁阀49、50动作，实现左右滚筒的调高。

(三)电气部分

MG300-W采煤机的控制回路，由真空磁力启动器的安全火花先导回路供电。交流电压36V、电流5A。其他控制电路，由控制变压器和稳压电源供电。

控制回路可以实现采煤机的启动和停止控制，输送机的控制，主电动机恒功率控制，采煤机牵引方向牵引速度的控制和左右截割滚筒否认调高控制。

采煤机的电气部分可以实现5种电气保护。即电动机+135℃、+155℃两档热保护；辅助泵失压保护；牵引超速保护；差速保护，牵引回零保护。

(四)辅助装置

1.冷却喷雾装置的使用注意事项

(1)加强喷雾冷却装置的日常维护，每天检查喷嘴的情况，如果发生堵塞丢失等现象，要及时进行清除、疏通和安装。

(2)注意内喷雾供水装置的密封，如果发生泄漏，要及时查明原因，必要时更换水套密封件。

(3)在采煤机运行中如果安全阀产生释放现象，要及时检查喷嘴是否堵塞，各路节流阀是否开得足够大，必要时可以把泵站安全阀的压力调低或者部分关闭截止阀，避免损坏电动机和冷却器。

(4)定期检查清洗进水口的过滤器。

(5)当采煤机连续停机半小时以上时，应关掉喷雾冷却系统。

2.破碎机构

MG300-W采煤机的破碎机构主要由固定减速箱、摇臂、破碎滚筒、离合器、破碎盘等组成。如图2-12所示。

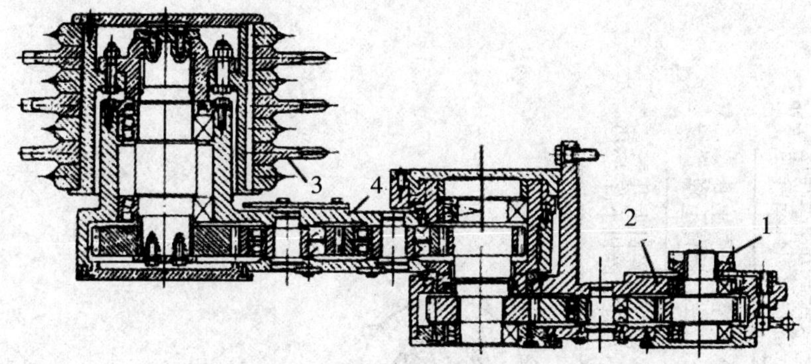

图2-12　MG300-W采煤机的破碎机构

1——离合器；2——固定减速箱；3——破碎滚筒；4——小摇臂减速箱

破碎滚筒根据不同的截割滚筒转速，相应的有4种转速：162.7、193.1、168.5、208.3（r/min）。破碎滚筒的变速是通过改变偏心套的偏心方向，以及通过变速齿轮来实现的。

二、MG300-W采煤机的操作

MG300-W 采煤机的操作手把和按钮如图2-13所示。

（一）开机操作

（1）把电气隔离开关手把由“分”打到“合”的位置。

（2）打开水阀总闸，调节好左右水路的水量。

（3）点动电动机，操作截割部的离合器手把，使离合器闭合。

（4）开动电动机。

（5）操作时可以采用中间手控，两端用液控或电控（注意：不要同时操作），按照手把和按钮的功能，根据工作面需要进行操作。

（6）用破碎机构离合器手把操作破碎滚筒实现破碎。

（二）正常停机

（1）可直接用手控将调速手把拨到零位停止牵引，也可以通过两端的液控或电控按钮将调速机构手把拨到零位停止牵引。

（2）将电机手把拨到零位停止电机。

（3）关闭喷雾冷却截止阀。

（4）如果司机离机较长时，须打开左右截割部离合器，将隔离开关打到零位。

（三）紧急停机

紧急停机的操作有：

（1）按动两端紧急停车按钮。

（2）电动机手把拨到“停止”位置。

（3）隔离开关手把拨到“分”的位置。

（四）操作注意事项

（1）开机前，必须检查采煤机附近是否有人员，确定无人方可开机。

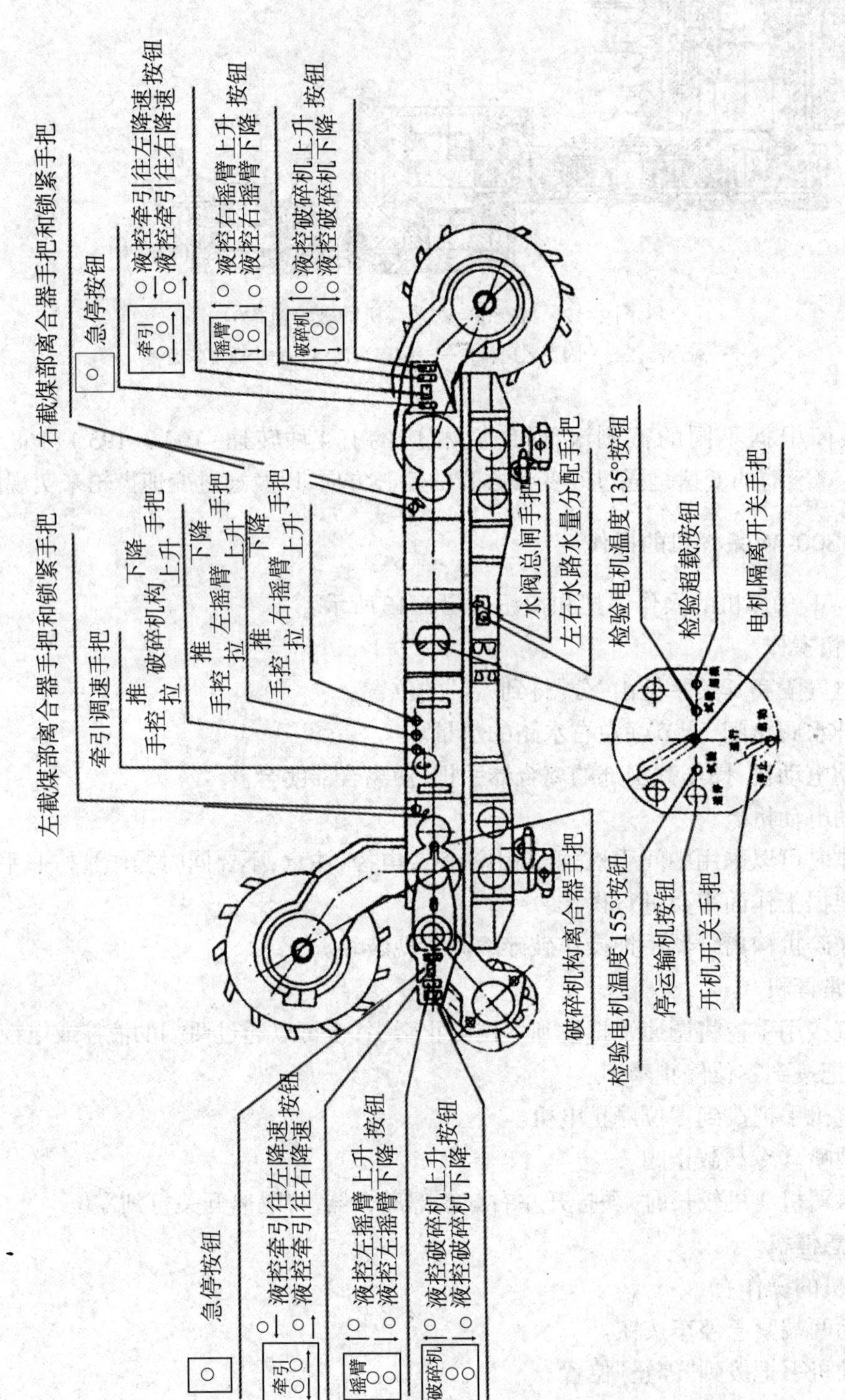

图2-13 MG300-W采煤机的操作手把和按钮

(2)开机前要检查各操作手把和按钮位置是否正常。

(3)注意观察各润滑部位的油位表,检查油位是否符合规定要求。

(4)采煤机在启动电动机前必须先供水。

(5)电气隔离开关手把和电机手把是机械闭锁。只有隔离开关手把打在“合”的位置上,电机手把才能动作。

(6)司机在换班时,必须打开左右截割部离合器手把,使滚筒处于非工作状态。

(7)没有紧急情况,不可以采用紧急停车。

(8)停机时必须做到:隔离开关手把打到“分”的位置;截割部的离合器要脱开;牵引调速手把要回零。

(9)操作时,要随时注意滚筒位置,防止割顶、割底或者丢顶、漂地等现象。

(10)随时注意电缆的状态,及时处理电缆挤塞、蹩劲跳槽等问题。

(11)注意油温和机器的运转声响,发现异常,必须立即停车查明原因及时处理。

(12)在正常牵引过程中,2个低压压力表的压差大于0.5MPa时,必须更换精过滤器。每周检查粗过滤器的真空度,如果真空度超过400mm水银柱高时,必须清洗粗过滤器滤芯。

(13)注意防止输送机上的异物带动采煤机强迫运行。

三、MG300-W采煤机的润滑

采煤机既有液压传动又有机械传动系统,为了保证其具有良好的工作状态,充分发挥其应有的效能,实现良好的润滑非常重要。

(一)MG300-W采煤机的油孔位置如图2-14所示

为了使采煤机可靠工作,采煤机各油箱中的油液应当适量,注油过多会增加转动件的发热,造成功率消耗;注油偏少,会使润滑不良加快磨损。各注油点的油位要求如表2-5所示。

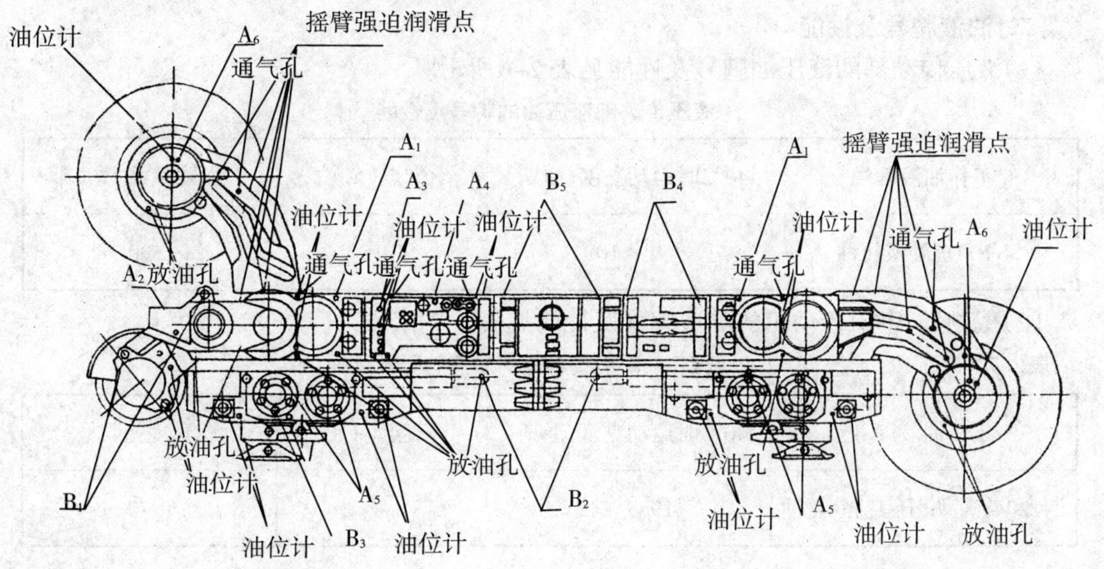

图2-14 MG300-W采煤机的油孔位置

表 2–5　　MG300–W 采煤机各注油点的要求

注油点	润滑部位	润滑油牌号	注油量	检查
A1	截割部固定减速箱	N220极压工业齿轮油	加油到减速箱中心平面处	每周检查一次。根据实际情况更换新油。每班开车前检查油标的油位。
A2	破碎机构摇臂	N220极压工业齿轮油	摇臂平放时加油到中心平面处	
A3	液压传动部齿轮箱	N100液压油	加至上油标约20升	
A4	液压传动部油池	N100液压油	加至上油标约270升	
A5	牵引传动箱	N220极压工业齿轮油	加到上部油位计溢油	
A6	左、右摇臂	N220极压工业齿轮油	摇臂平放时加油到油标	
B_1	破碎机构油缸固定销轴（2处）	3#工业锂基脂	适量	每周检查一次，并注油。
B2	摇臂调高油缸销轴（2处）	3#工业锂基脂	适量	
B3	销轮销轴（20处）	3#工业锂基脂	适量	
B4	中间箱通轴两端齿轮联轴节（2处）	3#工业锂基脂	适量	检修时更换新油。
B5	主电机轴承（2处）	3#工业锂基脂	适量	

（二）油液牌号及性能

（1）液压传动部的液压油牌号及性能见表 2–6 所示。

表 2–6　　液压传动部液压油的牌号及性能

工作油液牌号	40℃时运动黏度（厘斯）	凝点（℃）	黏度指数
N100抗磨液压油	91～100	–15	>90

（2）截割部、牵引传动箱的油液牌号及性能见表2–7所示。

表 2–7　　截割部、牵引传动箱的油液牌号及性能

工作油液牌号	40℃时运动黏度（厘斯）	凝点（℃）	黏度指数
N220硫磷型极压工业齿轮油	198～242	–8	>70

（3）销轴、轴承、齿轮联轴器处的润滑脂见表2-8所示。

表2-8　　销轴、轴承、齿轮联轴器处润滑脂

类型	特征	连续使用最高温度	低温启动扭矩	抗水性	工作安全性	使用寿命
钙基脂	抗水性佳	80℃	中到低	好	一般	中等
锂基脂	高熔点抗水寿命长	150℃	中到低	好	最好到一般	长

（三）油液的更换标准

齿轮箱中的工业齿轮油的更换标准见第一章表1-5所示。

液压油的更换标准：一是现场判定油质标准，与齿轮油的更换标准相同。一是化验室制定的油液标准，见表2-9所示。

表2-9　　液压油的油液标准

黏度	≥±1.5%
酸值（KOH）	≥1.0毫克/克
水分	≥0.5%
不溶解成分	≥0.7%

（四）油液的更换

（1）油液超过更换标准时，要立即更换。

（2）不同牌号的油液不可以混合使用。

（3）排除旧油后，要用新的油液将油箱冲洗干净。

（4）新的油液在注入机器时，要进行严格的过滤。

（五）油液的使用注意事项

（1）验明油液的种类和牌号。

（2）使用前要进行严格的过滤。

（3）注油前必须清洗注油口。

（4）油液加注要适量，不可以过多或过少。

（5）加油时使用带过滤器的手摇泵，从规定的加油口加油。

（6）不符合要求的油脂不得使用。

(六)使用液压油过程中油质发生变化而引起的机械故障及采取的措施见表 2-10 所示

表 2-10　液压油的变化引起的故障

性质的变化		容易产生的故障	与液压油有关的原因	应采取的措施
黏度	太低	(1)泵产生噪音,排出量不足,产生异常磨损,甚至烧结。(2)由于机器的内泄漏,油缸、油马达等执行元件产生异常动作。(3)压力控制阀不稳定,压力计指针振动。(4)由于润滑不良,滑动面产生异常磨损。	(1)由于油温控制不好,油温上升。(2)未按规定用油,使用了黏度过低的油。(3)高黏度指数油长时间使用后黏度下降。	(1)改进、修理冷却器系统。(2)更换液压油牌号。(3)更换液压油。
	太高	(1)由于泵吸油不良,产生烧结。(2)由于泵吸油阻力增加,产生空穴作用。(3)由于过滤器阻力增大,产生故障。(4)由于管路阻力增大,压力损失(输出功率)增加。(5)控制阀动作迟缓或动作不良。	(1)液压油黏度等级选择不当。(2)设计时忽视了液压油的低温性能。(3)低温时的油温控制装置不良。(4)未按规定用油,使用了黏度过高的油。	(1)改用黏度等级低的油。(2)设计低温时的加热装置。(3)修理油温控制系统。
防锈性不良		(1)由于滑动部分生锈,控制阀动作不良。(2)由于发生铁锈的脱落而卡住或烧结。(3)由于随油流动的锈粒,产生动作不良或伤痕。	(1)在无防锈剂的汽轮机油与防锈性差的液压油中混入水分。(2)液压油中有超过允许范围的水混入。(3)从开始时就已发生的锈蚀继续发展。	(1)使用防锈性良好的液压油。(2)改进防止水混入的措施。(3)进行冲洗,并进行防锈处理。
抗乳化性不良		(1)由于多量的水而生锈。(2)促进液压油的异常变质(氧化、老化)。(3)由于水分而使泵、阀产生空穴作用和侵蚀。	(1)新液压油的抗乳化性不良。(2)液压油变质后,抗乳化性变坏,水分离性降低。	(1)使用抗乳化性好的液压油。(2)更换液压油。
变质(老化、氧化)		(1)由于产生油泥,机器动作不良。(2)由于油的氧化增强,金属材料受到腐蚀。(3)由于润滑性能降低,机器受到磨损。(4)由于防锈性、抗乳化性降低而产生故障。	(1)由于在高温下使用,液压油氧化变质。(2)由于水分、金属粉末、酸等污染物的混入,促进油的变质。(3)由于局部受热。	(1)避免在高温(60℃以上)下长时间使用。(2)除去污染物。(3)防止在加热器等处局部受热。
发生腐蚀		(1)铜、铝、铁的腐蚀。(2)伴随着空穴作用的发生而产生的侵蚀。(3)泵、过滤器、冷却器的局部腐蚀。	(1)添加剂有腐蚀性。(2)液压油的变质,腐蚀性物质的混入。(3)由于水分的混入而产生空穴作用。	(1)注意添加剂性质。(2)防止液压油受污染和变质。(3)防止水分的混入。

(七)使用齿轮油过程中产生的故障及排除措施见表 2-11 所示

表 2-11　齿轮油的变化引起的故障

故障	原因	措施
黏度增加	最可能的原因是油的氧化或老化。	用含抗氧化剂的更稳定的油或者降低操作温度(可能的话)。
不正常发热	齿轮箱油太多,油黏度低,在齿面上没有形成足够的油膜,超负荷,在循环系统中冷却管有故障,齿轮箱外有尘土堆积物妨碍散热。	提高油黏度,减少油到刻度,清洁循环系统,清洗齿轮箱外部和邻近的金属部件。
漏　油	齿轮箱有缺陷或密封不好。	重新更换密封。
污　染	主机和部件安装时齿轮箱中留存杂物,也可能是磨损粒子的积累或通过气孔进入的污染物引起的。	如果金属颗粒或尘土颗粒存在于油箱中,在运转后立即将油放出,清洗油箱,加入新油;检查或换过滤器。
油不足	充油或充油时齿轮箱不平。	将油加到规定的油面,机器停止时检查油面。
油太多	充油时油箱不平,或在运转时加油过多。	当机器水平时或停止时,将油减少到规定油面。

四、MG300-W 采煤机的常见故障与排除方法

(一)牵引部液压系统常见故障分析和处理

1.补油热交换系统压力低或无压的故障分析

原因:

(1)油箱油位太低或油液的黏度过高,油质污染,产生吸空。

(2)过滤器堵塞。

(3)背压阀调定值低。

(4)补油系统或主管路漏油严重。

(5)补油泵安全阀整定值低或损坏。

(6)电机反转。

(7)吸油管密封损坏,管路接头松动,管路漏气或油质黏度高。

(8)补油泵轴花键推光或泵损坏。

处理方法:

(1)按规定加注油液,油液污染时,现场判定油质是否合格,如果不合格及时全部更换新油。

(2)按规定时间更换或清洗过滤器的滤芯。

(3)清洗、调整背压阀或更换损坏的背压阀。

(4)更换漏油的油管和密封件,如果是补油系统的油管漏油时,液压箱上的补油压力表

的压力和背压压力就会明显下降，此时，打开液压箱上盖，就会明显看出泄漏处，特别是电机停止，快要停转的时候更为明显。

(5)对补油泵的安全阀按要求整定，损坏时要更换。

(6)纠正电机的转向。

(7)拧紧松动的接头，更换密封和吸液管。

(8)更换补油泵空心轴，泵损坏时应更换新泵。

2.主回路的背压阀压力低的故障分析

主回路系统的背压阀是用来给主回路低压侧的回油制造一定的压力(背压)，以改善主油泵的吸油状况而设计的。它与操作按钮、控制系统连锁工作，如果压力低时操作，控制就会失灵。

失灵原因：

(1)如果主回路管路、密封管等元件泄漏大，补油热交换系统的油液就会从主回路的损坏部位漏出，使补油量增多压力达不到规定要求，背压压力也会随之降低，操作、控制系统的压力也就随之降低，甚至于消失。

(2)因主回路系统混入脏物，热油交换时，脏物通过背压阀口时垫住了该阀的主阀芯或者堵塞了先导阀的先导孔，使低压侧的压力建立不起来。

(3)主回路内长时间存在脏物，就会在系统内主泵、马达以及各个阀内不断循环，加上系统内油液的不断泄漏，就会使系统内油温升高，过高的温度会造成密封元件的老化，各个液压元件的磨损量增加，使主泵、马达磨损严重，泄漏量增多，压力自然降低，不能正常工作。

处理方法：

(1)对主回路内的液压元件进行彻底的清洗，用洗涤剂冲洗管路，如果元件损坏严重，难以修复时，最好是更换液压传动泵箱。

(2)主回路和油箱内的油液按标准进行更换，清洗背压阀。

(3)更换损坏的密封以及损坏了的主泵和马达，背压压力低上不去主要是管路或油质污染而引起，所以应更换新油清理管路。

3.采煤机不牵引的故障分析

在出现此故障时，首先要观察泵箱箱体上的压力表的变化情况，在排除故障时压力表损坏要及时更换，对箱内的油量进行检查，从箱体上的压力表就能判断出引起故障的部位。

原因：

(1)泵与马达损坏。

(2)液压系统泄漏。

(3)牵引机构元件损坏。

(4)补油热交换系统工作不正常。

(5)失压控制阀整定不合适等。

处理方法：

(1)修复泵或马达。

(2)更换主回路的油管和密封圈等元件。

(3)按规定调整失压阀动作压力。

(4)拆开阻尼管,用高压疏通。

(5)更换调速机构。

(6)检查、调整远程调压阀和电磁阀。

(7)更换高压安全阀。

4.采煤机单向牵引的故障分析

原因:

(1)采煤机运行轨道上有蹩卡现象。

(2)调速机构回油节流孔堵塞或伺服机构拉杆调整不正确。

(3)液压换向阀不换向。

(4)补油单向阀有一个闭合不严。

(5)主管路有漏油。

(6)单向牵引,补油单向阀有一个堵塞时,背压不正常。

(7)螺旋副装配不正确。

处理方法:

(1)打开箱体顶部观察盖,用改锥拧开螺钉,清除节流孔杂物。

(2)按规定调整伺服机构。

(3)清洗或者更换液压换向阀。

(4)修复或更换单向阀。

(5)检查油路。

(6)检查螺旋副装配情况

5.采煤机牵引力低的故障分析

原因:

(1)主液压和液压马达磨损严重或损坏。

(2)主回路漏油或密封垫损坏。

(3)安全阀调整值低或损坏。

处理方法:

(1)更换破坏的主油泵或油马达。

(2)更换破损的管路或密封圈。

(3)重新调整压力值到规定范围内或者更换安全阀。

6.采煤机牵引速度慢的故障分析

原因:

(1)调速机构螺丝松,拉杆调整不正确或者轴向间隙过大,达不到规定值,调速时使主泵摆角小。

(2)制动器未松开闸,牵引阻力大。

(3)牵引阻力大,行走机构轴承损坏严重,落道或者滑靴轮丢失。

(4)控制压力偏低。

处理方法:

(1)调整拉杆到正确位置,达到动作准确、灵敏。

(2)接通制动器压力油源。

(3)确定行走部位损坏程度及时更换,如果是落道应及时上道,滑靴和滚轮丢失应及时安装。

(4)查背压阀或补油压力。

7.牵引部油温过高的故障分析

原因:

(1)冷却水量小或过滤器损坏。

(2)高压管路泄漏,主液压泵或液压马达泄露严重。

(3)牵引力高,安全阀开启频繁(截齿磨损严重)。

(4)域速箱内有机械磨损引起温度升高。

处理方法:

(1)加大水量或更换过滤器。

(2)查漏损处,更换损坏的主泵或马达。

(3)更换截出或齿轮,减小牵引速度。

8.采煤机液压泵箱漏油严重的故障分析

原因:

(1)机外管路漏油。

(2)过轴油封损坏,轴承磨损严重。

(3)油封套磨损严重。

处理方法:

(1)更换损坏的油管和接头密封。

(2)拆开对口,确定漏油处,拆出内外齿轮和定位盘,更换油封,轴承磨损严重时更换新件。

(3)必要时应更换油封套,装好轴后调节器整轴向间隙,间隙应在0.20~0.30mm之间。

(二)截割部常见故障分析与处理

1.滚筒不能升降的故障分析

原因:

(1)按钮站控制压力低或有卡、堵现象。

(2)用手动操作滚筒还不升降的原因有:①调高泵损坏;②管路漏油;③液压锁损坏;④安全阀整定值太低或安全阀损坏;⑤油缸损坏串液。

处理方法:

(1)排除压力低的故障,如果压力低时,应参见牵引部补油压力低的故障分析,清洗按钮站,检修或更换新件。

(2)调高系统压力低,检查油箱油位,如果缺油,应加注合格的油液。

应检查更换:

(1)更换调高泵。

(2)更换油管和接头密封。

(3)更换液压锁。

(4)调整安全阀的整值或更换安全阀。

(5)更换油缸。

2.滚筒升起后自动下降的故障分析

原因:

(1)液压锁损坏,锁不紧。

(2)液压锁阀座漏油。

(3)油缸串液。

处理方法:

(1)更换损坏的液压锁。

(2)更换液压锁阀座上的密封圈。

(3)更换调高油缸。

3.滚筒只能升或只能降的故障分析

原因:

(1)换向阀研、卡不复位不换向。

(2)只降不升是调高压力小造成不换向。

处理方法:

(1)更换换向阀。

(2)调整调高泵安全阀的压力或更换安全阀。

4.采煤机滚筒在转动中突然停止转动的故障分析

原因:

(1)剪切销受力被折断。

(2)减速箱内二轴伞齿轮后的两半环距离套失落。

(3)一轴或伞齿轮上的轮齿或连接齿轮损坏严重。

处理方法:

(1)更换剪切销。

(2)打开减速箱上盖,从箱底捞出距离套,装好距离套后用卡圈卡紧。

(3)更换损坏的一轴、伞齿轮以及联接齿轮。

5.采煤机截割部常见的漏油的故障分析

采煤机截割部是采煤机的主要工作机构,在实际工作中,由于几方面的因素造成结合部位的油封磨损或老化,而产生漏油现象。

常见的漏油部位有:

(1)滚筒轴头浮动油封推动弹性而漏油,必须及时更换。

(2)内喷雾供水装置处油封坏,造成漏油。

(3)摇臂与截割箱的隔墙油封损坏而串油。

(4)一轴油封漏油。

(5)润滑泵油管损坏或冷却器损坏漏油。

(6)三轴油封处漏油。

处理方法:

(1)处理滚筒轴头处漏油时,要先将采煤机开到端头或开一个循环缺口,摘开滚筒离合器,把电机隔离手把打到零位,拆下轴头,取下损坏的浮动油封,清理两侧面的煤尘,观察轴承的磨损情况，必要时更换轴承，再将新442×13的浮动油封上好，装好轴头，用锁丝锁紧螺丝。

(2)内喷雾供水装置处油封的更换方法：将摇臂放到水平位置，闭锁运输机，用12mm六角扳手拆出内喷雾供水装置，取出损坏的35×52×11组合油封，再拆出大齿轮内的油封盒，更换新的油封，按相反的顺序装入油封盒和内喷雾供水装置。

(3)截割部隔腔油封损坏串油会导致摇臂内的油全部串入截割箱内，使摇臂缺油严重，造成摇臂内的轴承和齿轮因缺油而损坏。

由于在井下无条件处理，应该上井检修，在井下只好更换截割部。

(4)一轴油封漏油时，要拆开截割箱对口螺丝，用12mm的扳手拆下油封端盖，更换新油封。更换新油封时必须仔细检查一轴内的轴承磨损程度，如果损坏，必须更换。

(5)更换漏油的油管和损坏的冷却器。

(6)三轴油封漏油时，要拆出外剪切盘和压板，更换第一道120×150×12的油封，更换第二道油封时必须拆出内剪切盘和压盖，更换后再按相反顺序装配。

6.采煤机截割齿轮箱温度高的故障分析

原因：

(1)齿轮箱内油位太低或太高。

(2)油液乳化、变质、杂质多。

(3)过滤器堵塞严重。

(4)冷却水量小或冷却器损坏、堵塞。

(5)润滑泵不工作，损坏严重。

(6)减速箱内轴承或齿轮磨损严重。

处理方法(处理故障时，必须打开滚筒离合器)：

(1)检查箱内油位，按规定增减箱内油量。

(2)油液要定期抽样化验，污染严重时，要更换合格的油液。

(3)按规定更换过滤芯。

(4)增加冷却水流量，使用半年以上的冷却器应更换、检修。

(5)如果润滑泵断轴或滚键，更换润滑泵或键轴等，过滤器堵塞要清洗。

(6)更换减速箱内损坏的轴承或齿轮，同时认真调整好间隙。

(三)电气部分常见故障分析与处理

1.采煤机不启动

原因：

(1)左右急停按钮是否解锁，控制线有无断线，整流二极管是否烧毁。

(2)磁力启动器是否有电，是否在远控制位置，如果无问题，把远控开关打在近控，启动开关。能启动说明故障不在开关；如果不启动，说明开关有故障，检查开关。

(3)控制回路是否畅通，包括电缆、按钮、连线等。

(4)隔离刀闸接触是否良好，有无损坏。

2.启动后不自保

原因：

(1)启动时，手把扳在“启动位置”的时间过短。

(2)自保断电器KA起点接触不良或烧毁。

(3)控制变压器，一、二次熔断器熔断，线路不接触不良或断路。

(4)控制变压器烧毁。

(5)电机中的热继电器没有复位。

3.采煤机不能牵引

原因：

(1)功控超载电磁阀接反或损坏，保护插件损坏或插件执行断电器损坏。

(2)松闸电磁铁在牵引手把过零后不松闸。

4.运行中急停按钮停机后，解锁时自行启动

原因：

(1)启动手把没有到零位。

(2)启动按钮接点黏结。

(3)自保断电器接点黏结。

5.输送机不启动

原因：

(1)采煤机上“运行”按钮没有解锁。

(2)控制回路短路或开路。

(3)磁力启动器故障。

复习题

1.MG300-W 型采煤机有哪些特点?

2.MG300-W 型采煤机的主油路系统包括哪些回路?

3.MG300-W 型采煤机的补油热交换系统的工作原理是什么?

4.MG300-W 型采煤机如何实现恒压控制?

5.MG300-W 型采煤机如何实现液压操作?

6.MG300-W 型采煤机有哪些保护系统?

7.说明 MG300-W 型采煤机的传动系统。

8.叙述 MG300-W 型采煤机冷却喷雾系统的水路和工作原理。

9.MG300-W 型采煤机所使用的液压油和齿轮油分别是什么牌号的? 各自的性能是什么?

10.MG300-W 型采煤机的液压油变化会产生哪些故障? 应采取什么措施?

讨论题

1.MG300-W 型采煤机有什么特点?

2.简述 MG300-W 型采煤机的操作。

3.简述 MG300-W 型采煤机的润滑。

4.讨论 MG300-W 型采煤机滚筒不能升降的原因。

5.讨论 MG300-W 型采煤机启动后不自保的原因。

第三章　电牵引采煤机

第一部分　系统理论知识

第一节　概述

一、电牵引采煤机的组成

电牵引采煤机主要由截割部、牵引部、电控箱、附属装置等组成。

截割部包括截割机构和传动装置，还有螺旋滚筒调高装置和挡煤板。

牵引部包括牵引部齿轮传动装置和无链牵引机构。电牵引采煤机都采用无链牵引机构，以适应对牵引性能和可靠性的要求。

电控箱包括动力电器、直流或者交流电牵引调速的控制系统电器、各种保护装置、故障诊断装置、运行状态显示、报警装置等。

附属装置包括翻转挡煤板机构、采煤机机身调斜装置、滚筒调高装置、采煤机导向装置、冷却喷雾装置等。

二、国产主要电牵引采煤机的技术特征(见表3–1)

表3–1　　国产电牵引采煤机的技术特征

项目 型号	国别和生产厂家	采高(m)	工作面倾角(°)	截深(mm)	液筒直径(m)	液筒转速($r\cdot min^{-1}$)	牵引速度($m\cdot min^{-1}$)	牵引力(kN)	装机功率(kW)	截割电动机功率(kW)	牵引电动机功率(kW)	机器质量(t)
MG500/1130–WD	中国西安煤矿机械厂	1.8～3.76	≤40	800	1.8，2.0	27.73	0～8.3～13.8	68～410	1130	2×500	55（交流）	57
MG400/985–WD	中国鸡西煤矿机械厂	1.9～3.75	≤15（35）	600～800	1.8，2.0，2.24	29/35/40	7.126/8.68/6/12/14.5	620/506/360/304	985	2×400	2×45（交流）	5 5.5 6

表3-1　（续）

MG-TY400/900-3.3D	中国太原矿山机器厂	2.2~3.5	≤25	700	1.8	32.7	0~9~15	300~500	900	2×400	2×40（交流）	52

三、电牵引采煤机的特点

（1）具有良好的牵引特性。能够在采煤机牵引时提供足够大的牵引力，也可以在采煤机下滑时进行发电制动，向电网反馈电能。采煤机能在所有条件下按要求的速度运行。

（2）可用于大倾角煤层。牵引电动机轴端装有停机时防止机器下滑的制动器，因为它的设计制动力矩为电动机额定转矩的1.6~2.0倍，所以电牵引采煤机可用在40°~50°倾角的煤层，而不需要其他防滑装置。

（3）运行可靠，寿命长。电牵引采煤机的磨损小，保护完善，故障少，使用寿命长。

（4）反应灵敏，动态特性好。电牵引采煤机的电子控制系统可以及时调整各种参数，防止采煤机超载运行。

（5）传动效率高。电牵引采煤机的效率可达90%。

（6）结构简单。电牵引采煤机取消了锥齿轮，机械传动系统结构简单，尺寸小，质量轻。

（7）电牵引采煤机的检测和显示系统完善。

第二节　直流电牵引滚筒采煤机

直流电牵引滚筒采煤机是用晶闸管调速装置来改变牵引直流电机电枢回路的电压或磁通实现牵引速度的无级调速的。

直流电牵引采煤机的优点是：调速性能好；调速装置采用固体元件，抗污染能力强；除电动机的电刷和整流子外没有易损件，维修量小，寿命长；容易实现各种保护。

下面以EDW-450/1000L型直流电牵引采煤机为例来简要介绍直流电牵引采煤机。

EDW-450/1000L型直流电牵引采煤机是德国艾柯夫公司于1986年研制的，该机采用EE-40直流电牵引装置；我国西安煤矿机械厂生产的MXB-880型电牵引采煤机在总体布置、传动系统等方面与其是相近的。这两种机型在我国均有使用。

一、EDW-450/1000L（MXB-880）型电牵引采煤机的组成

EDW-450/1000L（MXB-880）型电牵引采煤机的组成如图3-1所示。

直流电动机有他励式的，也有并励式的，两者特性一样，只是励磁绕组和电枢连接上不同，但并励式不能采用调压调速，因电压调节后并联励磁式的磁通不能保持常数。采用他励电动机的优点是调节范围大、反应快、动态性能好，所以应用较广。直流电动机由磁轭、主磁极、换向极、电枢、换向器等组成。

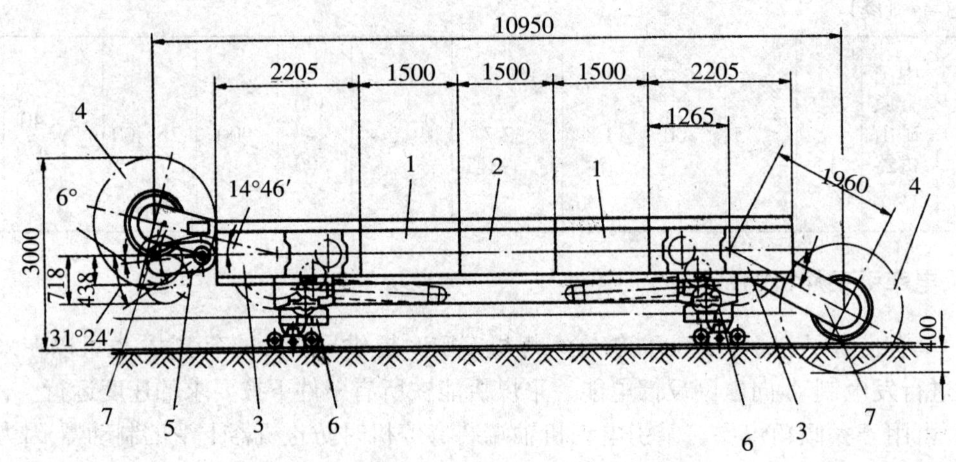

图3-1 EDW-450/1000L型采煤机

1——电动机;2——电气控制箱;3——截割牵引箱;4——滚筒;5——破碎滚筒;6——销轨轮;7——摇臂

二、EDW-450/1000L(MXB-880)型电牵引采煤机的特点

(1)截割电动机恒功率调速系统,使该机型的采煤机适合在工作面实际工况运行。

为了获得最高生产率,充分发挥采煤机效能,应使采煤机的截割电动机(主电动机)经常在额定功率附近的工况下运转。该电牵引采煤机采用了主电机恒功率电子自动调速系统,采用电流(电压)比较法进行调节。因为主电动机功率与负载电流近似地成正比,也与牵引速度近似地成正比,通过自动调节牵引速度,就可以人为地控制主电动机功率。

该系统以稳压电源供给1个电压值作为给定值,由截割电动机供电的一相中的电流互感器得到主电动机的实际电流(电流比2000:1),并转换成电压信号;再经整流和滤波后,实际电压信号与给定电压值进行比较,比较后产生的电压信号的差值送到晶体管放大器中,通过速度调节器进行调速。

(2)计算机辅助状态监测与故障诊断,使该机型的检测保护系统趋于完善。

计算机辅助监测和诊断就是利用计算机能存储大量的原始数据的特点,足够快地计算速度,迅速地对异常状态做出判断,及时处理突发事故,及时报警和实现连锁停车,具有高度的柔性和广泛的适应性。

EDW-450/1000L(MXB-880)型的计算机诊断系统(简化),其工作程序为:

首先对信号进行检测。采煤机中的信号有电量和非电量,模拟量和数字量。

第二信号放大及转换。信号微弱时需要放大,有的信号需要滤波和光电隔离以及转换。

第三信号提取。信号由各种传感器如流量计、压力传感器、温度传感器或其他检测手段提取。

第四信号进入计算机。这些信号有的是数字信号或开关信号;有的是模拟量,需要通过A/D转换器变成数字量进入计算机。

该采煤机采用了2台8位单片机。微机具有数据采集及处理、工况监测、故障诊断、显示、存贮、传输等功能。

该系统在线检测的76项故障信号,要同故障档案中的典型故障信号的阈值或样本相对比进行状态识别,然后根据识别结果采取相应对策,即故障排除引导。该机具有109项引导,每一项引导中又有具体故障排除的内容,如左牵引电动机温度达到极限值,具体条文是使冷却水畅通;检查PTC热敏电阻;查线;换ⅠAⅡ温度监测耦合单元;换主CPU;换从CPU;又如CPU系统故障,具体条文是电压太大;右截割电动机温度预报警,条文是查该电动机进线电线。

该系统的优点是可靠性高、寿命长、故障少、维修量小,其薄弱环节是直流电动机及其整流子和电刷。

(3)采煤机的截割能力大(2×500kw),可靠性高。

(4)机器的稳定性好,振动较小。

三、EDW-450/1000L采煤机的技术特征见表3-2

表3-2　　EDW-450/1000L型采煤机的性能参数

采高(m)	1.9~4.5
截深(m)	800~1000
滚筒直径(m)	1.8,2.4
滚筒转速(r/min)	23
牵引速度(m/min)	7.6/12.5
牵引力(kN)	350/574
质量(t)	72/92

第三节　交流电牵引采煤机

交流电牵引采煤机是利用变频调速装置改变供给交流电动机的频率和电压来实现采煤机的无级调速的。

交流电牵引的优点是:交流电动机结构简单,可靠性高,易于向高压、大功率、高转速方向发展。

下面以MG400/920-WD型采煤机为例来简要介绍交流电牵引采煤机。

一、MG400/920-WD型采煤机的组成

MG400/920-WD型采煤机是国产功率较大的电牵引采煤机，它与SGZ-W880/800型刮板输送机、BC7D400~17/35型液压支架等组成综采配套设备，适用于高产高效的综合机械化采煤，适用于煤层厚度为2~4m，倾角小于18°的中硬煤层。

MG400/920-WD型采煤机由左右截割电动机、左右摇臂减速箱、左右截割滚筒、大框架、行走箱、左右调高泵站、冷却喷雾系统、电控箱、变频器等组成。如图3-2所示。

采煤机由左右行走部和连接框架3段组成主机身，无底托架。机身两端铰接左右摇臂。2个行走箱左右对称布置在牵引部采空区侧，由2台50kw电动机分别经左右牵引部减速箱驱动，实现双向牵引，机身中段为一整体连接框架，开关箱调高泵箱，分别从采空区侧装入连接框架。摇臂采用直摇臂结构形式。

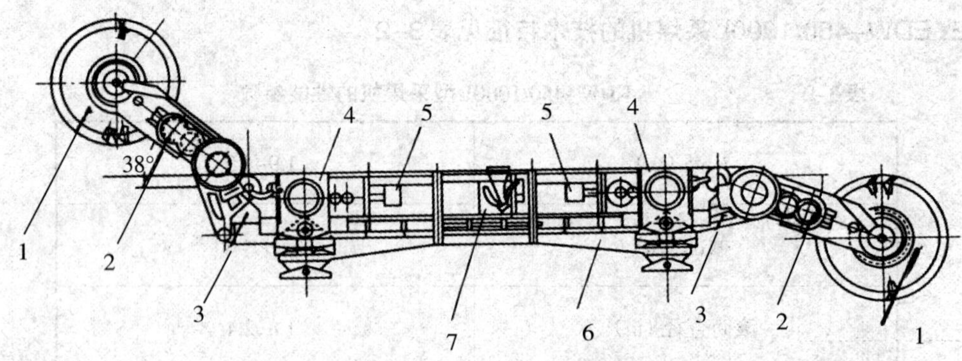

图3-2　MG400/920-WD型交流电牵引采煤机

1——左右滚筒；2——左右摇臂；3——左右截割电机；4——左右行走部；
5——调高泵箱；6——大框架；7——电控箱

二、MG400/920-WD型采煤机的特点

(1)截割电动机横向布置在摇臂上，取消了锥齿轮传动，机身长度缩短。

(2)由大框架取代了传统的平板式底托架。大框架由3段组成，互相用高强度的液压螺栓连接，结构简单，可靠性高。

(3)各部件可以单独从大框架中抽出而不必抽出其他部件，所以更换容易，维修方便。

(4)采用交流变频调速(采用瑞士ABB公司生产的ACS600系列变频器，或美国的WOLKMANM9000系列变频器)、摆线轮—销轨无链牵引机构。调速范围大，牵引速度和牵引力较大，故障少。

(5)调高辅助液压系统采用结成阀块，管路少，安全可靠。

(6)行走箱为独立箱体，可以适用于多种槽宽的输送机。

(7)变频器设在巷道内，冷却条件好，可以防止振动带来的不良影响。

(8)整机拖一根3×70＋1×25＋4×4外径ϕ65的主电缆，所用电压等级全部在3300V以下。

(9)该机设有应急功能：当主控系统出现故障不能正常工作时，可将正常/应急开关置于应急位置，切断主控系统，同时辅助控制系统投入工作。这时操作站只能完成摇臂的升降功

能,开停牵引用变频控制盘控制。

(10)该机可安装哑铃销,可彻底解决螺丝松动问题。

三、MG400/920-WD型采煤机工作原理

采煤机由采空区侧的2个导向滑靴和煤壁侧的2个平滑靴分别支承在刮板输送机销轨和铲煤板上,当行走机构的驱动轮转动时,驱动齿轨轮转动,齿轨轮与销轨齿合,采煤机便沿刮板输送机牵引移动;截割电机直接安装在摇臂箱体上,经齿轮传动驱动截割滚筒转动,实现落煤和装煤。通过改变滑移变位齿轮的齿数,滚筒可以获得3种转速(37.03r/min,32.5r/min,28.46r/min)。该采煤机采用了可编程控制器(PLC)、中文液晶显示、直接转矩(DTC)变频调速技术和信号传输技术来共同控制2台400kw的截割电动机、2台50kw的牵引电动机及1台20kw的泵电动机的运行状态,使采煤机控制和保护性能完美,操作方便、可靠。

四、MG400/920-WD型采煤机的技术特征见表3-3

表3-3　MG400/920-WD型采煤机的技术特征

供电电压(V)	3300
牵引电机型号	YBQYS-50(比985多5kw);
截割电机型号	YBCS4-400
泵电机型号	YBRB-20;
总装机功率(kw)	920(2×400+2×50+20=920kw)
主电缆型号	UGFP3×70+1×25+4×6
两滚筒水平中心距(m)	10.6
两摇臂回转中心距(m)	6.48
两行走轮跨距(m)	4.85

五、交流电牵引采煤机的保护

(1)截割电动机恒功率自动控制。2个电流互感器把检测到的左右截割电机的电流信号转变为电压信号送入进行比较,得到欠载或超载信号,从而进行加速或减速,保持截割电机恒功率运行。

(2)采煤机过零保护。采煤机牵引速度逐渐减小到零时,不会继续牵引。

(3)截割电动机和泵电动机的温度保护。截割电动机和泵电动机的绕组内有温度接点,

当电动机温度达到155℃时，接点断开，使采煤机整机断电。

(4)牵引电动机的电流保护。牵引电动机的电流在90%I_N~110%I_N之间运行。

(5)牵引电动机和电控箱水流量保护。当电控箱的水流量不足时，采煤机不能牵引。

(6)牵引变压器温度保护。当牵引变压器超过160°时，不允许牵引。

(7)变频故障保护。变频器的保护有：接地保护，过压保护，欠载保护，供电电源缺相保护，变频器输出短路保护等。

(8)瓦斯保护。当采煤机工作环境中瓦斯浓度超限时，瓦斯断电仪报警并动作。

第二部分　专业核心知识点

1.电牵引采煤机的组成和特点。

2.直流电牵引采煤机的工作原理和特点。

3.交流电牵引采煤机的工作原理和特点。

4.电牵引采煤机的操作和常见故障。

第三部分　专业技能训练

一、电牵引采煤机的操作

电牵引采煤机的操作方式:通过左右端头站、遥控器和电控箱进行操作,也可以手动操作左右摇臂的升降。

左右端头站和遥控器上的操作,通过控制和转换隔离之后进入PLC。

左右端头站和遥控器各自有8个按钮,分别为总停、牵引停止、左牵引、右牵引、上升、下降和2个备用按钮。

二、电牵引采煤机的辅助液压系统(见图3-3)

该系统包括调高回路、制动回路和控制回路,由左右调高泵站、左右调高油缸和液压制动器等组成,它们都布置在框架上。

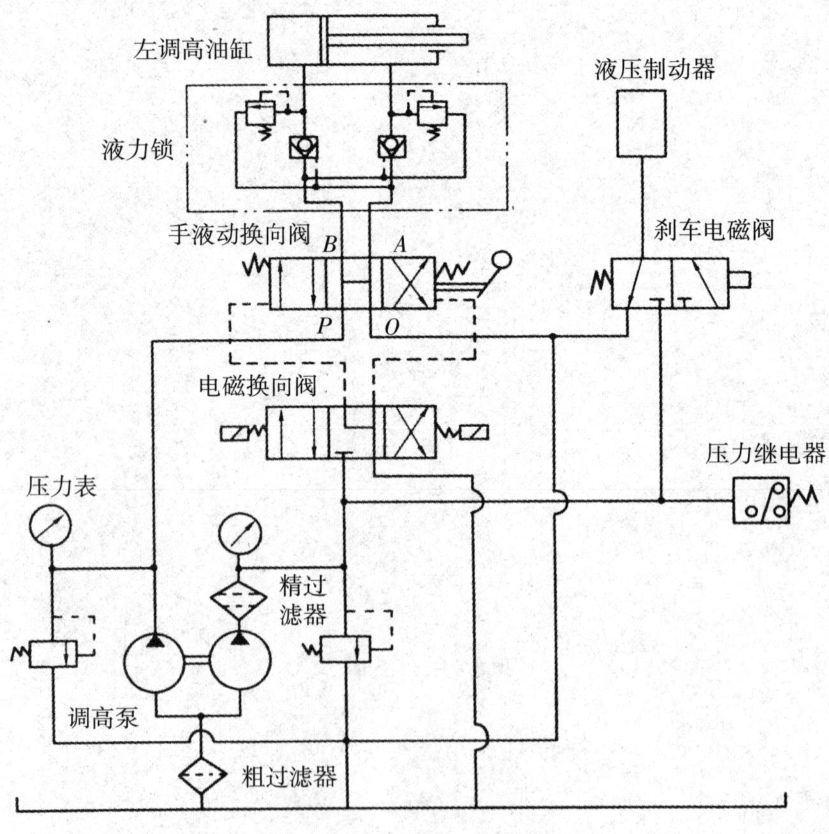

图3-3　辅助液压系统

三、电牵引采煤机的常见故障与处理

(一)采煤机不能启动

可能原因:

(1)巷道磁力启动器电源的先导回路断开或者控制线路断路。

(2)控制变压器损坏或输出的电源空气开关损坏。

(3)采煤机电控箱继电器板上的整流桥损坏。

(4)操作显示站或按键板损坏。

(5)主控制器的中央处理器出现死机现象。

(6)电机温度保护回路开路。

排除方法:

(1)按常规检测找出故障,修复或更换元件。

(2)修复或更换变压器。

(3)检查继电器板上的桥式整流器,损坏时更换。

(4)更换操作显示站或按键板。

(5)打开隔离开关重新送电。

(6)根据显示屏显示的相关部位,用万用表检查温控回路。

(二)采煤机不能升降

可能原因:

(1)操作显示站有一个通讯不良或按键板损坏。

(2)主控器故障。

(3)电磁阀或卸荷阀不能正常工作。

(4)油箱油位过低或滤油器堵塞。

(5)调高安全阀的整定值偏低。

(6)调高液压泵损坏。

(7)液压系统中有空气或油液不合格。

排除方法:

(1)接好线路或更换按键板。

(2)更换主控器。

(3)检查、修复或更换电磁阀。

(4)添加合格的液压油或清洗滤油器。

(5)重新进行调整。

(6)排气或者更换油液。

(三)采煤机不牵引

可能故障:

(1)操作显示站没有复位,主控器有故障。

(2)延时继电器脱落、空气开关掉闸。

(3)供真空接触器线圈的电源没有接通。

(4)牵引变压器的输出电源过高或过低。

(5)变频控制器数据故障。

(6)供变频控制器的电源没有接通。

排除方法：

(1)重新送电并复位，必要时更换主控器。

(2)安好继电器，合上空气开关。

(3)检查控制电源。

(4)调整电压或更换损坏元件。

(5)更正数据。

(6)更换辅助电源箱的熔断器。

四、电控系统常见故障及处理

(一)先导回路不能启动

可能原因：

①控制芯线断裂。

②顺槽磁力启动器故障。

③隔离开关未合闸。

④终端二极管损坏。

处理方法：

①更换电缆或修复控制芯线。

②更换或修复磁力启动器。

③将隔离开关合闸。

④更换终端二极管。

(二)启动回路不自保

可能原因：

①控制变压器的熔断器烧断。

②控制线断开。

③自保继电器故障。

处理方法：

①更换熔断器。

②检查控制线自保回路。

③修复或更换自保继电器。

(三)指令发送器控制不灵

可能原因：

①按钮不灵。

②控制讯号发不出去。

处理方法：

①检查并修复按钮。

②检查指令器上插座接触是否良好。

③检查本安电源是否正确。

（四）变频器送不上电

可能原因：

①牵压变压器输出电压不正常。

②快速溶断器熔断。

③变频器未复位。

④变频器故障。

（五）变频器故障

①电流故障可能是：加速时间太短；电机接线间短路、接地。

②温度过高可能是：散热不良；负载过大；变频器和电机的接线不牢；温度开关不合格。

③充电故障可进行的检查：检查保险丝；检查整流桥；检查充电电阻。

④充电灯不亮的原因：输入线的连接不好；直流电压读数不正确；变频控制器不完好。

复习题

1.电牵引采煤机的特点。

2.电牵引采煤机一般由哪几部分组成？

3.交流电牵引采煤机有哪些保护？

讨论题

1.说明MG400/920-WD电牵引采煤机的特点。

2.讨论交流电牵引采煤机电控系统的常见故障。

3.讨论交流电牵引采煤机滚筒不能升降的原因。

第四章　刨煤机和其他类型采煤机

第一部分　系统理论知识

第一节　刨煤机

刨煤机是一种采用刨削法落煤的采煤机械。它的截深浅(30mm～120mm),牵引速度大(一般为20m/min～40m/min),快速刨煤机现在可达150m/min),与工作面输送机组成一体,成为一套具备落煤、装煤和运煤的机组,刨煤机组沿工作面全长布置。

一、刨煤机的工作原理

刨煤机通常由刨煤部、输送部、液压推进系统、喷雾降尘系统、电气控制系统和辅助装置组成。

如图4-1所示,煤刨1是刨煤机的工作机构,由一无级牵引链4拖动进行刨煤与装煤,煤刨依靠工作面刮板输送机2导向,在支架工作空间内,沿整个工作面往返穿梭运行。通常,煤刨刨不到上部顶煤,顶煤在重力作用下自行垮落,碎落的煤由煤刨本身的犁形斜面装入工作面输送机,利用推移千斤顶3将输送机和煤刨压向煤壁,并在煤刨采过煤后,把输送机向前推移一个刨深距离。

煤刨牵引链4的传动装置6有两个,各装在工作面输送机的机头架与机尾架上,交替拖动煤刨往返移动。传导装置一般由电动机、液力耦合器和减速器组成。牵引链4由减速器出轴上的链轮3带动,封闭在工作面上输送机的采空侧的导轨中,工作面输送机的刮板链是由传动装置7带动的。

工作面两端有人工开出的超前缺口,以安置机头和机尾装置,刨煤机与自移式液压支架配套就可组成一个完整的综合机械化采煤工作面。

此外,刨煤机组端头装有防滑锚固装置,以避免沿煤层倾斜下滑,煤刨在机头和机尾的行程终点装有终点开关,起自动断路的作用,以保证煤刨在行程终点位置停车。

煤刨的换向通过控制台由工人进行操纵。刨煤机的控制台大多布置在下顺槽内,与传动部相隔一定距离,装在吊轨上移动。控制台内装有刨煤机及自移支架等设备的开头装置、监视与控制刨煤机运行状况的装置、通讯联络用的电话设备等。通过对刨煤机电动机的电耗测量仪表及刨煤机行程计数器的观测，有经验的操作工就可确定工作面哪些位置超负荷而采取措施。另外，刨煤机(能变速的)在行程中段应尽量高速运行，而在接近两端剩余行程时低速运行，以避免高速运行的刨头因惯性闯入传动部分。

刨煤机的刨煤方法和启动的频繁，决定了刨链不仅要有较高的拉力，而且还要经受很大的动载荷。因此，为了能够顺利地进行采煤，刨链应有足够的强度。

为了改善煤刨链的工作特性，装设了液力耦合器等装置；为了防止机器过载损坏减速器或拉断刨链，在减速箱出轴上装保险销，过载时保险销被剪断。

连接环是刨链中的薄弱环节，为了减少链子接头，每段刨链有100m长，长的可达250m。

刨煤机为了降尘，在输送机上装设机道喷雾装置。此装置可在煤刨通过时喷雾，或者连续不断地喷雾。另外也有在煤刨上装喷嘴喷雾的，由拖软管供水。

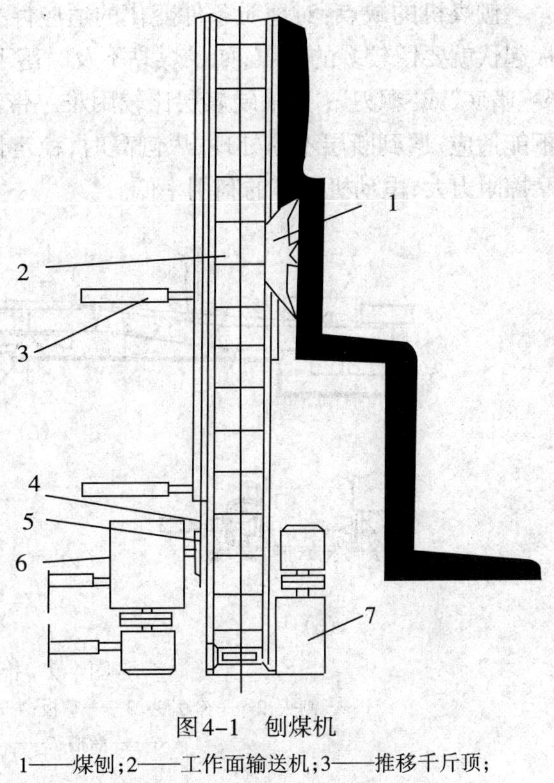

图4-1　刨煤机

1——煤刨；2——工作面输送机；3——推移千斤顶；4——牵引链；5——链轮；6——传动装置；7——输送机传动装置

使用刨煤机的普采或综采工作面，采煤过程与相应的滚筒采煤机工作面相仿。区别在于：刨煤机到达工作面一端后，没有翻转挡煤板或滚筒调高的操作；液压支架或支柱要煤刨工作若干个行程后才能推移或架设1次。

二、刨煤机的主要特点

刨煤机的优点：

(1)刨煤机沿煤壁表面刨煤、截深小(一般为50mm~100mm)，充分利用了煤的压张效应，充分利用了地压落煤，块煤率较高，粉煤率较低，其单位能耗为0.2kw·h/m^3~0.6kw·h/m^3，是各种落煤法中能耗最低的一种。

(2)刨煤机结构简单，维修也容易，工人不需要跟随煤刨行走操作，可在顺槽控制台进行操作，大大减轻了劳动强度。

(3)刨煤机的煤刨高度可以设计得很低(约300mm)，可实现薄煤层、极薄煤层机械化采煤。

(4)不带动力的煤刨，不需要随煤刨拖移电缆或风管，简化了工作面设备和管理工作。

(5)刨落下的煤的块度大(平均切屑断面积为70cm^2 ~ 80cm^2)，煤粉量少，煤尘少，劳动条件好。瓦斯泄漏也均匀，不易聚焦。

刨煤机的缺点：对地质条件变化的适应性差，煤刨安装好后，高度不能随机调整，遇到顶板起伏就要留较多的顶煤，如果煤黏不及时落下，就会给推移支架带来困难；遇到底板起伏就要“啃底”或“飘刀”；开采硬煤层比较困难。带动力的煤刨采用静力落煤原理，对硬煤和岩石不能适应，遇到断层不易处理；煤刨高时，稳定性差，平衡控制困难。刨头与输送机和底板的摩擦阻力大，电动机功率的利用率低。

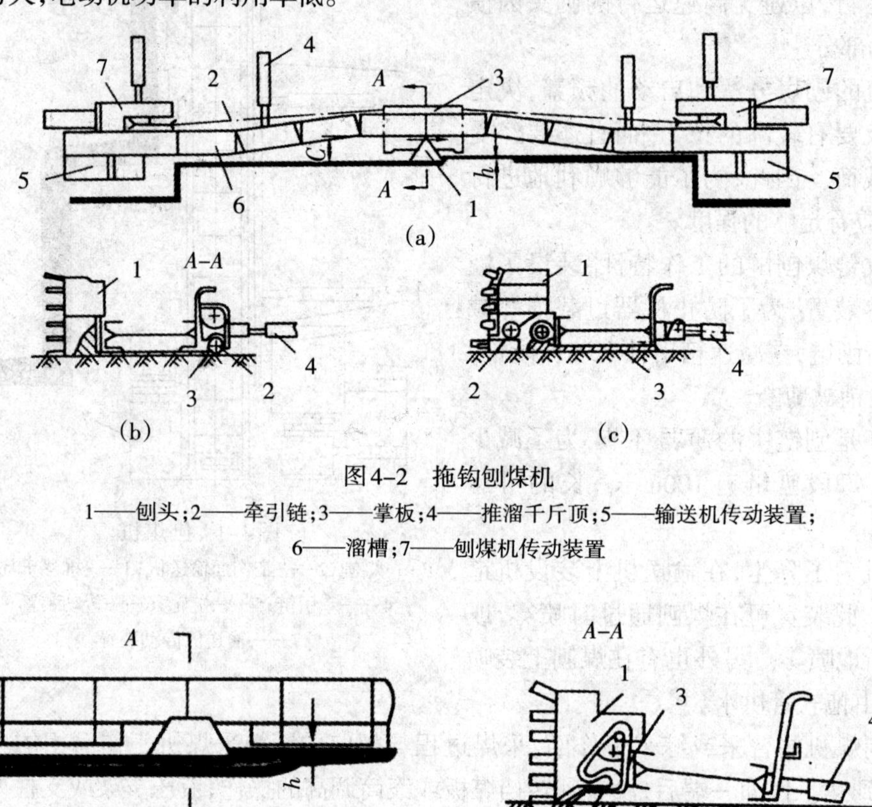

图4–2　拖钩刨煤机

1——刨头；2——牵引链；3——掌板；4——推溜千斤顶；5——输送机传动装置；6——溜槽；7——刨煤机传动装置

图4–3　滑行刨煤机

1——煤刨；2——牵引链；3——滑架；4——千斤顶

三、刨煤机的类型及工作方式

刨煤机根据刨刀对煤作用的性质分为静力式和动力式两种刨煤机。动力式刨煤机本身带有动力装置，使刨刀产生冲击将煤破落，或用细水射流与机械落煤相结合的方法落煤，主要是针对较硬煤质的。但由于其煤刨的结构复杂，能源输送困难，故发展缓慢，未能得到广泛应用。目前现场主要使用的仍是静力式刨煤机。静力式刨煤机的煤刨结构简单，是在一铸钢构件上面装有齿座和刨刀，依靠牵引锚链的牵引力及输送机导向，使煤刨沿工作面表面将煤采下来。静力式刨煤机根据煤刨结构不同，分为拖钩刨煤机（图4–2）、滑行刨煤机（图4–3）及具有这两种结构特点的滑行拖钩刨煤机（图4–4）。另外，我国还出现了几种适用于特殊地质条件下类似刨煤机的设备，如用于煤质松软易垮落煤层的锯煤机和刮斗刨煤机。刮斗刨煤机适用于工作面不太长、底板起伏不大的极薄煤层。

拖钩式刨煤机，其煤刨与掌板连在一起，以保持刨煤时的稳定性。掌板压在输送机机槽下方，由牵引链带动往复运行落煤和装煤。煤刨通过后，靠千斤顶将输送机推进一个刨深h。拖钩刨的刨体宽度大于刨深h，因而煤刨经过处输送机机槽被推向采空侧一个高度，煤刨过后机槽在千斤顶作用下又重新移向煤壁。另外，煤刨经过处机槽被掌板抬起，煤刨过后又落下。机槽的后让和上下游动，使整个刨煤机产生很大的摩擦阻力，落煤和装煤功率仅占其总功率的30%左右，机槽、掌板也极易磨损。

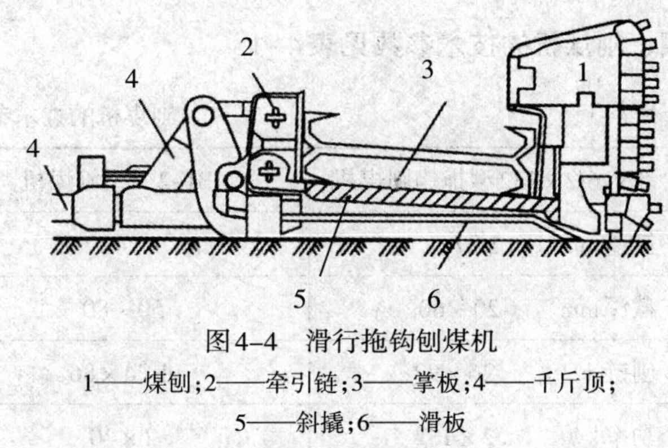

图4–4　滑行拖钩刨煤机

1——煤刨；2——牵引链；3——掌板；4——千斤顶；5——斜撬；6——滑板

滑行刨取消了掌板，用滑架来支承煤刨并导向，机槽不再后让和上下游动，运行阻力大为减小，机械效率提高。滑行刨的主要缺点是结构较为复杂，机道需加宽，稳定性不如拖钩刨。

滑行刨的结构特点与拖钩刨相似，煤刨由掌板支承，稳定性好。为了减小摩擦阻力，在输送机机槽下面装有与每节机槽长度相同的滑板，使掌板在滑板上滑动，可降低能耗、扩大使用范围。

滑行拖钩刨煤机具有拖钩刨煤机和滑行刨煤机的优点，保留了拖钩刨煤机的掌板，刨头工作稳定性好，在掌板下方加设斜橇，减小了掌板与底板间的摩擦阻力。

煤刨的牵引链铺设在靠采空区的一侧称为后牵引方式；铺设在靠煤壁的一侧称为前牵引方式。两种牵引方式各有利弊。后牵引方式的优点是：安装、检修牵引链及导链架比较方便；牵引链不妨碍煤刨装煤；煤刨道较窄，运输机可以靠近煤壁，有利于支护顶板，但牵引链和刨刀之间的距离较大；煤刨运行时牵引链拉力和刨煤阻力构成很大的力矩，使煤刨在煤层平面内有扭转的趋势；煤刨和运输机溜槽及导向机构之间将产生剧烈的摩擦和磨损。目前拖钩刨多采用后牵引方式。煤刨运行时掌板迫使输送机溜槽上下游动。又因煤刨体宽度B远大于刨刀的刨削深度h，输送机又可弯曲，煤刨运行时也使输送机溜槽侧向游动。这样，不仅加剧了摩擦和磨损，而且容易引起刨煤机下滑，煤壁不易保持平直，还可能挤坏电缆和附设在溜槽上的部件。拖钩刨大约只有三分之一左右的装机功率用于刨煤和装煤，其余大部分装机功率消耗在摩擦上。底板较软时，煤刨还容易陷入底板。滑行刨属于前牵引方式，滑行刨用装在溜槽靠煤壁侧的滑架引导煤刨，煤刨高度超过1m时应用撑臂和导向管保持其稳定性。滑架还可以引导和掩护牵引链，并起铲煤板的作用。由于没有压在溜槽下面的掌板，煤刨运行时溜槽不会上下游动。又由于滑架底面向前伸出到煤壁，使溜槽的推进量接近刨刀的刨削深度，煤刨运行时溜槽的侧向游也很小。所以，滑刨的摩擦损失比较小，但其稳定性不如拖钩刨好。滑行拖钩刨采用后牵引方式。它是带掌板的滑行刨，改善了滑行刨的稳定性。掌板夹在溜槽和斜橇之间，斜橇与采空区侧的导链架铰接，其前缘伸得非常逼近煤壁，故能消除侧向游动，但溜槽仍有上下游动。

四、刨煤机的技术参数见表4-1

表4-1　　　　刨煤机的技术参数

	BT26/2×132型拖钩刨煤机	MBJ-2 A型刨煤机	8-30型刨煤机
刨速m/s	1.97	0.42	1.76
截深mm	20~60	50~80	40~70,90~120
刨链φ	26×92	φ24×86	φ30×108
功率kw	2×132	2×40	2×100
刮板链	φ18×64	φ18×64	φ26×92
煤层厚度m	0.6~1.3	0.9~2.5	0.9~2.5
煤层硬度	f≤2.0	f≤2.0	4.5×107

五、刨煤机的适用条件

(1)煤质中硬及中硬以下应选用拖钩刨,中硬以上应选用滑行刨。刨煤机最适合刨节理发达的脆性煤,硬煤一般不宜用刨煤机,最好要求不黏顶煤。如煤层轻度黏顶,则可用人工处理。要求含硫化铁的块度小,且含量不多,分布位置不影响刨煤机刨煤。

(2)顶板中等稳定以下的工作面使用刨煤机,可采用液压支架配套。要求底板较平整,没有底鼓。拖钩刨要求底板中等硬度,否则煤刨容易"啃底"。泥岩、黏土砂质岩等软底板,宜用滑行刨。用刨煤机的机采工作面,要求顶板中等稳定,用点柱或带帽点柱支护顶板。顶板允许裸露宽度0.8m~1.1m,时间2h~3h。要求伪顶厚不大于200mm。

(3)煤层沿走向及倾斜方向没有大的断层及褶曲现象。小断层落差为0.3~0.5m时可以采用刨煤机,大于0.5m时可超前处理。

(4)煤层厚度在0.5m~2.0m,倾角小于25°(最好在15°以下)。

第二节　薄煤层采煤机

薄煤层是指最大可采厚度不到1.3m的煤层,通常指0.8~1.3m的煤层。

开采薄煤层的滚筒式采煤机主要有两种结构类型:机身骑在工作面输送机上的骑溜子式和机身落在工作面输送机靠煤壁侧底板上的爬底板式。骑溜子工作的薄煤层采煤机与中厚煤层和厚煤层采煤机完全相同,只是由于受到煤层厚度的严格限制,机身高度比较矮。爬底板工作的薄煤层采煤机,由于机身从溜子上下放到煤层底板,机面高度较大幅度地降低,使过煤高度和过机高度都有所增大,有可能在0.6~0.8m厚的煤层中工作(如苏联制造的K-103型爬底板采煤机的最小采高能降低到0.65m)。这种工作方式的采煤机是薄煤层采煤机的发展方向,它在技术上存在的主要问题是:工作中机身容易歪斜,滚筒割底或飘底。薄煤层采煤机有以下特点:机身矮,但电动机功率要足够大;机身短,以适应底板的起伏不平,一般采用外牵引方式;要有足够的过煤、过机高度和人行通道尺寸;能自开缺口。

根据机身的支撑方式不同,爬底板采煤机又分为底板支撑式、悬臂支撑式和混合支撑式三种采煤机。

BM-100型采煤机是我国自行设计制造的获得广泛应用的骑溜子薄煤层采煤机。

BM-100型双滚筒采煤机由电动机、牵引部、截割部和辅助装置(底托架、电缆拖移装置、喷雾装置等)组成。如图4-5所示。

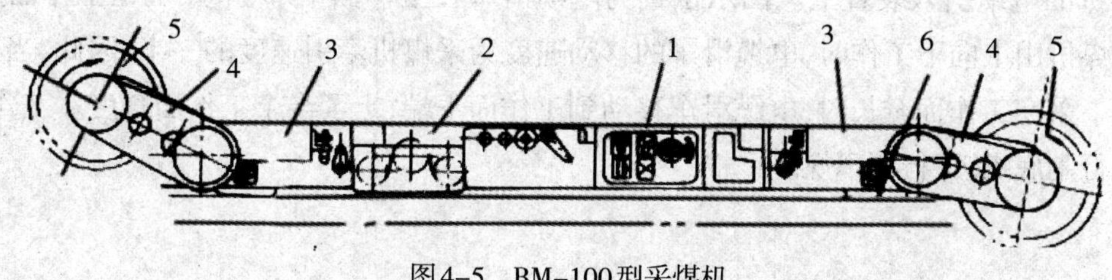

图4-5 BM-100型采煤机

1——电动机;2——牵引部;3——左右截割部减速器;4——左右摇臂;5——左右滚筒

BM-100型双滚筒采煤机可以与BY200-06/15型液压支架、SGB-630/60Z型刮板输送机组成综采工作面配套设备,也可以改用单体支柱组成高档普采工作面配套设备。

这种采煤机适用于煤质在中硬以下(f≤2.5)、煤层顶板中等稳定、底板起伏不大的情况。适用于采高1.0~1.3m、倾角小于10°的煤层。当煤层倾角大于10°时,用自身的防滑杆防滑;当倾角大于16°时,还应加设液压安全绞车,这时可用于倾角在25°以下的煤层。

BMD-100型单滚筒采煤机是在BM-100的基础上改装而成的,即拆去一个截割部并更换底托架。它与SGB-630/60型刮板输送机、金属摩擦支柱、金属铰接顶梁组成普通机械化采煤工作面配套设备。

第三节 大倾角采煤机

大倾角采煤机通常是指在倾角大于35°煤层中工作的采煤机。目前使用的大倾角采煤机大致有两类:一类是用于缓倾斜煤层的单、双滚筒无链双牵引或三牵引采煤机。这类采煤机由于牵引力大、爬坡能力强,又有可靠的制动装置,再配上液压安全绞车,可用于倾角54°的煤层条件。另一类是能在倾角54°~90°的煤层条件下工作的滚筒式采煤机。这类采煤机除采用无链牵引和可靠的制动装置外,在工作面的上顺槽还安装有辅助牵引绞车,以加大牵引力,防止机器下滑。此外,还设有附加安全设施(如为防止滚落的煤炭砸伤工作人员和设备,用加高的挡板将回采区与支护区隔开)。为实现安全作业,采煤机中通常都装有无线电控装置或由顺槽控制台控制。

EW-300-L型采煤机是德国艾槿夫公司生产的单滚筒采煤机,适用于采高范围1.8~3.8m、倾角小于54°的煤层。

该采煤机主要由电动机、固定减速箱、摇臂、滚筒、辅助牵引部和主牵引部等组成。如图

4-6所示。

EW-300-L型采煤机双牵引的牵引力为230～514kN，牵引速度为3.3m/min～7.4m/min，具有可靠的制动装置，机器发生故障时能立即停止牵引并制动。机器上靠上顺槽侧的紧急操作装置10是用来松闸的，以便将出现故障的机器拉到上顺槽进行修理。

采煤机的电缆和水管是用液压绞车拖拽的，以保持一定的张力。固定在输送机机尾上的液压绞车通过钢丝绳牵引电缆滑车，采煤机供电电缆及水管绕过电缆滑车上的导向滑轮后接到采煤机的电缆引入装置上。图示位置为电缆滑车在工作面中部，采煤机在工作面上顺槽端。采煤机由上向下工作时，电缆滑车的移动速度为采煤机牵引速度的一半，因此，当采煤机从上向下采完工作面全长时，电缆滑车移动到工作面下端，走了半个工作面长度。工作时，采煤机上行割底煤，下行割顶煤。

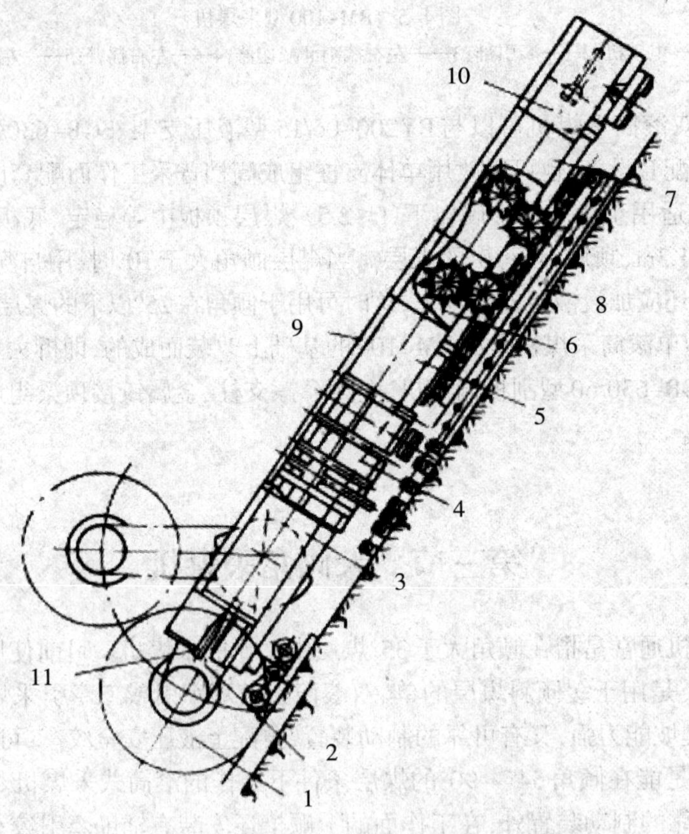

图4-6　EW-300-L型采煤机

1——滚筒；2——摇臂；3——固定减速箱；4——中间箱；5——电动机；6——辅助牵引部；7——主牵引部；8——机架；9——盖板；10——紧急操作装置；11——电缆引入装置

第四节　连续采煤机简介

一、连续采煤机的使用条件

连续采煤机起源于美国，经历半个世纪的发展过程，现在已经日臻完善，其采掘工艺也日臻成熟，在房柱式采煤、回收边角煤以及长壁开采的煤巷快速掘进中得到了广泛的应用，在单产、单进作业过程中创出了前所未有的水平。

连续采煤机适用于开采普通煤层、中硬煤层和坚硬煤层。它具有截割、装载、转载、调动行走和喷雾除尘等多种功能，配备有锁车、皮带输送机和锚杆支护，可以在房柱式采煤中实现综合机械化采煤。

二、连续采煤机的基本组成

连续采煤机通常由截割机构、装运机构、履带行走机构、液压系统、电控系统、冷却喷雾除尘系统及安全保护装置等组成。

连续采煤机虽然型号、规格较多，但主要组成部分大同小异，主要区别在截割机构的传动和截割部上。一种是两台截割电动机横向布置在截割臂的两侧，通过减速器将动力传给截割链及左右截割滚筒。一种是纵轴式布置。

三、连续采煤机的配套设备

连续采煤机的配套设备有工作面运输设备、顶板支护设备、辅助作业设备和工作面供电设备。

（一）运输系统及运输设备

1.半连续运输系统及设备

在中厚煤层中主要采用由运煤车、给料破碎机和可伸缩带式输送机组成的半连续运输系统。每台连续采煤机后面，一般配备2~3台运煤车，可选用电缆式或蓄电池式运煤车。

给料破碎机用以破碎和转载，一般采用自行式给料，受料斗可容1梭车的煤炭，其给煤处理能力约为270t/h~480t/h。

可伸缩带式输送机运输能力根据主机生产能力和运煤车的能力确定。

2.连续运输系统及设备

由几台自移式刮板输送机或带式输送机串接组成，紧跟在连续采煤机后面，把连续采煤机卸载的煤炭直接转运到可伸缩带式输送机上。这种连续运输系统在薄煤层中使用很普遍，并且已在中厚煤层中使用，获得良好效果。

（二）顶板支护及其设备

在掘进巷道（或煤房）时，全部采用锚杆支护，使用自行式锚杆钻机或手持式锚杆钻机完成钻孔和安装锚杆两道工序；在回收煤柱时，则采用履带行走式液压支架或单体支柱支护。

（三）辅助作业设备

1.自行式胶轮铲车

自行式胶轮铲车有蓄电池式和柴油机式，主要用来运料、运人、清理巷道。薄煤层中用蓄电池式,中厚煤层中二者均有使用。

2.挖沟机

用于给巷道挖沟排水,为履带自行式,连续采煤机掘进工作面后,挖沟机即进入工作面,在巷道一侧切割出一定尺寸的水沟。

四、连续采煤机的主要技术特征见表4–2

表4–2 连续采煤机的主要技术特征

项目 \ 型号		LN800	12CM–11
截割高度(m) 机器总长(m) 机重(t) 生产能力(t/min)		1.4 ~ 3.6 10.4 49 10 ~ 15	1.6 ~ 3.1 10 40 8 ~ 12
工作机构	滚筒直径(mm) 滚筒转速(r/min) 截割速度(m/s)	1035 44.66 2.98,3.58	914 53 2.5
装载机构	型式 转速(r/min)	耙爪 54	耙爪 50
转载机构	宽度(mm) 高度(mm) 链速(m/s) 摆角(°)	610,762 203 2.33 ± 45	762 203 1.9 ± 45
行走机构	推进速度(m/min) 调动速度(m/min) 接地比压(MPa)	0 ~ 17.7 0.16	4.57 16.7 0.172
电动机	截割 / kw 装载 / kw 行走 / kw 油泵 / kw 总容量 / kw	120 × 2 26 × 2 49 × 2 30 420	89 × 2 44 26 × 2 37 311

第五节　采煤机械的选型

机械化采煤工作面的生产能力主要取决于采煤机械的落煤能力。因此,根据不同的煤层条件,正确选用采煤机械,对提高工作面产量、节约能耗及安全生产是十分重要的。

一、对采煤机械的基本要求

(一)功能方面的要求

采煤机械主要完成采煤工艺的落煤和装煤这两道工序。因此,采煤机械的工作机构必须具有足够的落煤和装煤能力,采高能调节,能量消耗小,采落下的煤块度大,截煤过程中产生的煤尘少，能自开缺口等等。

（二）适应性方面的要求

采煤机械必须适应给定的煤层厚度、硬度、煤层倾角、围岩条件等要求。

（三）性能方面的要求

采煤机械的性能应当满足工作面设计的要求。如采煤机械的生产率必须满足工作面产量要求，并具有足够的牵引力和牵引速度；截割速度应满足煤的块度和降低煤尘含量的要求；截深应满足控顶距及支架移动步距的要求等。

（四）安全及劳动保护方面的要求

采煤机械要有可靠的喷雾降尘装置和完善的安全保护装置。如电动机恒功率自动调速、液压自动调速、高低压保护、回零保护、油温保护、冷却水保护等装置；电气设备必须防爆；当煤层倾角较大时，应有安全防滑措施等等。

（五）经济性和可靠性方面的要求

采煤机械是机械化采煤的关键设备，它的维护费用在吨煤成本中所占的比例相当大。因此，采煤机械必须有良好的可靠性和经济性，以保证安全、高效、经济地运行。

二、采煤机的选型

（一）根据煤层厚度选择采煤机械

根据开采技术要求，将煤层厚度分为三类：从最小开采厚度至1.3m为薄煤层；1.3~3.5m为中厚煤层；3.5m以上为厚煤层。

煤层厚度决定着所需要采煤机的最小采高、最大采高、机面高度、过机高度以及电动机功率的大小。

现有滚筒式采煤机的采高比较大，大约为0.65~4.5m。其中1.3m以下的薄煤层，当最小采高在0.65~0.8m时，只能选用爬底板采煤机（如K–103型采煤机，其采高为0.65~1.2m）；最小采高在0.75~0.9m时，可选用骑溜子采煤机，也可以选用爬底板采煤机（如EDW–170–LN采煤机）。

对机械化开采最为有利的煤层厚度为中厚煤层，特别是3m左右的煤层。开采这类煤层所用的采煤机技术比较成熟，工作效益好。这类采煤机的型号主要有MLS_3–170（2×170）、MLS_3H–2–170、MXA–300/3.5、MG300–W（2×300）、MG200–W（2×200）、MG150–W等。我国研制并投入使用多年、采高在2.0~4.5m的厚煤层采煤机有MG300–GW（2×300）、MXA~300/4.5、AM–500等型号。经过生产实践的考验，这些机器技术上是过关的，性能也是可靠的。煤层厚度在4.5m以上的特厚煤层一般都采用分层铺网或放顶煤机械化开采，分层厚度一般为3m左右。

采高在1.1~2.0m左右的机采工作面，煤质中硬，应选用单滚筒采煤机（如1MGD–200、DY–150型）；采高在1.3~2.5m时，应选用双滚筒采煤机（如MG150–W或MG150链牵引型）或单滚筒采煤机（如1MGD–200链牵引型）。

(二)根据煤的力学性质选择采煤机械

煤的力学性质主要包括煤的坚硬度系数f、抗压强度、截割阻抗A、韧性、层理和节理的发育状况、夹石含量及分布等。这些因素关系到选择采煤机械的工作机构形式和采煤机械的功率大小。

根据煤的坚硬度系数f和截割阻抗A,将煤分为三类:

(1)软煤——f≤1.5,A < 180N/mm;

(2)中硬煤——f = 1.5 ~ 3.0,A = 180N/mm ~ 240N/mm;

(3)硬煤——f≥3.0,A = 240N/mm ~ 360N/mm。

各种刨煤机最适合开采软煤,特别是脆性软煤;韧性中硬煤应选用中等功率的滚筒式采煤机;脆性中硬煤宜选用中等功率的滑行刨煤机;硬煤必须选用大功率的滚筒式采煤机。滚筒式采煤机可截割各种硬度的煤。

(三)煤层倾角对选择采煤机械的影响

根据开采技术特点,将煤层倾角分为三类:0° ~ 25°为缓倾斜煤层;25° ~ 45°为倾斜煤层;45° ~ 90°为急倾斜煤层。

倾角小于12°的煤层,对机械化开采最有利,一般不必考虑采煤机械的防滑问题。

倾角大于12°时,骑溜子工作的采煤机和以输送机支撑和导向的爬底板采煤机,必须带防滑装置。

无链牵引采煤机,由于具有可靠的制动装置,牵引力又大,故可用到倾角40° ~ 54°的工作面。

(四)顶底板性质对选择采煤机械的影响

顶底板性质主要影响顶板管理方法和支护设备的选择,因此,选择采煤机时应同时考虑选择何种支护设备。例如,对于不稳定顶板,控顶距应当尽量小,应选用窄机身采煤机和能超前支护的支架;若底板松软,则不宜选用拖钩式刨煤机、底板支撑式爬底板采煤机和混合支撑式爬底板采煤机,而应选用靠输送机支撑和导向的滑行刨、悬臂支撑式爬底板采煤机、骑溜子工作的滚筒式采煤机和对底板接触比压小的支架。

采煤机的选用要根据具体情况进行,选择合适的采煤机及其配套设备,以满足综采工作面的要求。

第二部分　专业核心知识点

1.刨煤机的工作原理和特点。
2.刨煤机的类型和使用。
3.对薄煤层采煤机、连续采煤机的了解。
4.采煤机的选型。

第三部分　专业技能训练

一、《煤矿工人技术操作规程》对使用刨煤机的规定和要求

(1)试车时应遵守以下规定：

① 用电话或声光信号发出开机信号，让工作面所有人员退到安全地点；

② 乳化液泵运输巷及工作面刮板输送机械顺序启动；

③ 打开供水喷雾装置，喷雾应良好；

④ 点动刨煤机二次。经检查各部声音正常，仪表指示准确，牵引链松紧合适，方可正式刨煤。

(2)刨煤机要根据煤层硬度调整刨煤深度。为避免上漂或下扎，要随时调整刨刀角度，采高上限要小于支架高度0.1m，不准割碰顶梁。

(3)刨头被卡住时，必须停机，查找原因，不准来回开动刨头进行冲击。

(4)不准用刨煤机刨坚硬夹石或硫化铁夹层。必须经过放炮处理后，才准开机刨煤。

(5)紧链时，任何人不准靠近紧链叉或紧链钩。紧链工具取下后方可开刨煤机。

(6)不准用刨煤机牵拉、推移、拖吊其他设备、物件。

(7)非紧急情况下，不准用紧急开关停刨煤机。

(8)不刨煤时，不得让刨煤机空运转，只许点动开关，防止过位损坏设备。

(9)发现刨刀不锋利，应立即更换。更换时，要将开关打在停电位置并闭锁刮板输送机，通知其他司机后，方可工作。

(10)发现刨煤机有下列情况之一时，应立即停止刨煤，妥善处理后，方可继续刨煤。

① 运转部件发出异常声音、强烈震动或温度超限时；

② 各种指示灯、仪表指示异常时；

③ 无直接操作刨煤机和刮板输送机随时启动或停止的安全装置或该装置失灵时；

④ 刨头被卡住闷车时；

⑤ 有危及人员安全情况时；

⑥ 工作面、运输巷刮板输送机停机时。

二、《煤矿安全规程》对使用刨煤机的规定

第七十条　使用刨煤机采煤应遵守下列规定：

(一)工作面至少每隔30米应设停止刨头和刮板输送机的装置，或装设向刨煤机司机发出信号的装置。

(二)刨煤机应有刨头位置指示器，必须在刮板输送机两端设置明显标志，防止刨头与刮板输送机机头撞击。

（三）工作面倾角在12°以上时，配套的刮板输送机必须装设防滑、锚固装置。

复习题

1.简述刨煤机的工作原理和主要结构。
2.刨煤机与滚筒式采煤机相比，有什么特点？
3.刨煤机的使用条件如何？
4.刨煤机有哪些类型？
5.后牵引有什么优点？
6.使用刨煤机要注意哪些事项？

讨论题

1.简述薄煤层采煤机、大倾角采煤机和连续采煤机的特点。
2.采煤机的选型要考虑哪些因素？
3.简述《煤矿安全规程》对使用刨煤机的规定。

第二篇　支护设备

回采工作面的支护设备用于支撑工作面顶板，阻挡冒落的矸石进入工作面，从而保证人员和设备的安全。

目前回采工作面的支护设备有单体液压支柱和自移式液压支架。与采煤机和输送机分别组成高档普采和综采设备。

单体液压支柱与金属铰接顶梁配套使用，支撑撤离移动都要依靠人工操作，劳动强度大，安全性较差，工作面产量和效率都比较低。

液压支架称为自移式支架、机械化支架，它是以高压乳化液作为动力，使支架的支撑、移动和输送机的推移等工序都实现机械化，可靠而有效地支撑顶板，改善了回采工作面的工作环境，有效地提高了劳动的安全性，为工作面实现自动化创造了条件，也大大提高了回采工作面的技术经济效益。因此液压支架已经成为现代采煤技术中的关键设备之一。

第五章　单体支护设备

第一部分　系统理论知识

第一节　单体液压支柱

一、单体液压支柱的适用范围

单体液压支柱适用于倾角小于25°的水平或缓倾斜煤层，并且要求地板不宜过软，顶板周期压力明显，直接顶易于垮落的围岩条件。在底板过软、地质条件复杂或分层的工作面使用单体液压支柱时，要采取相应的措施。

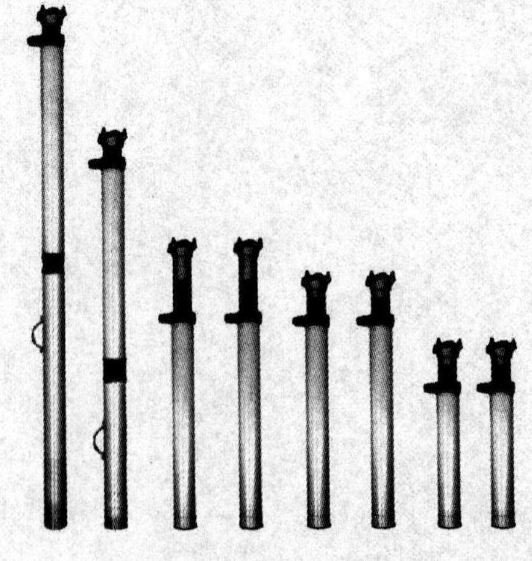

DW系列矿用单体液压支柱

单体液压支柱不准在下列条件下使用：

(1)淋水过大的工作面。

(2)使用其他性能支柱的工作面。

(3)使用木顶梁的工作面。

(4)有严重酸碱性淋水的工作面。

(5)炮采工作面。

二、单体液压支柱的分类和特点

(一)分类

按供液方式的不同,单体液压支柱可分为内注式和外注式。

内注式单体液压支柱依靠柱内的手摇泵获得动力,使工作液体贮存在柱内循环使用;外注式单体液压支柱用液压枪将泵站输来的高压液体注入柱内。前者结构复杂、质量大、支撑升柱速度慢,故使用不如后者普遍。

内外注式单体液压支柱的异同之处主要有:

(1)外注式单体液压支柱的工作液为乳化液,回柱是乳化液排到采空区;内注式单体液压支柱的工作液为液压油,回柱时油缸中的油液流回活柱内腔形成闭式循环。

(2)外注式单体液压支柱的初撑力决定于泵站的压力;内注式单体液压支柱的初撑力决定于手摇泵操作力的大小。

(3)外注式单体液压支柱是依靠柱体自重和复位弹簧实现降柱的;内注式单体液压支柱只依靠柱体自重实现降柱。

(4)内注式单体液压支柱要求设有通气装置,外注式单体液压支柱则不需要。

(5)外注式单体液压支柱的活柱升到最大高度时依靠限位装置限位;内注式单体液压支柱的活柱升到最大高度时依靠活柱内的装油量多少限位。

(6)外注式单体液压支柱上的所有阀都装在一起,可以在井下更换。

内注式单体液压支柱的安全阀、单向阀和卸载阀分别装在不同的装置上,在井下无法更换。

按照用途的不同,单体液压支柱可分为通用类支柱和重型支柱。

通用类支柱适用于一般条件下使用,重型支柱适用于具有冲击地压条件下使用。

(二)特点

单体液压支柱体积小、支护可靠、使用维修方便,既可用于普通机械化采煤工作面支护顶板和综合机械化工作面的端头支护,也可以做单独点柱或其他临时性支护。单体液压支柱与金属摩擦支柱相比有下列优点:

(1)初撑力较大。一般可以达到70~100kN。

(2)工作阻力大而且稳定。

(3)回柱安全灵活,可以根据工作面顶板情况逐渐卸载。

(4)工作面的产量和效率较高。

单体液压支柱与液压支架相比,单体液压支柱的人工劳动量较大,但是比液压支架的适应性更好,而且初期投资也小很多。

三、外注式单体液压支柱

(一)主要技术特征

表5-1　　外注式单体液压支柱的技术特征

型　号	支撑高度(mm)		工作行程(mm)	工作阻力(kN)	初撑力(kN)	油缸直径(mm)	质量(kg)
	最大	最小					
D206-25/80	630	450	180	250	50(75)	80	22.15
D208-25/80	800	545	255	250	50(75)	80	25.1
D210-25/80	1000	655	345	250	50(75)	80	28
D212-25/80	1200	790	460	250	50(75)	80	31.5
D214-25/80	1400	870	530	250	50(75)	80	34.55
D216-25/80	1600	980	620	250	50(75)	80	37.55
D218-25/80	1800	1080	720	250	50(75)	80	40
D220-25/80	2000	1240	760	300	78.5(118)	100	49
D222-25/80	2200	1440	800	300	78.5(118)	100	55
D225-25/80	2500	1700	800	250	78.5(118)	100	58

(二)特点

优点:

(1)结构简单。除三用阀外,支柱内腔的零件少,加工容易,成本低。

(2)维护方便。支柱一般发生故障大都在三用阀上,在井下即可更换,零件发生故障的可能性较小。

(3)支柱的初撑力决定于乳化液泵站的压力,可靠性高。

(4)升柱速度快。

(5)工作行程大。适应煤层变化范围大。

(6)重量较轻。外注式单体液压支柱的零件少,重量轻。

缺点:

(1)增加了一套泵站和管路系统,环节多,管理较复杂。

(2)消耗乳化液,吨煤成本略有提高。

(3)外注式单体液压支柱是开式系统,液压元件容易造成污染失效。

(4)劳动条件较差。

(三)工作原理

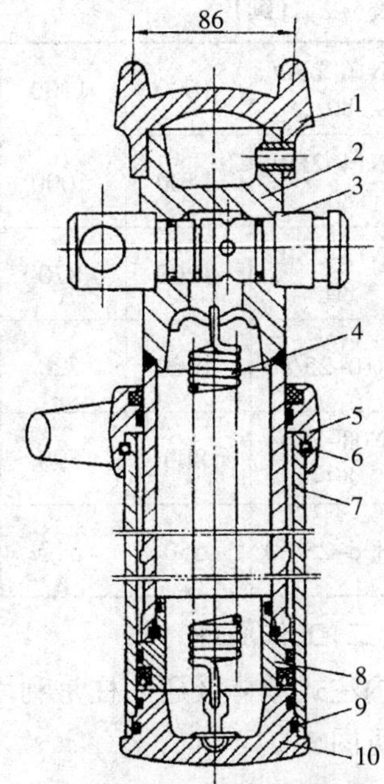

图5-1 外注式单体液压支柱
1——顶盖;2——活柱;3——三用阀;
4——复位弹簧;5——缸口盖;
6、9——连接钢丝;7——缸体;
8——活塞;10——缸底

外注式单体液压支柱是通过注液枪将泵站的高压乳化液注入支柱内的。支柱升柱和初撑时,首先将注液枪插入支柱三用阀的注液孔内,泵站的高压乳化液通过供液管经单向阀进入支柱下腔,使活柱升起。当支柱支撑顶板后,拔出注液枪。此时,支柱给予顶板的支撑力为初撑力即泵站的工作压力。

随着采煤工作面的推进和顶板下沉,顶板作用在支柱上的载荷不断增加。当顶板压力达到安全阀的调定值时,安全阀打开,液体外溢,压力随之降低,支柱下缩;当支柱所受载荷低于工作阻力时,安全阀关闭,腔内液体停止外溢。这样支柱的工作载荷始终保持在额定工作阻力左右,具有恒阻性。

回柱时,扳动卸载手柄,打开三用阀中的卸载阀,柱内的高压乳化液通过卸载阀排至柱外采空区。活柱在自重和复位弹簧的作用下回缩、降柱。

三用阀是单体液压支柱的关键。它由单向阀、安全阀、卸载阀构成,分别承担支柱的进液升柱、过载保护和卸载降柱三种职能。

注液枪是向支柱供液的主要工具。通过它将高压乳化液供给支柱。

四、内注式单体液压支柱

(一)主要技术特征见表5-2

表5-2 内注式单体液压支柱的技术特征

DN内注式单体液压支柱									
型号	最大高度 mm	最小高度 mm	行程 mm	工作阻力 kN	工作液压 MPa	油缸直径 mm	底座面积 mm^2	工作液	重量 Kg
DN31-160/90	3150	2450	700	160	25	90	120	5#液压油	78
DN28-200/90	2800	2100	700	200	31	90	120	5#液压油	74
DN25-250/90	2500	1800	700	245	39	90	120	5#液压油	68
DN22-300/90	2240	1540	700	294	46.3	90	120	5#液压油	60
DN20-300/90	2000	1360	640	294	46.3	90	120	5#液压油	55
DN18-250/80	1800	1250	550	245	49	80	120	5#液压油	45

表5-2 （续）

DN16-250/80	1600	1100	500	245	49	80	120	5#液压油	41
DN14-250/80	1400	1000	400	245	49	80	120	5#液压油	38
DN12-250/80	1200	870	330	245	49	80	120	5#液压油	34
DN10-25/80	1000	720	280	245	49	80	120	5#液压油	29
DN08-250/80	800	590	210	245	49	80	120	5#液压油	26
DN06-25/80	650	510	140	245	49	80	120	5#液压油	23

（二）工作原理

内注式单体液压支柱是利用支柱内的手摇泵注液升柱的。工作液体为液压油。其结构组成见图5-2。

1.升柱和支撑

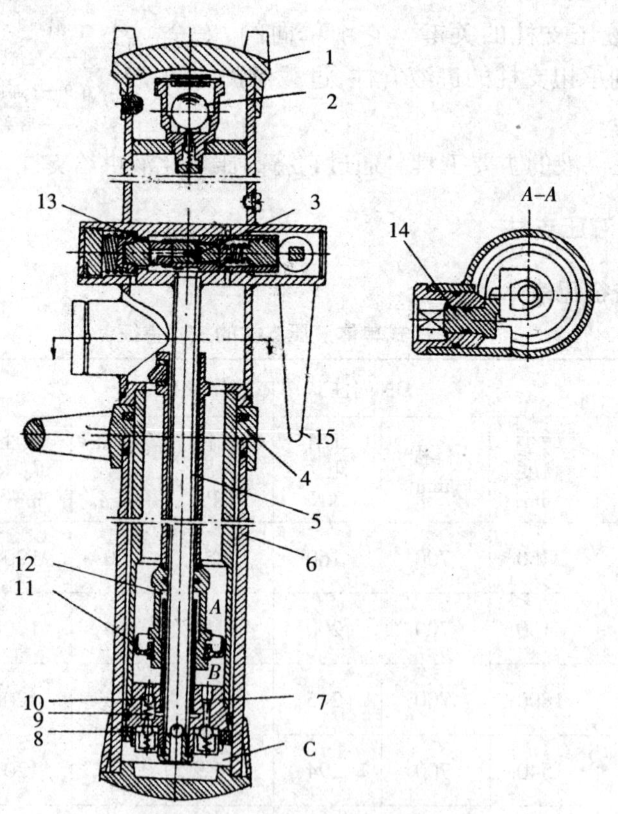

图5-2 内注式单体液压支柱

1——顶盖；2——通气阀；3——安全阀；4——手把体；5——中心导向管；7——活塞；6——缸体；8——单向阀；9——环形槽；10——进液阀；11——泵活塞；12——内腔；13——卸载阀；14——曲柄；15——卸载阀手把

立起支柱，靠自重打开通气阀，A腔与大气相通，旋转手把，通过曲柄滑块机构使泵的活塞上下往复运动。当泵的活塞向上运动时，B腔形成负压，A腔的液压油被吸入B腔；当泵的活塞向下运动时，B腔的液压油经进液阀、单向阀进入活塞的下腔C，活柱受液压力的作用而升起。连续摇动手把，直到活柱接顶，完成升柱。

继续摇动手把，支柱进入初撑阶段，C腔压力很快升高，单向阀打不开。当泵的活塞下移时，B腔的油经泵活塞上的阻尼孔和泵活塞与活柱内壁的间隙漏回油箱。同时二级泵腔12的油经环形槽到进液阀的下面，将其关闭，而将单向阀顶开，进入C腔，使支柱达到初撑力（70~80kN）。

2.承载

支柱初撑后，随着顶板下沉，作用在支柱上的载荷逐渐增大，当达到额定工作阻力时，安全阀开启，支柱在恒阻下让压下缩。工作阻力为300kN。

3.回柱

扳动卸载手把，打开卸载阀，C腔的液压油流回。活柱在自重作用下下降。

五、其他单体液压支柱

（一）DW系列外注式单体液压支柱

DW系列外注式单体液压支柱与金属顶梁配合，供煤矿一般机械化采煤高档工作面支护顶板用，也可供综合机械化采煤工作端头支护用，适用于煤层倾角小于25°的缓倾斜回采工作面。采取一定的安全措施，也可用于倾角25°~35°的回采工作面。工作介质采用含M10乳化油2%的乳化液。

DW系列外注式单体液压支柱的技术特征见表5-3。

表5-3　DW系列外注式单体液压支柱的技术特征

DW外注式单体液压支柱									
型号	最大高度 mm	最小高度 mm	行程 mm	工作阻力 kN	工作液压 MPa	油缸直径 mm	底座面积 mm^2	工作液	重量 Kg
DW25-400/110	2500	1700	800	400	42.1	110	172	含M10或MTD乳化剂1%~2%的乳化液	79
DW22-400/110	2240	1440	800	400	42.1	110	172	含M10或MTD乳化剂1%~2%的乳化液	73
DW20-400/110	2000	1240	760	400	42.1	110	172	含M10或MTD乳化剂1%~2%的乳化液	66
DW18-400/110	1800	1110	690	400	42.1	110	172	含M10或MTD乳化剂1%~2%的乳化液	62

表5-3 （续）

DW16-400/110	1600	1005	595	400	42.1	110	172	含M10或MTD乳化剂 1%~2%的乳化液	59
DW14-400/110	1400	900	500	400	42.1	110	172	含M10或MTD乳化剂 1%~2%的乳化液	54
DW12-400/110	1200	792	408	400	42.1	110	172	含M10或MTD乳化剂 1%~2%的乳化液	50
DW10-400/110	1000	685	315	400	42.1	110	172	含M10或MTD乳化剂 1%~2%的乳化液	47
DW08-400/110	800	578	222	400	42.1	110	172	含M10或MTD乳化剂 1%~2%的乳化液	40
DW06-400/110	630	485	145	400	42.1	110	172	含M10或MTD乳化剂 1%~2%的乳化液	38
DW35-150/100	3500	2700	800	150	19.1	100	113	含M10或MTD乳化剂 1%~2%的乳化液	82.8
DW31-200/100	3150	2350	800	200	25.5	100	113	含M10或MTD乳化剂 1%~2%的乳化液	76.4
DW28-250/100	2800	2000	800	250	31.8	100	113	含M10或MTD乳化剂 1%~2%的乳化液	70
DW25-250/100	2500	1700	800	250	31.8	100	113	含M10或MTD乳化剂 1%~2%的乳化液	58
DW22-300/100	2240	1440	800	300	38.2	100	113	含M10或MTD乳化剂 1%~2%的乳化液	55
DW20-300/100	2000	1240	760	300	38.2	100	113	含M10或MTD乳化剂 1%~2%的乳化液	48
DW18-300/100	1800	1110	690	300	38.2	100	113	含M10或MTD乳化剂 1%~2%的乳化液	47
DW16-300/100	1600	1005	595	300	38.2	100	113	含M10或MTD乳化剂 1%~2%的乳化液	43.5
DW14-300/100	1400	900	500	300	38.2	100	113	含M10或MTD乳化剂 1%~2%的乳化液	40
DW12-300/100	1200	792	408	300	38.2	100	113	含M10或MTD乳化剂 1%~2%的乳化液	36.3
DW10-300/100	1000	685	315	300	38.2	100	113	含M10或MTD乳化剂 1%~2%的乳化液	32
DW08-300/100	800	578	222	300	38.2	100	113	含M10或MTD乳化剂 1%~2%的乳化液	26.2
DW06-300/100	630	485	145	300	38.2	100	113	含M10或MTD乳化剂 1%~2%的乳化液	25.1

(二)DWX型悬浮式单体液压支柱

DWX型(悬浮式)单体液压支柱是一种(外注式)单体支护设备,是DZ型(活塞式)单体液压支柱的更新换代产品。本支柱系列共15种规格,分别适用于采高为0.63~4.5米的煤层和一般煤层倾角小于25°的缓倾斜回采工作面。DWX型(悬浮式)单体液压支柱可与DZ型(活塞式)单体液压支柱使用在同一工作面。

DWX型(悬浮式)单体液压支柱克服了目前国内外使用的(活塞式)单体液压支柱存在的焊缝断裂和内泄漏等缺陷和问题。在技术原理、结构、性能、安全、环保等方面均进行了创造性地改进。具有工作行程大、承载能力大、抗偏载能力强、稳定性安全系数大、使用范围广等特点,是理想的回采工作面和端头支护设备。

DWX(100缸径)主要型号有:DW35-180/100X,DW31-180/100X,DW28-250/100X,DW25-250/100X,DW22-300/100X,DW20-300/100X,DW18-300/100X,DW16-300/100X,DW14-300/100X,DW12-300/100X,DW10-300/100X,DW08-300/100X,DW06-300/100X。

DWX型悬浮式单体液压支柱的主要技术特征如表5-4所示。

表5-4　　DWX型悬浮式单体液压支柱的主要技术特征

型号	支撑高度(mm)		工作行程(mm)	工作阻力(kN)	工作液压(MPa)	初撑力(kN)	质量(t)
	最大	最小					
DWX06	630	400	230	300	41.5	44.7 ~ 108.5	21.0
DWX08	800	490	310	300	41.5		24.0
DWX10	1000	595	405	300	41.5		27.5
DWX12	1200	700	500	300	41.5		30.5
DWX14	1400	810	590	300	41.5		34.0
DWX16	1600	920	680	300	41.5		38.0
DWX18	1800	1035	765	300	41.5		41.5
DWX20	2000	1150	850	300	41.5		45.0
DWX22	2240	1280	960	300	41.5		49.5
DWX25	2500	1430	1070	300	41.5		54.0
DWX28	2800	1600	1200	300	41.5		59.0
DWX31	3150	1780	1370	300	41.5		65.0
DWX35	3500	1960	1540	250	34.6		71.0
DWX40	4000	2220	1780	200	27.7		80.0
DWX45	4500	2480	2020	150	20.7		88.0

悬浮式单体液压支柱的主要特点有：

(1)采用柱塞(悬浮式)技术原理，悬浮力达到工作阻力的五分之四，立柱受力仅为五分之一，因而大大提高了支柱的稳定性和安全性。

(2)在活柱上不再设有工艺难以保证的圆弧焊缝，也提高了立柱的强度和可靠性，避免了因焊缝疲劳断裂而造成的冒顶等事故隐患。

(3)在油缸内无活塞，也不存在内泄漏，避免了因内泄漏造成的支柱虚顶、脱顶，避免了支柱因虚顶和脱顶而造成的伤人事故隐患。

(4)工作行程大，扩大了使用范围。特别是顶板下沉较大的工作面，仍能满足大的恒增阻降距。目前，项目最高支护能力已经达到4.5米，远高于现有产品2.5米的水平，大大增加了产煤厚度，提高了同一工作面采煤量，提高了煤炭资源的回采率。

(5)各静密封点，采用了密封胀紧技术原理。在支柱高压支撑情况下，可保持支柱的密封胀紧状态，而且压力越大密封越紧。

(6)滑动密封点采用了密封补偿和密封胀紧技术原理。在密封有磨损的情况下，可有效补偿。在支柱高压支撑情况下，可保持密封胀紧状态，大大提高了滑动密封点的密封和安全性能，减少了密封的更换率。

(7)系列产品包括125、110、100、80这4个缸径系列50多个规格型号产品，每个工作面可根据顶板情况进行选择，特别是对于顶板压力较小的工作面，选择较小缸径系列的支柱，将大大减轻矿工的劳动强度。

(8)支柱内腔形成了一个细长的液体柱，该液体柱产生的纵向力不仅是DWX型支柱的悬浮力，同时也是从顶盖到底座之间的一个液体弹簧，当支柱受到冲击地压的作用时，该液体柱起到很好的缓冲作用，提高了采煤工作面的安全性。

(9)采用特殊的淬火处理工艺，提高柱体强度，在特殊情况下(例如爆炸)具有抗冲击、抗折弯能力，大大提高了安全性。

(10)工作介质使用地下水，避免了矿井工作环境和地下水污染。

第二节　切顶支柱

切顶支柱用于煤层倾角小于15°(加防倒防滑装置可扩大到25°)，顶板中等稳定以上的回采工作面支护。它是保证回柱安全和有效切顶的一种特殊支护装置。在需要用特种支架管理顶板的高档普采工作面配用切顶支柱后，可以代替液压移溜器和其他特种支架(木垛、台棚、密采支柱和石墙等)，实现移溜机械化和简化顶板管理工序，减轻劳动强度和节约材料消耗。同时由于支护强度的加强，使工作面维护状况明显改善，回柱放顶安全可靠，为工作面安全、稳定、高产创造了有利条件。配用切顶支柱后，可以取消木垛、台棚、矸石带等特殊的支护设备，降低坑木消耗，简化支护工艺，提高工作面的支护强度，改善顶板状况，确保安全生产。

目前矿上使用的切顶支柱其型号参数虽然各不相同，但其结构型式和工作特性基本相同。国内生产的切顶支柱大致可分为单柱和双柱两大类，双柱切顶支柱主要是用于中厚煤层。

一、切顶支柱的组成

(1)立柱:是带有螺纹调高段的单伸缩双作用立柱,是支撑顶板的主要部件。

(2)推移千斤顶:为浮动活塞式双作用液压缸,它分别与输送机和底座相连,从而实现机械化移溜和拉柱。

(3)柱帽与底座:其作用是将立柱的支撑力分别传给顶底板。

(4)控制阀:由液控单向阀和安全阀组成。其作用是使立柱保持恒阻特性和过载保护。

(5)操纵阀:是由上下两个片阀组成,其作用是完成立柱升降和千斤顶推拉等动作。

二、切顶支柱的结构特点

(1)支柱上有螺纹加长杆,可无级调高。

(2)支柱的中部设有复位橡胶,它可使支柱在工作中不致因横向力过大而损坏。

(3)支柱的柱帽与活柱为球面接触,可适应顶板的起伏。

(4)底座底面焊有垂直于煤层倾斜方向的防滑筋,可适应倾角小于15°的条件。

三、切顶支柱的工作原理

其工作原理与液压支架相同,即由泵站来的高压液体经操纵阀进入千斤顶的一腔,实现拉柱和推溜两个动作;压力液体经操纵阀和高压胶管及控制阀通支柱的任一腔,实现升柱和降柱。该支柱的一个工作循环为:

(1)支撑顶板:高压液进入立柱下腔,使活柱上升支撑顶板。

(2)推移输送机:高压液进入千斤顶活塞腔,千斤顶活塞杆伸出将输送机推向煤壁。

(3)支柱降落:高压液进入立柱上腔,使活柱下降。

(4)支柱前移:支柱下降后,高压液进入千斤顶活塞杆腔,千斤顶缸体前移带动支柱拉向煤壁。

第三节　滑移顶梁支架

由金属铰接顶梁和单体液压支柱组成的单体支护设备,都是靠人工架设顶梁,单体支柱的支撑和移动也是靠人工操作的,所以,单体支护设备工作面的劳动强度大,安全性差,工作面效率也低。近些年以来,发展了滑移顶梁支架。

滑移顶梁支架是介于单体液压支柱与液压支架之间的一种支架,最初用它来代替单体液压支柱和铰接顶梁,以减轻工人搬移支柱和顶梁的劳动,提高架设效率,减少支柱丢失。后来为了简化操作,避免大量乳化液流失,将滑移支架的操作由注液枪控制改为操纵阀集中控制。

一、滑移顶梁支架的类型及结构特点

各种型式的滑移顶梁支架的结构基本相似，主要由可滑移的顶梁、悬吊在梁下的液压支柱以及移架机构等组成。如图5–3所示。

它主要由前顶梁、后顶梁、前梁立柱、后梁立柱、后掩护支柱、弹簧钢板、水平推移千斤顶和防护板等组成。

(1)单列滑移顶梁支架，其顶梁由前、后两根梁或由前、中、后3根梁组成。前后梁及中后梁之间均由弹簧钢板连接。前后梁的伸缩由装在梁体内的移架千斤顶来实现。根据需要，顶梁下面的液压支柱为1~3根，其控制方式，可用注液枪的卸载手把，也可用组合操纵阀集中控制。

(2)并列滑移顶梁支架，由两列平行顶梁和立柱组成。两个并列的顶梁之间有移架机构，可实现两个顶梁交替前移。根据需要，每组顶梁下面的立柱为2~3根。主要用组合操纵阀控制，也可用注液枪和卸载手把操纵。

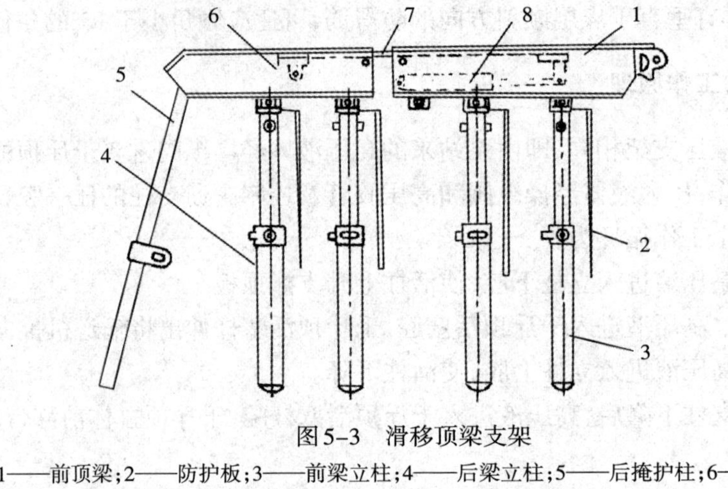

图5–3　滑移顶梁支架

1——前顶梁；2——防护板；3——前梁立柱；4——后梁立柱；5——后掩护柱；6——后顶梁；7——弹簧钢板；8——水平推移千斤顶

二、对滑移顶梁支架的基本要求

(1)有足够的支护强度，能有效地管理工作面或端头控顶区的顶板，保证工作面的安全。

(2)支架的结构应能保证工作面或工作上、下出口有足够的行人、运料和通风空间。

(3)支架性能稳定可靠，能适应所在工作面的顶底板条件。

(4)支架有足够的初撑力，并能做到及时支护，以防止直接顶早期离层。

(5)移设迅速、方便、可靠。

(6)制造工艺简单、材料消耗少、成本低。

(7)维修容易。零部件损坏时，可在工作面更换。

(8)支架有足够的使用寿命，零部件的强度能够经受工作面初次来压和周期来压的考验。

(9)支架能配合采煤机和刮板输送机实现机械化开采。

三、工作过程

由乳化液泵站输出的高压液体经注液枪给每个支架供液，使其升起，支撑顶板。支架前移时，先将前梁卸载，用注液枪向推进油缸的一腔注液，活塞杆伸出，前梁推进一个步距，使前梁两根液压支柱支撑牢靠，再使后梁卸载，后梁移动一个步距，将后梁两根液压支柱支撑牢靠，完成一次迈步自移。可以总结为以下6点：

(1)后柱支撑，提前柱；

(2)后柱支撑，移前梁；

(3)后柱支撑，支撑前柱；

(4)前柱支撑，提后柱；

(5)前柱支撑，移后梁；

(6)前柱支撑，支撑后柱。

第二部分　专业核心知识点

1.单体液压支柱的类型和特点。

2.单体液压支柱的使用范围。

3.内外注式液压支柱的异同。

4.切顶支柱和金属液压支架的工作原理。

5.单体支护设备的使用和维护。

第三部分 专业技能训练

一、单体液压支柱的使用方法

(1)为防止支柱内腔的工作液流失,支柱应直立存放,卸载手把在不工作时应处于关闭位置。

(2)支柱在搬运时,应将支柱缩到最小高度,严禁随意抛扔支柱。

(3)支设前,必须检查支柱上的零部件是否齐全,柱体有无弯曲凹陷,不准使用不合格的支柱。

(4)工作面倾角大于25°,要采取防止倒柱的有效安全措施,按规定的排柱距支设支柱,不准用金属物敲打支柱。

(5)支柱支设要牢固,支柱顶盖与顶梁接触要严平。

(6)活柱最小伸出量不应小于顶板最大下沉量加50mm的回撤量。

(7)不准在工作面爆破。迫不得已时,要采取防护措施,并报矿总工作师批准。

(8)发现死柱时,要先打临时柱,然后用掏底或刨顶的方法回收,严禁采用放炮崩或机械强行回撤的做法。

(9)支柱支护后出现缓慢下缩时,应先行卸载再重新支设,如无效则应升井检修。

(10)长时间没有使用的支柱或新的支柱,在使用前应排出柱腔内的空气。

(11)支柱时,支柱必须对号入座,两人配合作业,将柱子支在实底或柱靴上,并要有一定的迎山角。注液前要用注液枪冲刷注液嘴,然后插入注液枪注液。

(12)支柱时,应将三用阀中的单向阀朝采空区侧或工作面下方,将内注式单柱的卸载手把朝向煤壁侧。

(13)用手抓支柱手把时应掌心向上,防止升柱过程中从顶板掉落小块矸石砸伤手背。

(14)支柱在运输和使用过程中,不许摔砸。

二、单柱的维修

定期维修支柱,是保证支柱的良好性能和安全生产,延长支柱使用寿命的重要措施。

(一)日检

(1)检查、更换损坏的支柱顶盖。

(2)更换漏液的三用阀。

(3)检查支柱油缸有无凹陷。

(4)更换、补齐损坏丢失的零件。

(二)大修

(1)清洗所有零件,更换工作液(内注式)。

(2)更换安全阀垫、单向阀、卸载阀垫、Y形密封圈、防尘圈、导向环、皮碗防挤圈以及所有O型密封圈。

(3)更换所有磨损和损坏的部件。

使用单体液压支柱的工作面回采结束后,如需要将支柱转到其他工作面继续使用时,应按《单体液压支柱维修暂行规程》中的维修质量标准抽查2%的支柱,抽试支柱根数的合格率应在90%以上方可使用。否则应加倍抽试,若合格率达不到90%以上时,应全部升井检查或大修。但支柱大修周期最长不超过:

NDZ型内注式单柱为1.5~2年。

DZ型外注式单柱:

支柱为2年。

三用阀为1年。

注液枪为1年。

(三)零件的修理

矿上的修理车间的主要任务是清洗和更换损坏的零部件,在特殊情况下,亦可承担部分零部件的简单修理。比较复杂的修理,如砸扁油缸的修复,长接管压弯、活柱压弯和活柱油缸电镀层的修复等都应送到机修厂去修理。

三、单体液压支柱的故障和处理

单体液压支柱的常见故障与处理方法见表5-5和表5-6。

表5-5　　外注式单体液压支柱的常见故障及处理方法

故障现象	产生原因	处理方法
注液时,活柱不从油缸中伸出或伸出很慢	1.泵站无压力或压力低 2.截止阀关闭 3.注液阀体进液孔被脏物堵塞 4.密封失效 5.管路滤网堵塞 6.注液枪失灵	1.检查泵站 2.打开截止阀 3.清洗注液嘴 4.更换密封件 5.清洗过滤网 6.检查密封圈
活柱降住速度慢或不降	1.复位弹簧松脱 2.油缸有局部凹坑 3.活柱表面损坏 4.防尘圈、Y形圈损坏 5.导向环、防挤圈膨胀过大	1.重新挂好复位弹簧 2.更换油缸 3.更换活柱 4.更换防尘圈、Y形圈 5.更换导向环或防挤圈
工作阻力低	1.安全阀调压螺钉松动 2.安全阀开启或关闭压力低 3.密封件失效	1.拧紧调压螺钉 2.检查安全阀 3.更换失效的密封件
工作阻力高	1.安全阀开启压力高 2.安全阀垫挤入溢流间隙	1.重新调定 2.更换阀垫
乳化液从手把溢出	1.活塞与活柱间密封圈损坏 2.Y形圈损坏 3.油缸变形或镀层脱落	1.更换损坏的密封圈 2.更换 3.更换或重新镀铬
乳化液从底座溢出	底座与油缸间O形密封圈损坏	更换O形密封圈
乳化液从φ42柱头孔溢出	1.φ42密封圈损坏 2.柱头密封面损坏	1.更换O形圈 2.更换或修理

表5-5 (续)

乳化液从单向阀、卸载阀溢出	单向阀、卸载阀密封面损坏或污染	清洗或更换损坏的零件
油缸弯曲	1.推输送机时顶坏 2.被采煤机撞坏 3.油缸硬度低而被压坏 4.支柱压死时用绞车拉坏油缸	1.更换油缸 2.改进操作方法 3.更换油缸 4.应先挑顶或卧底再用绞车回柱
活柱弯曲	1.活柱硬度不够被压坏 2.突然来压时安全阀来不及打开 3.推输送机时顶弯	1.更换活柱 2.根据顶板压力,加大支柱密度 3.改进操作方法
手把断裂	1.推输送机时顶坏 2.处理压死支柱时用绞车硬拉坏	1.改进操作方法 2.更换手把
顶盖损坏	支设不当	更换顶盖
活柱从油缸中拔出	未装限位装置	装设限位装置
左阀筒卸载孔变形或安全阀套端面变形	不用专门工具回柱,被蹩坏	1.按操作要求使用专用手把 2.更换变形零件
注液枪漏油	1.注液枪管螺纹松动 2.密封圈损坏 3.密封面损坏	1.拧紧注液管 2.更换密封圈 3.更换注液枪

表5-6 内注式单体液压支柱的常见故障及处理方法

故障现象	产生原因	处理方法
支柱打不上,初撑或支设后过一段时间活柱缓慢下降	1.单向阀座、卸载阀垫污染或损坏 2.芯管开焊 3.Y形密封圈损坏 4.阀套、芯管和泵套上的密封圈损坏 5.安全阀垫损坏	1.清洗或更换 2.重新补焊 3.更换Y形密封圈 4.更换O形密封圈 5.更换阀垫
不能升柱	1.卸载阀在卸载位置 2.单向阀、卸载阀污染或损坏 3.通气阀堵塞 4.阀套受卡或卸载阀弹簧变形太大	1.使卸载阀复位 2.清洗或更换 3.拆下清洗 4.更换弹簧
活柱行程不够	1.油量不足 2.注油螺钉松动漏油 3.通气阀污染漏油	1.加油 2.拧紧注油口螺钉 3.清洗通气阀
曲柄、套管、堵头和注油螺钉处漏油	密封圈损坏	更换O形密封圈
手把处漏油	1.Y形密封圈损坏 2.ϕ65密封圈损坏 3.油缸变形	1.更换密封圈 2.更换密封圈 3.更换油缸

表5-6 （续）

升、降柱不灵活	1.通气阀堵塞 2.活柱变形或油缸变形 3.活柱表面严重锈蚀 4.卸载行程小 5.导向环或皮碗防挤圈损坏	1.清洗 2.更换 3.重镀或更换 4.重新调定 5.更换损坏件
顶盖处漏油	通气阀失灵	清洗或更换损坏件
工作阻力低	1.安全阀开启或关闭压力低 2.密封件损坏	1.检查调定 2.更换损坏件
液压油乳化	油中进水	更换
工作阻力高	安全阀失灵	1.检查六角导向套是否蹩住，安全阀垫是否挤出 2.检查安全阀进油口是否堵塞
曲柄滑块机构卡阻	个别零件磨损	检修或更换
长接管弯曲或焊缝开裂	采高太小，压成“死柱”	选用适当的支柱

四、《煤矿安全规程》对单体支护设备的有关规定

第五十三条 采煤工作面必须经常存有一定数量的备用支护材料。使用摩擦式金属支柱或单体液压支柱的工作面，必须备有坑木，其数量、规格、存放地点和管理方法必须在作业规程中规定。采煤工作面严禁使用折损的坑木、损坏的金属顶梁、失效的摩擦式金属支柱和失效的单体液压支柱。

在同一采煤工作面中，不得使用不同类型和不同性能的支柱。在地质条件复杂的采煤工作面中必须使用不同类型的支柱时，必须制定安全措施。

摩擦式金属支柱和单体液压支柱入井前必须逐根进行压力试验。

对摩擦式金属支柱、金属顶梁和单体液压支柱，在采煤工作面回采结束后或使用时间超过8个月后，必须进行检修。检修好的支柱，还必须进行压力试验，合格后方可使用。

第五十四条 采煤工作面必须按作业规程的规定及时支护，严禁空顶作业。所有支架必须架设牢固，并有防倒柱措施。严禁在浮煤或浮矸上架设支架。使用摩擦式金属支柱时，必须使用液压升柱器架设，初撑力不得小于50kN；单体液压支柱的初撑力，柱径为100mm的不得小于90kN，柱径为80mm的不得小于60kN。对于软岩条件下初撑力确实达不到要求的，在制定措施、满足安全的条件下，必须经企业技术负责人审批。严禁在控顶区域内提前摘柱。碰倒或损坏、失效的支柱，必须立即恢复或更换。移动输送机机头、机尾需要拆除附近的支架时，必须先架好临时支架。

采煤工作面遇顶底板松软或破碎、过断层、过老空、过煤柱或冒顶区以及托伪顶开采时，

必须制定安全措施。

复习题

1.说明单体液压支柱的用途、分类及特点。
2.内外注式单体液压支柱有哪些异同?
3.说明内注式单体液压支柱的工作原理。
4.说明单体液压支柱的使用方法。
5.单体液压支柱的维护包括哪些内容?常见故障有哪些?
6.说明切顶支柱的使用和工作原理。
7.简述滑移顶梁支架的动作过程。

讨论题

1.如何加强单体液压支柱的使用和管理。
2.内注式单体液压支柱不能升柱的原因是什么?如何处理?
3.内注式单位液压支柱升降柱不灵活的原因是什么?如何处理?
4.讨论《煤矿安全规程》对单体支护设备的有关规定。

第六章　液压支架

第一部分　系统理论知识

第一节　概述

自移式液压支架是以高压乳化液为动力，通过液压元件与金属构件组成的一种用来支撑管理顶板的支护设备。它不仅可以支护顶板，隔离采空区而且还可以实现自移和推动输送机移动，具有强度高、支护性能好、移动速度快、安全可靠、操纵省力等特点，是实现回采工作面机械化和自动化的主要设备之一。

一、液压支架的组成

液压支架是由承载结构件、执行元件、控制元件和附属装置组成的。如图6–1。

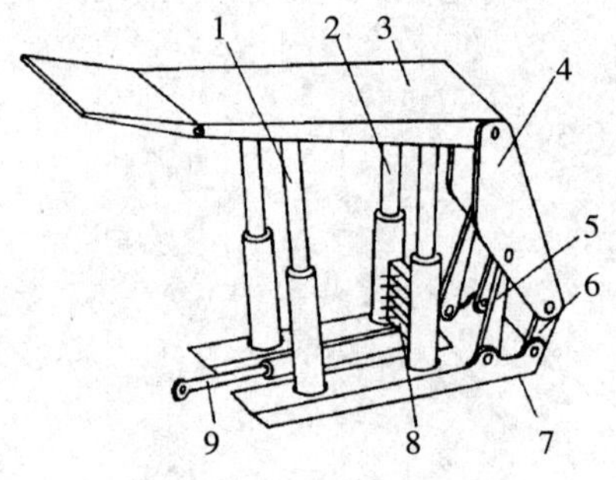

图6–1　液压支架的组成

1——前立柱；2——后立柱；3——顶梁；4——掩护梁；5——前边杆；6——后边杆；7——底座；8——操纵阀；9——推移装置

承载结构件包括支架中直接支撑顶板的顶梁，将顶板压力传递到底板以保持支架稳定的底座，还有阻止矸石涌入工作空间的掩护梁和连杆。

执行元件包括支撑在底座和顶梁或掩护梁之间，调节支架高度并且承载的立柱和用于完成推移、护帮、调架等功能的千斤顶。

控制元件主要包括支架的“三阀”。即安全阀、液控单向阀和操纵阀。

(1)安全阀是支架中限定液体压力的液压元件。当超载时，安全阀开启，达到卸载的目的，使立柱和千斤顶保持恒定的工作阻力，避免损坏，使支架具有可缩性和恒定工作阻力，目前我国支架使用的安全阀型式较多，可择优选用。

(2)液控单向阀闭锁立柱或千斤顶的工作腔液体，使立柱和千斤顶获得额定的工作阻力。

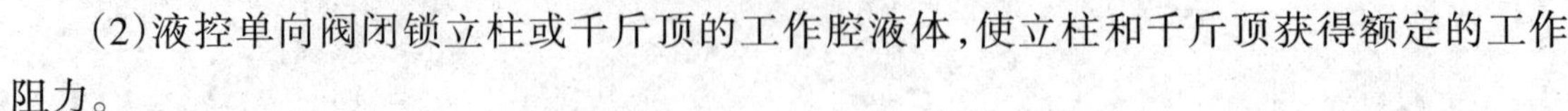

(3)操纵阀。通过操纵阀，实现支架升降、推移等不同动作。目前我国支架多使用组合式片阀。

附属装置包括推移装置、挡杆装置、防滑防倒装置、侧护装置等。

二、液压支架的工作原理

液压支架主要有4个基本动作:升架、降架、推溜、移架。这些动作是利用乳化液泵站供给的高压乳化液,通过不同的液压缸来完成的。

(一)升架、降架

如图6-2所示。当操纵阀打到升架位置(上位)时,由乳化液泵站来的乳化液经过操纵阀和液控单向阀进入立柱的下腔,立柱上腔回液,支架升起。

当操纵阀打到降架位置(下位)时,乳化液进入立柱上腔,同时打开液控单向阀,立柱下腔回液,支架下降。

(二)推溜、移架

支架的推溜和移架是通过操纵阀的推移千斤顶实现的。

推移千斤顶的两端分别与支架的底座和输送机相连接。

移架时,先使支架卸载,将操纵阀打到移架位置,从泵站来的高压乳化液进入推移千斤顶的活塞杆腔,后腔回液。此时,支架以输送机为支点前移。

移到新位置的支架重新支撑顶板后,将操纵阀打到推溜位置,乳化液进入推移千斤顶的活塞腔,前腔回液,此时以支架为支点将输送机推向煤壁。

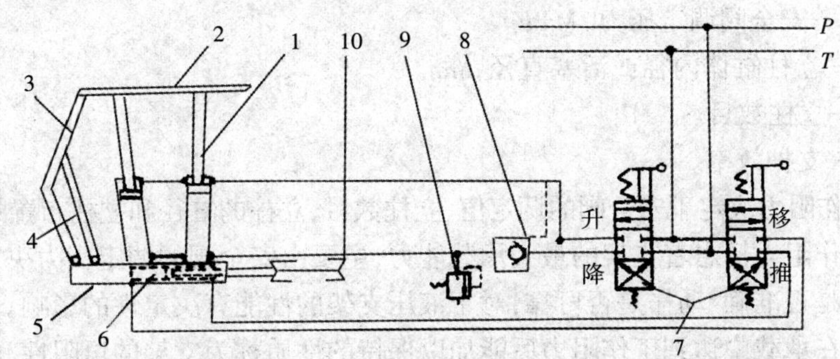

图6-2 液压支架的工作原理

1——立柱;2——顶梁;3——掩护梁;4——连杆;5——底座;6——推移装置;7——操作阀;8——液控单向阀;9——安全阀;10——工作面输送机

三 、液压支架的工作阶段及工作特性曲线

(一)液压支架的工作阶段

1.初撑增阻阶段

支架从顶梁接触顶板,到立柱下腔压力逐渐上升到泵站的工作压力为止的这个阶段成为初撑增阻阶段。支架此时对顶板产生的支撑力称为初撑力。

支架的初撑力为: $Pc=\dfrac{\pi D^2}{4}\cdot P_b\cdot n\cdot \eta\times 10^{-3}$

式中 D——立柱缸体内径或活塞直径,mm。

P_b——泵站工作压力,MPa。

n——立柱数目。

η——支护效率。主要取决于立柱的倾斜程度，当立柱直立时$\eta=1$。

支架的初撑力大小决定于乳化液泵站的工作压力、立柱的缸体内径和立柱数量。较大的初撑力能有效防止直接顶的下沉，增加其稳定性。通常用提高泵站工作压力的办法提高初撑力。

2.承载增阻阶段

支架达到初撑力后，随着顶板的缓慢下沉，封闭在立柱下腔的工作液体的压力升高，支架对顶板的支撑力也随着增大。这就是支架的承载增阻阶段。

3.承载恒阻阶段

当立柱下腔的液体压力随着顶板压力的增大而升高到安全阀的调定压力时，安全阀动作，立柱下腔的少量液体经安全阀溢出，压力随之减小。当压力低于安全阀的调定压力时，安全阀重新关闭，停止溢流，支架回复正常工作状态。随着顶板的继续下沉，安全阀重复着这一过程。受安全阀调定压力的限制，支架的支撑力在一个很小的范围内波动，即呈现恒阻特性，这就是支架的承载恒阻阶段。此时，支架对顶板产生的最大支撑力称为支架的工作阻力。

支架工作阻力 $Pz=\dfrac{\pi D^2}{4}\cdot Pa\cdot n\cdot \eta\times 10^{-3}$

式中 Pa——安全阀调定压力，MPa。

D——立柱缸体内径或活塞直径，mm。

n——立柱数目。

η——支护效率。

支架的工作阻力决定于安全阀的调定值、立柱数目、立柱的缸径和立柱布置的倾斜程度。

支架的工作阻力标志着支架的最大承载能力，主要由安全阀的调定压力决定。因此，安全阀调定压力是否准确、动作是否可靠，对于液压支架的性能有决定性的影响。

液压支架在承载中达到工作阻力后能加以保持的性质称为支架的恒阻性。支架的恒阻性不但对支架自身有安全保护作用，还可以防止因支撑力过大而压碎顶板。

液压支架因安全阀的动作使立柱下腔液体少量溢出而下降的性质称为支架的可缩性。

由于顶板压力作用不均匀，工作面支架不会同时达到工作阻力，相邻支架可以互相分担顶板压力的这种性质称为支架的让压性。支架的让压性使支架均匀受力。

4.降架卸载阶段

支架脱离顶板，不再承受顶板的压力，进行卸载。

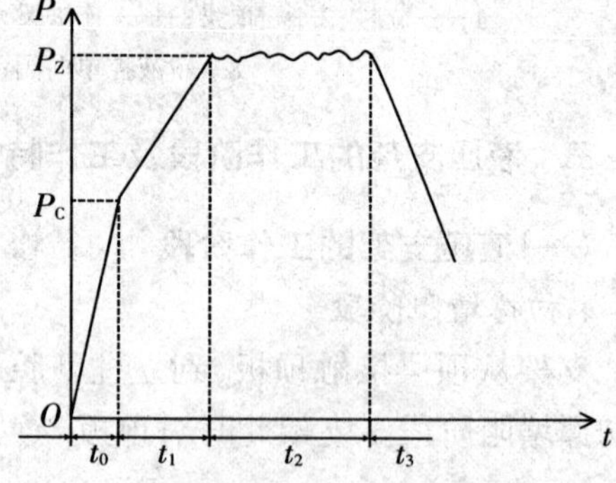

图6-3 液压支架工作特性曲线

t_0——初撑增阻阶段；t_1——承载增阻阶段；

t_2——承载恒阻阶段；t_3——降架卸载阶段

(二)液压支架工作特性曲线

如图6-3所示为液压支架的工作特性曲线。

表示液压支架的支撑力随时间变化的过程。

四、液压支架的种类

目前，国内外使用的液压支架种类很多，分类方法各不相同。按液压支架的移动方式可分为自移式和迈步自移式；按液压支架的使用地点可分为中间支架、端头支架、排头支架；大多数按液压支架与围岩的相互作用关系进行分类，可分为支撑式、掩护式和支撑掩护式

（一）支撑式液压支架

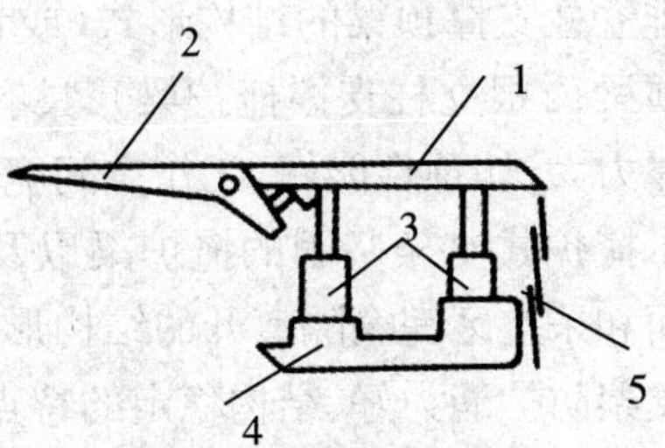

图6-4　支撑式液压支架

1——顶梁；2——前探梁；3——立柱；4——底座；5——挡矸帘

支撑式液压支架是最早出现的一种液压支架，是利用支柱与顶梁直接支撑和控制顶板的。具有工作阻力大、支撑能力大和良好的切顶能力，靠支撑作用来维护一定的回采工作空间。如图6-4所示。

它的结构特点是：呈框架结构，顶梁较长，一般带有前探梁，长度在4米左右；立柱多，一般为4~6根，并且垂直顶梁支撑；支架后部有简单的挡矸装置，一般设有立柱复位装置，以承受指向煤壁方向的不大的水平推力。

支撑式液压支架的支护性能特点是：支撑力大，支撑力的作用点靠近支架的后部，切顶能力强；作业和通风面积较大。但是由于顶梁与底座只是通过立柱连接在一起，承受水平载荷的能力较差，不能够实现带压移架，支架之间不接触、不密封，矸石容易窜入工作空间。

支撑式液压支架适用于直接顶稳定以上、基本顶有明显或强烈周期来压并且水平力小的顶板条件。

（二）掩护式液压支架

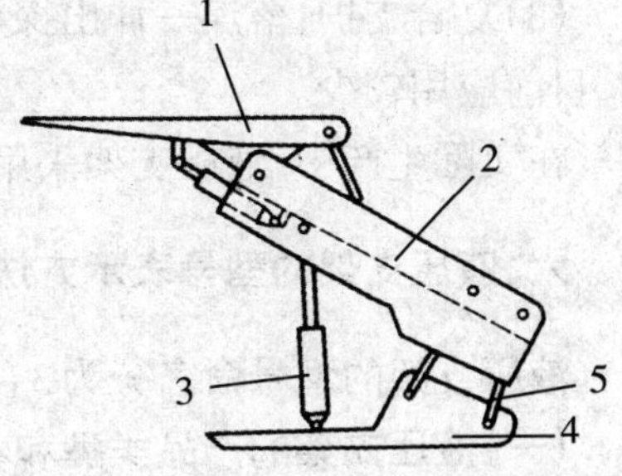

图6-5　掩护式液压支架

1——顶梁；2——掩护梁；3——立柱；4——底座；5——连杆

掩护式液压支架主要由顶梁、掩护梁、底座、立柱、前后连杆、推移装置等组成。如图6-5所示。

掩护式液压支架是以单排立柱（1~2根）为主要支撑部件，利用立柱、顶梁与掩护梁来支护顶板和防止矸石落入工作面。

它的结构特点是：支架的顶梁较短，立柱呈倾斜布置，增大了支架的调高范围；掩护梁下端用前后连杆与底座相连，组成四连杆机构，可以保持梁端距基本不变和承受水平推力；架间通过活动侧护板互相靠拢，实现架间密封；通常顶梁较短，一般为3米左右。

掩护式液压支架支护性能特点是支撑力较小，但是掩护性能和稳定性能较好，对破碎顶板的适应性较强。

掩护式液压支架适用于支护不稳定或者中等稳定的松散破碎顶板。

（三）支撑掩护式液压支架

支撑掩护式液压支架是以支撑为主，掩护为辅，介于支撑式和掩护式两种支架之间的一

种架型,靠支撑和掩护来维护一定的空间。如图6-6所示。

它具有顶梁和掩护梁,采用了支撑式支架双排立柱支撑顶梁的结构形式(或者2根立柱支撑顶梁,2根立柱支撑掩护梁),具有支撑式支架支撑力大、切顶性能好、工作空间宽敞的特点;采用了掩护式支架坚固的掩护梁以及侧护板将工作面和采空区完全隔离开的结构形式,具有掩护式支架防护能力好、结构稳定的特点。

支撑掩护式液压支架主要适用于顶板破碎、稳定或中等稳定、有明显周期压力、底板较松软、瓦斯涌出量较大的煤层。

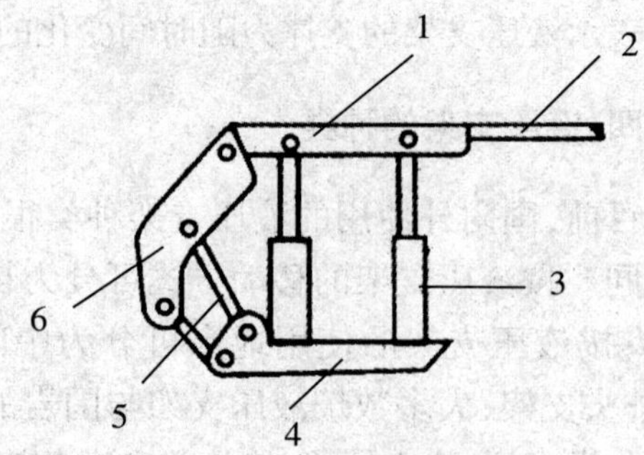

图6-6 支撑掩护式液压支架

1——顶梁;2——前梁;3——立柱;4——底座;5——连杆;6——掩护梁

五、液压支架的支护方式

液压支架的支护方式是指采煤工作面中采煤机、刮板输送机、液压支架三种设备在使用时的配合形式。目前主要有以下3种:

(1)即时支护:液压支架按照降架、移架、升架、推溜的顺序动作称为即时支护。这种支护方式可以及时支护工作面新裸露的顶板,可广泛用于各种顶板条件。

(2)滞后支护:液压支架按照推溜、降架、移架、升架的顺序动作成为滞后支护。滞后支护可用于稳定、完整的顶板条件。

(3)复合支护:落煤—伸出探梁—推溜—移架,适用于各种顶板条件,但支架操作次数增加,目前应用较少。

在实际生产中,液压支架采用哪种支护方式,应根据回采工艺的具体工序来确定。

六、液压支架的型号表示方法

液压支架的型号命名分为3部分:

(一)液压支架的产品类型和特征代号

液压支架的产品类型代号统一用汉语拼音字母"Z"来表示。第一特征代号表示产品的支护功能、主要用途,也是用汉语拼音字母来表示,"J"表示节式支撑式支架;"D"表示垛式支撑式支架;"Y"表示掩护式支架;" Z "表示支撑掩护式支架;"F"表示放顶煤支架。第二特征代号表示产品的结构特征、使用场所。"H"表示滑移顶梁式;"P"表示铺网式。

(二)液压支架的主要参数代号

液压支架的主要参数主要是液压支架的工作阻力、液压支架的最小高度、液压支架的最大高度,都用阿拉伯数字表示。参数之间用"/"隔开。工作阻力的单位是kN,高度参数的单位是dm。

(三)液压支架的补充特征代号

液压支架的补充特征代号用汉语拼音字母表示。"L"表示机械联网,"C"表示插腿式或插板式。

举例:ZF4400/16/28

Z:支架　F:放顶煤　工作阻力:4400kN

支架最小高度:16dm

支架最大高度:28dm

七、液压支架的液压控制系统

液压支架的液压控制系统属于泵——缸开式系统。

乳化液泵站通过工作面全场铺设的主供液管和主回液管向各支架供给高压乳化液接受回液。每架支架的控制回路都相同,通过截止阀与主回路连接。

液压系统液压元件多,供液路程长,压力损失大,工作环境恶劣。所以要求液压元件有足够的强度、精度,良好的防锈、防腐蚀能力。

液压支架的控制方式有手动控制方式和自动控制方式,手动控制方式有本架控制、单向邻架控制、双向邻架控制等;自动控制方式有分组程序控制、先导式程序控制、遥控等。手动控制方式支架推进速度慢,不能保证支架的额定初撑力;自动控制方式推进速度快,提高了支护效果,易于实现带压移架,能降低工人劳动强度并且可以与采煤机和刮板输送机的自动控制系统配合联动,实现完全自动的综采工作面。

八、液压支架的发展趋势

(1)液压支架的结构形式在向着简单实用的方向发展。一般优先选用对工作面顶底板适用性较强,防止煤矸石进入工作面的密封性能较好的掩护式支架,以利于简化电液控制系统,增强电液控制系统的可靠性。

(2)液压支架的支护范围在逐步增大,支护强度和工作阻力也在不断增大。支护强度可达到1100kN/m³,工作阻力10000kN,有利于液压支架适应地质条件的变化,减少机械事故的发生和延长支架的使用寿命。

(3)液压支架两支架的中心距逐步增大。宽度增加,可以解决液压支架支撑高度增大工作阻力加大后的稳定性问题,预防支架倾倒。

(4)液压支架的结构设计更加合理。采用先进的设计技术,使支架的结构设计更加趋于合理,使用寿命进一步提高。

(5)液压支架的供液向着高压、大流量的方向发展。泵站的供液压力可达到50MPa,总流量可达到700L/min。运输巷道采用大管径多路供回液管路;工作面内采用双线环形供回液系统;采用大通道、高压、大流量液压元件。

(6)液压支架的控制系统,正朝着扩大电液控制系统的应用功能和提高电液控制系统的可靠性和使用寿命的方向发展。

通过电液阀将过去人工控制操作变为由计算机程序控制的电子信号操作。液压支架不同位置的传感器将工作环境和不同状态的信号传输给计算机,计算机将根据不同的工作状态和工艺的要求,对电液阀发出控制信号,达到对工作面设备进行控制的目的。目前综采液压支架电液控制系统已经达到在工作面实行自动控制、在工作面顺槽进行控制及在地面实现对工作面设备的控制等3种控制功能。

在工作面实行自动控制，通过在支架上安装的PM31控制器、压力传感器、行程传感器、电液控制阀，实现液压支架的自动移架、自动推溜、自动放煤、自动喷雾等成组或单架控制，也可以实现对支架的单个功能进行控制。

电液控制系统的采用，取消了人工控制过程中的辅助时间，反应速度快，可以通过计算机来合理地安排采煤工序，最大限度地发挥机械设备的能力。可以对支架进行编组运行，同时对多个支架进行操作。因此，可大幅度提高采煤机械的利用率和生产效率。在薄煤层刨煤机工作面，电液控制系统可实现跟机定量推溜和自动移架。在工作面顺槽的远程控制，使井下无人工作面成为现实，成功地解决了薄煤层自动化开采问题，井下工人的劳动条件得到根本的改善。

电液控制系统集监测与控制于一体，合理地解决了在工作面支护中，液压支架初撑力达不到额定阻力和带压移架问题，为改善工作面顶板的维护提供了有利条件，可减少顶板事故的发生。同时，由于操作人员可邻架控制、远离工作面控制，故可避免遭受冲击地压、粉尘等矿井灾害的袭扰，保证人员的安全。此外，电液控制系统的使用为实现井下无人工作面提供了可能性，使我国煤矿生产的自动化提高到一个新的水平。

第二节　液压支架的结构

液压支架一般由承载结构件、执行元件、控制元件及附属装置4部分组成。

一、承载结构件

承载结构件架体主要包括：顶梁、底座、掩护梁和前后连杆等金属构件。

（一）顶梁

顶梁是液压支架的主要承载部件之一，支架通过顶梁实现支撑和管理顶板。

顶梁一般可分为两大类：整体式顶梁和分段组合式顶梁。如图6-7所示。

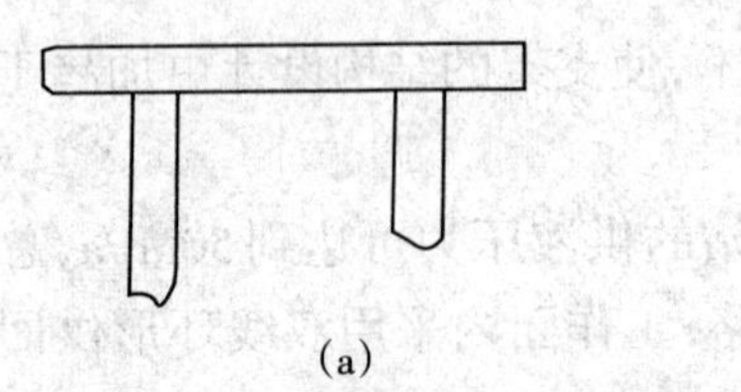
(a)

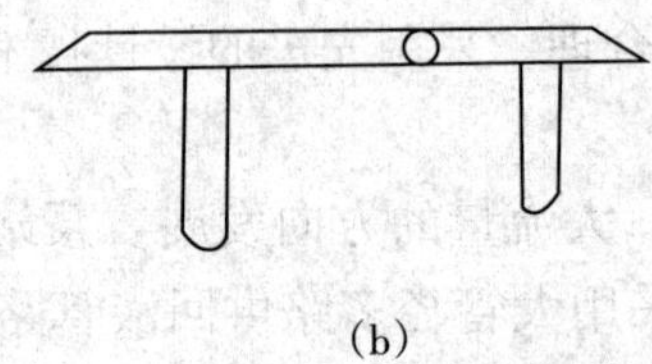
(b)

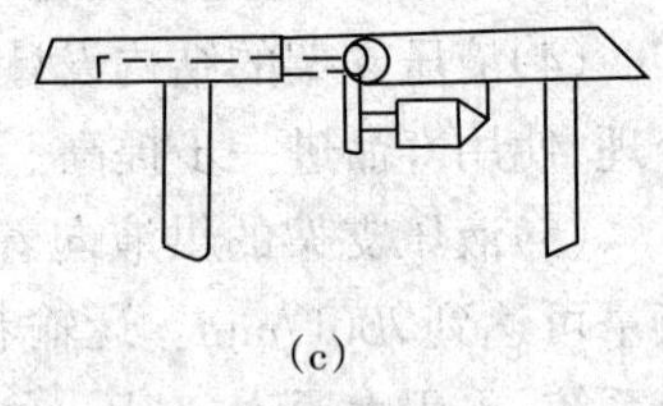
(c)

图6-7　顶梁的结构形式

图(a)为整体式顶梁。这种顶梁的结构简单、重量较轻，但是对于顶板的不平性的适应能力差，接顶不够理想。多用于顶板比较平整稳定、片帮现象很少的采煤工作面。

分段式顶梁有铰接分体式和伸缩式铰接顶梁。

图(b) 为铰接式顶梁，由前梁和后梁两部分组成。前梁、后梁分别由前后排立柱支撑。前梁在前梁千斤顶作用下可以绕销轴上下各摆动20度。这种顶梁接顶性能好，能适应顶板起伏不平的变化，加大了靠近煤壁顶板的支撑能力。

图(c)是伸缩铰接顶梁。即在分体顶梁的前梁上套了一个可伸缩的前伸梁，这种由刚性主梁与前伸梁结合的顶梁控顶距小，支架的支撑能力大，可以利用前伸梁临时支护刚裸露的顶板，使端部的顶板得到及时支护，有利于端部顶板的管理。

(二)掩护梁

掩护梁是为掩护式支架和支撑掩护式支架安设的。其主要功能是隔离采空区、阻止其冒落矸石进入工作面；同时还承受采空区冒落矸石的载荷和老顶来压时的冲击载荷。当顶板不平整或支架倾斜时，掩护梁还将受扭转载荷。

从侧面形状看，掩护梁的结构形式有直线型和折线型。如图6-8所示。

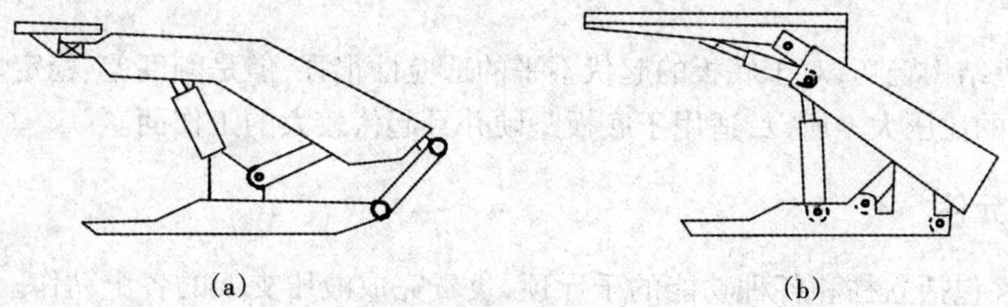

(a) (b)

图6-8 掩护梁

1.直线型掩护梁

这种掩护梁的立柱大多支撑在顶梁上，掩护梁的梁体较短，在顶梁与掩护梁之间设限位千斤顶或平衡千斤顶。它的整体性好，强度大，结构简单，易于加工和运输，目前这种形式应用最为广泛。

2.折线型掩护梁

这种掩护梁的梁体较长，立柱支撑在掩护梁上，梁的前端铰接较短的顶梁。这种掩护梁的承载能力大，架下安全空间大，但当支架歪斜时架间密封性差，加工工艺差，目前应用较少。

(三)连杆

连杆是掩护式和支撑掩护式支架上的部件。它与掩护梁、底座组成四连杆机构，既可承受支架的水平力，又可使顶梁与掩护梁的铰接点在支架调高范围内做近似直线运动，使支架的梁端距基本保持不变，从而提高了支架控制顶板的可靠性。

前后连杆一般采用分体式箱形结构。后连杆用钢板将两个箱形的结构连接在一起，增加了支架的挡杆性能。

(四)底座

底座是液压支架的又一主要承载部件，支架通过底座将顶板的压力传至底板。支架还通过底座与推移机构相连，以实现自身的前移和推移运输机。

图6-9 底座

底座除了满足一定的强度和刚度要求外，还要对底板的起伏不平有一定的适应性；要有足够的空间为立柱、推移装置和其他附属装置提供必要的安装条件；便于人员行走操作；能够起一定的挡杆能力等。目前，底座的结构形式有整体式、对分式和底靴式。

1.刚性整体式

这种底座用钢板焊接成箱型结构，底部封闭。具有强度高、稳定性好、对底板的比压小的优点，但是排矸能力差，适用于底板比较松软、采高与倾角较大、顶板稳定的条件下使用。

2.刚性对分式

对分式底座有前后对分和左右对分两种结构形式。对分式底座的接底性能好，有较大的变形能力，适用于各类支架。其缺点是稳定性相对较差。

3.底靴式

这种底座分为4个底靴，每个底靴上支承一根立柱，用销轴连接。立柱之间用弹簧钢板连接。

这种底座结构轻巧，对于底板的起伏不平的适应性很强，但是刚度差、稳定性差、接底面积小、对底板的比压大。所以，适用于底板坚硬并且起伏较大的工作面。

二、执行元件

执行元件包括立柱和各种功能的千斤顶，负责完成液压支架的各个动作。执行元件是液压支架的关键部件。

(一)立柱

立柱是液压支架的承载和实现升降动作的主要执行元件。液压支架上常用的立柱有下列3种：

1.单伸缩双作用立柱

单伸缩双作用立柱靠液压力实现升柱和降柱。主要由缸体、活柱、导向套、密封件和连接件组成。

这类立柱只有1级行程，伸缩比为1.6左右。结构简单，调整方便但是调高范围较小。

2.单伸缩带机械加长杆立柱

这类立柱的行程比较大，调高范围也比较大，可以在较大范围内适应煤层厚度的变化。应用广泛。见图6-10。带有柱头的机械加长杆插入空心活柱内，加长杆上有若干环形槽和横孔，可以按照具体要求把卡环嵌入相应的环应槽中以得到不同的调节高度。

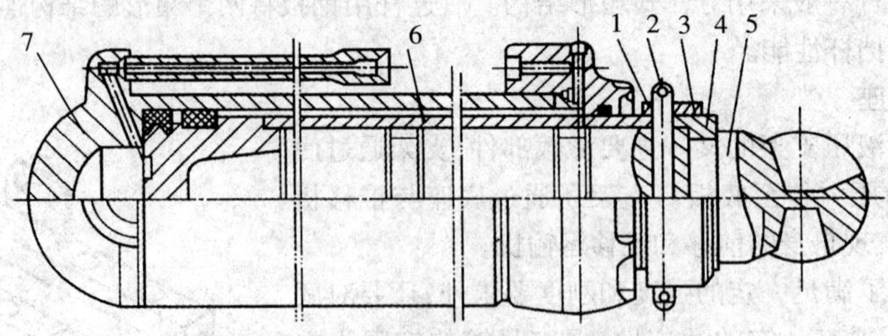

图6-10　带机械加长杆的立柱

1——销轴；2——开口销；3——卡套；4——卡环；5——加长杆；6——活柱；7——缸体

3.双伸缩立柱

双伸缩立柱由一级缸（也称大缸、外缸）、二级缸（也称中缸、小缸）、活柱、导向套、连接件、密封件等组成。见图6–11。

二级缸可以在一级缸内上下运动，是主要的传力元件。活柱装入二级缸内，在二级缸内上下运动。这种立柱的两级行程都由液压力操纵，行程大，可在较大范围内适应煤层厚度的变化，而且可以在井下随时调节，伸缩比可以达到3。但是成本比较高，结构较复杂。

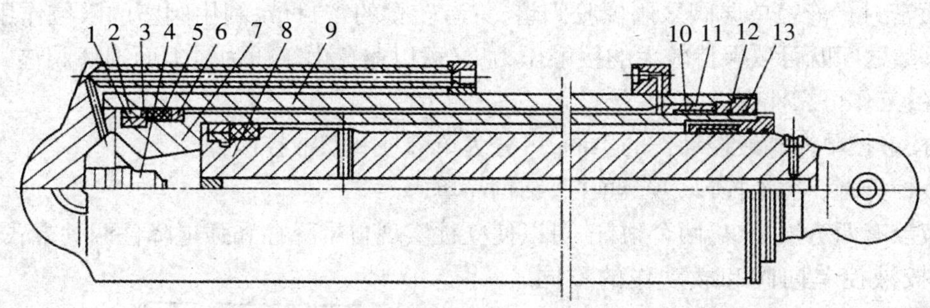

图6–11　双伸缩立柱

1——外卡键；2——卡箍；3——内卡链；4——单向阀；5——密封圈；6——导向环；7——一级缸；8——二级缸；9——缸体；10——导向套；11——导向衬环；12——密封圈；13——防尘圈

（二）千斤顶

千斤顶是完成支架其他动作的主要承载元件。大多数属于单伸缩双作用活塞式的液压缸。液压支架中千斤顶的种类很多，按其用途可分为推移千斤顶、前梁千斤顶、护帮千斤顶、侧推千斤顶、平衡千斤顶、调架千斤顶、防滑千斤顶等；按其进液方式可分为内进液式和外进液式。

千斤顶和立柱在结构上的主要区别是：

（1）活塞杆的直径有差异。立柱受力大，一般承载力为800~2800kN，所以要求尽可能增大活柱的直径，而保证其足够的强度；而千斤顶受力较小，一般为100~1000kN。

（2）调节范围有差异。立柱使用过程中要适应煤层的变化，调节范围较大，可达到4m，千斤顶的调节范围较小，为单伸缩立柱，最大长度为2m左右。

（3）活塞的连接有差异。立柱的活塞一般为整体式结构，而千斤顶大多数为组合式结构，即活塞与活塞杆组装在一起。

（4）外部的联结有差异。立柱的缸底和柱头分别安装在底座和支撑在顶梁的柱窝内，采用球面形状；千斤顶两端的联结方式很多，有单联结耳、双联结耳、耳轴等。

三、控制元件

控制元件包括操纵阀、控制阀（由液控单向阀和安全阀组成）和辅助阀。

控制元件担负着液压支架各个动作的操作和控制任务，是液压支架的关键部件。

(一)液控单向阀

液控单向阀是液压支架控制元件的主要组成部分,用来闭锁立柱或者千斤顶工作腔的液体,使之保持一定的压力。当立柱或者千斤顶的另一腔进液时,同时给该阀的控制腔供液,将阀打开,保证立柱或者千斤顶工作腔中的液体回液。

液压支架上使用的液控单向阀的结构形式是基本相似的。

(1)按液控单向阀的密封形式不同,可分为平面密封、锥面密封和球面密封三种。

球面密封和锥面密封的液控单向阀结构简单,制造方便,但是磨损快,对污物比较敏感。平面密封式液控单向阀采用橡胶阀垫,具有较宽的密封带;利用阀座的限位作用,使得阀芯与阀垫之间既可以保持较大的接触压力,又可以避免由于压力过大而损坏阀垫,它的密封性能好,工作可靠性高。

(2)按液控单向阀液控动作的不同,可分为单液控和双液控两种。

单液控只有一个液控口、一个顶杆,结构简单。

双液控有两个液控口、两个顶杆,可以使立柱实现自重降柱和强迫降柱两种方式。

(3)按液控单向阀卸载动作的不同,可分为单级卸载和双级卸载两种。

单级卸载是靠顶杆推开阀芯来实现一次卸载的。打开单向阀所需的推力大,阀的结构尺寸较大。但是成本低,所以目前大多数液控单向阀都是这种结构。见图6-12。

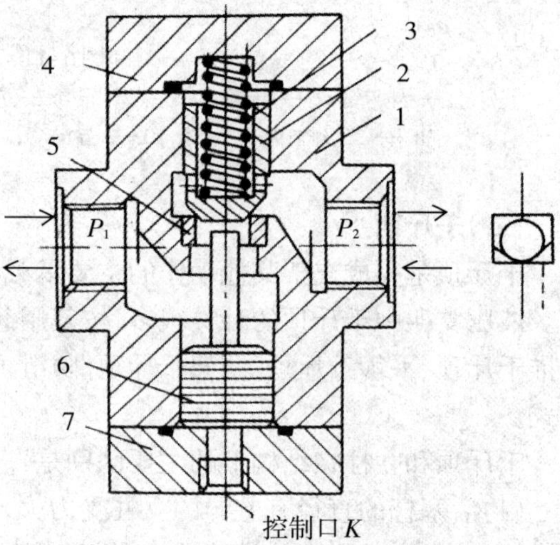

双级卸载是在单向阀芯上装一个过流面积很小的卸载阀芯。卸载时,先打开小阀芯,溢出部分液体,实现一级卸载;然后再打开大阀芯,溢出大量液体,实现二级卸载。两级卸载不但可以减轻液压冲击,还可以减小顶杆打开单向阀的阻力,从而使顶杆小型化。可以适用于高压系统。

图6-12　液控单向阀

1——阀体;2——阀芯;3——弹簧;
4——上盖;5——阀座;
6——控制活塞;7——下盖

(二)安全阀

安全阀是使立柱保持恒阻工作特性的重要元件。

安全阀的用途是防止立柱或者千斤顶过载,通过安全阀的动作实现液压支架的可缩性和恒阻性,使液压支架安全工作。

安全阀和液控单向阀一样,长期处于高压工作状态,要求密封可靠、动作灵敏、工作稳定,能够在过载时迅速起到卸载溢流的作用。

安全阀的工作原理是通过阀口前的液压力和弹性元件作用在阀芯上的力相互作用,从而实现安全阀的开启溢流和关闭定压作用。

安全阀的弹性元件有弹簧或压缩气体;安全阀的结构形式有阀座式和滑阀式。

液压支架上使用的安全阀都为直动式安全阀，结构简单、动作灵敏，过载时能迅速起到卸载溢流的作用。如图6-13为液压支架上采用的YF_2S型安全阀。高压工作液体从阀左端进液孔经滤网过滤后作用到阀垫上，当支架立柱腔内的压力超过阀的调定压力时，推动橡胶垫、阀垫座、导杆压缩弹簧，阀垫离开阀座，液流从缝隙溢流实现安全保护。

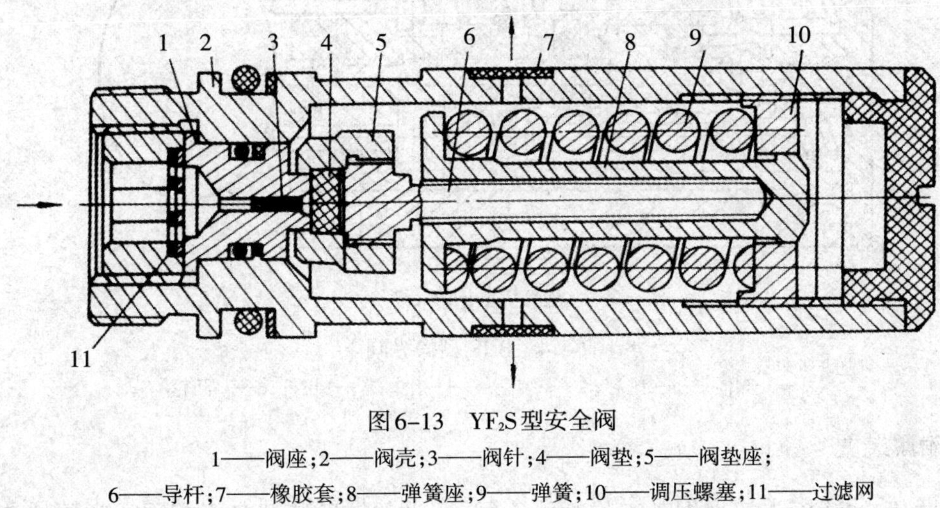

图6-13　YF_2S型安全阀

1——阀座；2——阀壳；3——阀针；4——阀垫；5——阀垫座；
6——导杆；7——橡胶套；8——弹簧座；9——弹簧；10——调压螺塞；11——过滤网

（三）操纵阀

操纵阀是在液压支架的液压控制系统中使立柱和千斤顶换向，实现液压支架预定各个动作的换向阀。对液压支架操纵阀的基本要求是：密封可靠、动作轻便、操纵方便。液压支架目前用的较多的操纵阀有BCF_1型操纵阀、ZC型片式操纵阀。

1.BCF_1型操纵阀

它由多个阀片组合而成，各阀片结构都相同。每个阀片又由两个锥阀型单向阀式换向阀组成。图中P、T为换向阀的总进、回液口，A、B为两个工作液口。当锥阀关闭时，总进液口P与工作液口A、B断开，而两工作液口与总回液口T相通。操纵手把，由凸轮压上方顶杆5左移，顶杆左端将阀芯的中心孔堵死，同时推动阀芯左移，打开锥阀，P连通A，B连通T。高压液经接头进入立柱或千斤顶的一腔，另一腔向回液管排液。松开手把，阀芯在弹簧力的作用下恢复关闭位置。当某一支架出现故障时，打开断路阀，就可以断开该支架与总供液管和总回液管的通路而不影响其他液压支架的正常工作。

这种操纵阀的阀芯在高压腔内环形受压面积较小，操纵力小，适用于高压系统。见图6-14。

2.ZC型片式操纵阀

这种操纵阀由一个首片阀、一个尾片阀和多个中片阀用螺栓固定在一起组合而成。

每片阀中装有两组往复式球阀，通过一根杠杆操作。每组球阀是一个二位三通阀，每片阀相当于一个三位四通阀，可以完成一个液压缸的伸缩动作。

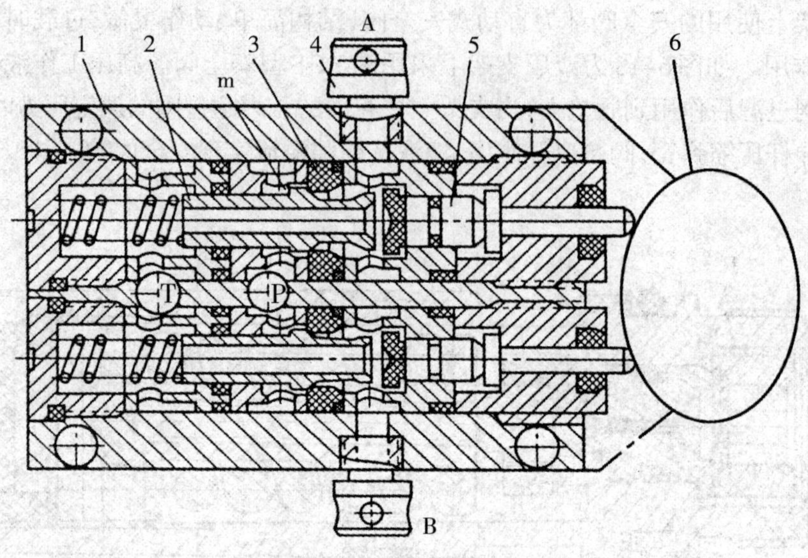

图6–14　BCF_1型操纵阀

1——阀体;2——阀芯;3——阀座;4——接头;5——拉杆;6——凸轮

四、附属装置

不同类型的液压支架根据其工作性能不同,所设的辅助装置各不相同。常用的有推移装置、侧护装置、防滑防倒装置等。

(一)侧护装置

掩护式液压支架和支撑掩护式液压支架都有比较完善的侧护装置,在顶梁和掩护梁两侧都安装有侧护板。支架工作时,一侧的侧护板是固定的,另一侧的侧护板是活动的。侧护板的作用是消除相邻液压支架间的间隙,防止冒落的矸石进入支护空间;作为液压支架的导向装置,防止支架降落后倾倒;调整支架间的距离。

侧护装置由侧护板、侧推千斤顶、伸出弹簧等组成。侧护装置的伸缩动作是由侧推千斤顶和伸出弹簧在支架卸载后进行的。

(二)推移装置

液压支架的推移装置用来实现移架和推溜,是通过推移千斤顶来实现的。

推移装置按照推移方式的不同

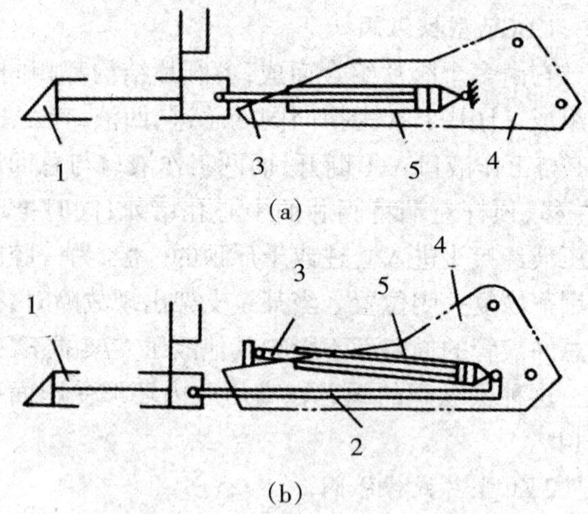

图6–15　推移装置

(a)直接推移装置　(b)间接推移装置

1——输送机槽;2——框架;3——千斤顶活塞杆;4——支架底座;5——千斤顶缸体

有直接推移装置和间接推移装置。见图6–15。

1.直接推移装置

直接推移装置的推移千斤顶的缸体与支架的底座连接，活塞杆与刮板输送机的中部槽连接。也可以采用倒装，即千斤顶的活塞杆与支架的底座连接，缸体通过连接头与刮板输送机的中部槽连接。前者千斤顶缸体相对支架不动，供液接头设在缸体上。千斤顶的结构简单，加工容易，成本较低。但是活塞杆伸出支架底座外，容易造成损伤。倒装方式千斤顶的活塞杆相对支架不动，活塞杆在支架底座内，不容易造成损伤，但是千斤顶较复杂。

直接推移装置中，推力明显大于拉力。这是不合理的。所以掩护式和支撑掩护式液压支架一般都采用间接推移装置，以便利用推移千斤顶的推力移架、拉力推溜。

2.间接推移装置

这种推移装置用框架来改变千斤顶的推拉力的作用方向，用千斤顶的推力来移动支架，用拉力来推输送机。一般用高强度的圆钢制成框架，作为支架底座的导向装置，框架一端和千斤顶的缸底相连，另一端与输送机相连。

移架时，先将液压支架卸载，此时，输送机不动，导向块成为支点。推移千斤顶的活塞腔供液，活塞杆伸出，依靠千斤顶的推力把支架推到新的位置；推溜时，支架撑紧顶板作为固定支点，给推移千斤顶的活塞杆腔供液，缸体前移，由导向块带动长框架向前移动，将输送机推向煤壁。这种推移装置结构较为复杂，框架较长，容易发生弯曲变形。

为了解决推拉力不合理的问题，还可采用差动供液方式或采用浮动活塞。差动供液方式是在推移千斤顶的液路中装一个差动供液阀。推溜时，压力液体经过差动供液阀后同时进入千斤顶的两腔，呈差动原理推溜，既减小了推溜力，又提高了推溜速度；采用浮动活塞的结构是将推移千斤顶的活塞套装在活塞杆上。此时的千斤顶相当于是柱塞式液压缸，其推溜力减小，拉架力不变。

（三）防滑防倒装置

液压支架在倾斜工作面工作时，由于支架自重产生的分力，会使支架沿倾斜方向下滑或倾倒。所以，必须采取相应的防滑防倒装置。

掩护式和支撑掩护式液压支架由于装有侧护板装置，这给液压支架的防倒防滑创造了有利的条件。只需控制好下排头支架，整个工作面支架的防倒防滑就基本得到了控制。如果倾角比较大，就需要将工作面支架分成若干组，分别控制好每组的下排头支架。防倒千斤顶的两端分别用圆环链连接在下排头支架的顶梁和上方第三架支架的底座上，利用千斤顶的拉力实现下排头支架的防倒。防滑千斤顶的两端通过圆环链分别连接在下排头支架和第三架支架的底座前部，用拉力防止下排头支架的下滑。为了防止下排头支架的尾部下滑，还可以增设防转千斤顶。

第三节　典型液压支架

一、掩护式液压支架

(一)ZY2000/14/31型支架

ZY2000/14/31型支架是我国自行设计的一种较经济的掩护式支架。该支架质量轻、技术先进、性能良好、价格便宜,结构简单合理,得到了广泛的应用。

1.适用范围

ZY2000/14/31型支架适用于1.7~3m,倾角小于25°,顶板中等稳定和底板较平整的中厚煤层;亦可用于支护松散破碎的不稳定顶板。

2.主要技术特征(见表6-1)

表6-1　ZY2000/14/31型掩护式支架的技术特征

支架高度 / mm	1400~3100
工作阻力 / kN	1744~1950
初撑力 / kN	1117~1286
推溜力 /kN	121
移架力/ kN	264
泵站工作压力 / MPa	31.4
支护强度 / MPa	0.42~0.48
支架中心距 / mm	1500
支架质量 /kg	5760

3.结构特点

(1)顶梁前端设有护帮装置,改善了煤壁片帮状况,提高了安全性。

(2)为简化结构、减小质量,顶梁采用整体结构,直接与顶板接触。

(3)装有坚实的掩护梁,使工作面和采空区隔开。

(4)在顶梁和掩护梁的一侧装有可活动侧护板,能起挡矸和防倒作用,也可做微量的调整。

(5)掩护梁四连杆机构能使顶梁在升降过程中做近似直线移动,改善了立柱的受力状态,提高了支架的稳定性。

(6)立柱设机械调高装置,扩大了支架调高范围。

(7)推移千斤顶采用浮动活塞式结构,简化了推拉杆机构,增加了移架力。

(8)操纵阀是组合片阀,能够满足复合动作的要求。

4.支架的主要结构(见图6-16)

(1)架体:

①顶梁：

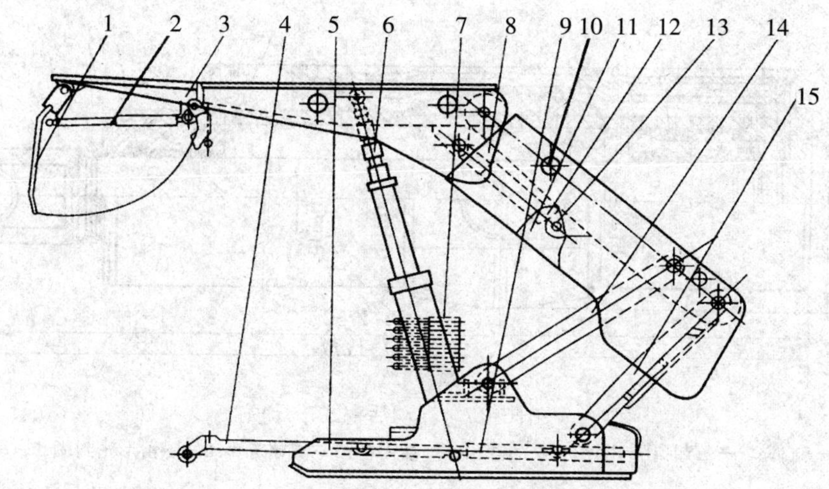

图6-16　ZY2000/14/31型掩护式支架

1——护帮装置；2——护帮千斤顶；3——顶梁；4——短杠架；5——底座；6——立柱；7——操纵阀；8——顶梁侧护板；9——侧推千斤顶；10——推移千斤顶；11——掩护梁侧护板；12——平衡千斤顶；13——掩护梁；14——前连杆；15——后连杆

顶梁为整体箱形结构，为了改善顶梁的接顶性能，顶梁前端上翘30mm。因考虑到支架可在金属网下采煤，故顶梁前部用∮50mm钢管煨弯焊成，使之外形圆滑。同时，顶梁上还设有用于连接立柱的柱帽和连接平衡千斤顶的耳座，以及安装侧推装置的套筒。

②底座：

为刚性整体式底座，底板上焊有连接立柱的柱窝，底板后端留有排矸口，立筋板上有安装前、后连杆的铰接孔，并焊有连接推移千斤顶的托板，以及用于推移装置导向的限位条和限位板。

③掩护梁：

采用整体箱形变断面焊接结构。同时，掩护梁上亦有安装侧推装置的套筒。

④前后连杆：

为箱形结构，在后连杆外部两侧焊有防矸翼板，以防止矸石窜入支架内。

(2)工作机构：

①立柱：

该支架采用带有机械加长杆外导向套式单伸缩立柱，采用外供液方式。缸口连接为钢丝连接。活塞组件的连接固定方式为卡键连接固定。缸径为Φ150mm，液压行程为871mm。机械加长杆分为6段，每段长125mm，调节范围为750mm，立柱的总行程为1620mm，工作阻力为1000kN，降柱力为85kN。

立柱两端为凸起球面，分别与顶梁柱帽和底座柱窝连接。

②推移千斤顶见图6-17：

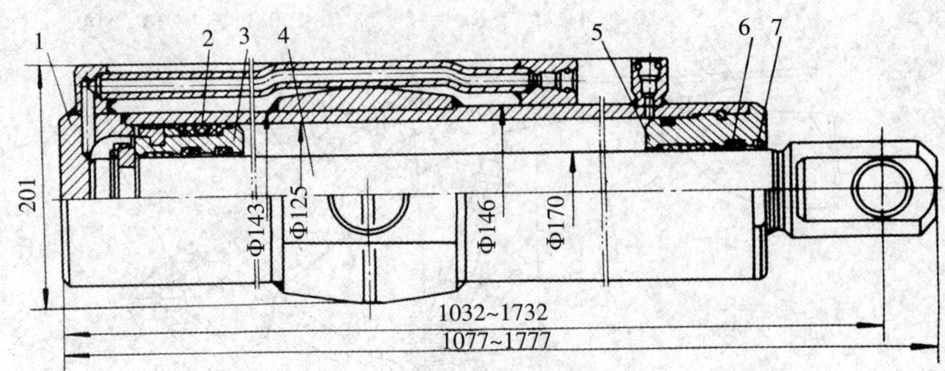

图6-17　浮动活塞式千斤顶

1——缸体；2——鼓形密封圈；3——活塞；4——活塞杆；5——导向套；6——蕾形密封圈；7——防尘圈

根据该支架要求其移架力要大于推溜力，故采用了浮动活塞式结构。在活塞杆4上套有活塞3，它可以在活塞杆上滑动。当推溜时，活塞腔进液，活塞杆腔回液，浮动活塞首先在液体压力作用下前移至缸口导向套5处停住，当液压力继续作用时，活塞杆外伸并产生推力，其推力等于液体作用于活塞杆面积上的力，为121kN。移架时，活塞杆腔进液，活塞腔回液，在液体压力作用下活塞与活塞杆同步回缩或缸体相对前移并产生拉力，其拉力等于液体作用于活塞环腔面积上的力，为264kN。

③护帮千斤顶：

该千斤顶采用外供液方式，带有内导向套，其缸口结构为卡环式，活塞头结构为卡键式。缸径为Φ63mm，柱径为Φ45mm，推力为98kN，拉力为48kN。

④平衡千斤顶：

它的两端分别与顶梁和掩护梁上的耳座铰接。其结构型式与护帮千斤顶相同。其缸径为Φ140mm，柱径为Φ85mm，推力为185kN，拉力为306kN。

⑤侧推千斤顶：

该千斤顶采用内进液方式。在顶梁和掩护梁上各有两个侧推千斤顶，它带有内导向套，组合式活塞，其缸口结构为方钢丝式，活塞头结构为卡键式。缸径为Φ63mm，杆径为Φ45mm，最大行程为170mm，推力为98kN，拉力为58kN。

(3)液控元件：

ZY2000/14/31型掩护式支架使用了1个ZC6操纵阀，2个KDF2球型液控单向阀，6个YF4型安全阀和2个SDS1型液控双向锁。

①操纵阀：

为6片组合式操纵阀，每个片阀由两个结构相同的两位三通阀构成，而片阀中的一个两位三通阀可控制液压缸的一个动作。因此，操纵比较灵活，可以实现复合动作。

②安全阀：

为YF4型安全阀，采用特制O形密封圈径向密封的柱塞滑阀式结构。其工作原理是，当阀芯的径向孔位于特制O形密封圈的左侧时,安全阀处在关闭(不溢流)状态,在液压力的推动下,阀芯向右移动,一旦阀芯的径向孔边缘越过O形密封圈的密封带时,压力液就经阀体与阀芯的间隙溢出,达到卸压的目的。立柱安全阀的调定值为49MPa。与平衡千斤顶活塞腔和活塞杆腔相连的两个安全阀的调定值分别为为35.28MPa和44.1MPa;控制护帮千斤顶的安全阀的调定压力为35.28 MPa。

③液控单向阀:

它用在控制立柱的液压系统中。阀的密封副为钢球与聚甲醛阀座的锥面,采用二级卸载方式卸载。一级卸载时顶杆先打开球钢,工作流通过减振阀上的小孔在节流状态下卸压,当压力降至一定值后顶杆继续推开减振阀卸流形成二级卸载。

④液控双向锁:

液控双向锁在结构上由两个液控单向阀组合而成,用来闭锁千斤顶两个腔的工作液体,可使千斤顶活塞在任何位置时均可双向闭锁。该支架用于平衡千斤顶和推移、护帮千斤顶的回路中。

此外,该液压系统中还用了QJ型球型截止阀、HDF_2型回油断路阀,以及Φ6、Φ10、Φ13、Φ19、Φ25五种规格的高压软管。

(4)防滑防倒装置:

ZY2000/14/31型液压支架的防滑防倒措施是只要解决前排头支架的下滑和倾倒问题,整个工作面支架的防滑防倒问题就可以基本得到解决。也就是说,只要排头支架位正,其他支架以此为基准顺序排列,就可以保证整个工作面支架位置的基本正确。它采取了兜角式和底调式防滑装置。前三架支架的底部前部装有两个底调千斤顶,通过十字连接头,把前三架支架连在一起,利用千斤顶的推拉力防止底座下滑,并调整架间距离,使下滑的支架可以得到复位。同时,在排头架的侧面设有兜角千斤顶和圆环链导向筒,圆环链一端固定在兜角千斤顶活塞杆上,另一端通过导向筒固定在排头架Ⅱ上,兜角千斤顶的收缩,即可调整支架尾部的距离。

为了防止输送机下滑,设有防输送机下滑千斤顶和圆环链,其一端与输送机相连,另一端与支架底座的桥板相连,每隔4架设置一个,即可防止输送机下滑。

该支架的防倒装置,采用了平拉式防倒装置,在相邻支架顶梁的前部通过十字头铰接座同防倒千斤顶相连,当支架发生倾倒时,用千斤顶的推拉力进行防倒调整。

5.支架液压系统

ZY2000/14/31型液压支架的液压系统,它用本架操作的方式,所以系统比较简单。如图6-18所示。

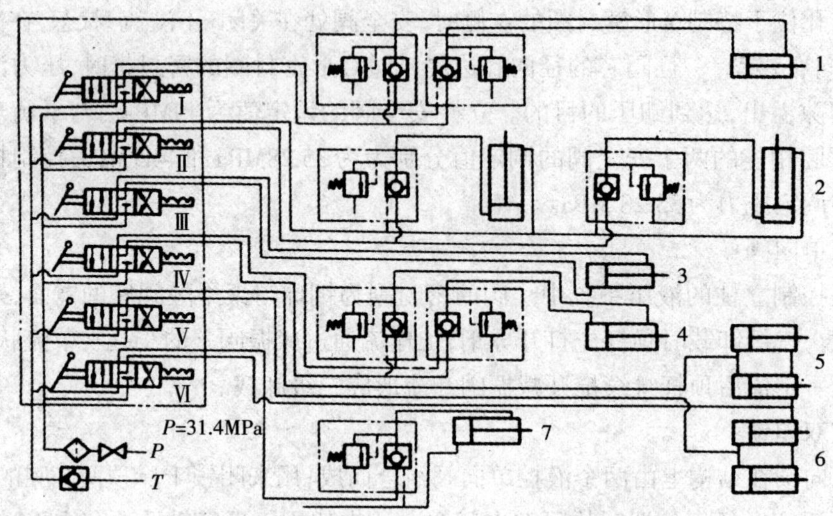

图6-18　ZY2000/14/31型液压支架的液压系统

1——平衡千斤顶；2——立柱；3——推移千斤顶；4——护帮千斤顶；5——顶梁侧推千斤顶；6——掩护梁侧推千斤顶；7——输送机防滑千斤顶

(二)ZY4800/23/42型掩护式液压支架

1.支架技术特征参数

型式：ZY4800/23/42型掩护式液压支架

高度：(最低～最高)2.3～4.2 m

宽度：(最小～最大)1.43～1.6 m

中心距：1.5 m

初撑力：(P=31.5MPa)3877 kN

工作阻力：(P=39MPa)4800 kN

对底板平均比压：1.28 MPa

支护强度：0.75 MPa

移架步距：800 mm

泵站压力：31.5 MPa

操作方式：本架

支架重量：约21吨

2.立柱、千斤顶主要技术参数

①立柱：2个

型　式：单伸缩机械加长

缸　径：280 mm

杆　径：260/219 mm

初撑力：(P=31.5MPa)19387 kN

工作阻力：(P=39MPa)2400 kN

行　程：1852 mm

②推移千斤顶:1个

型　式:普通双作用差动

缸径/柱径:160/85 mm

行　程:900 mm

推溜力/拉架力:179/454 kN

③平衡千斤顶:2个

型　式:普通双作用

缸径/柱径:160/120mm

行　程:965 mm

初撑力:(推/拉 *P*=31.5MPa)633/277 kN

额定阻力:(推/拉 *P*=39MPa)784/343 kN

④一级护帮千斤顶:2个

型　式:普通双作用

缸径/柱径:80/60 mm

行　程:450 mm

初推力/额定推力:(*P*=31.5/39MPa)159/196 kN

拉力:(*P*=31.5MPa)69.3 kN

⑤二级护帮千斤顶:1个

型　式:普通双作用

缸径/柱径:80/45 mm

行　程:550 mm

初推力/额定推力:(*P*=31.5/39MPa)159/196 kN

拉力:(*P*=31.5MPa)108 kN

⑥伸缩千斤顶:2个

型　式:普通双作用

缸径/柱径:80/60 mm

行　程:800 mm

推　力:158 kN

收　力:69.3 kN

⑦前梁千斤顶:2个

型　式:普通双作用

缸径/柱径:160/120 mm

行　程:170 mm

推　力:(*P*=31.5/39.8MPa):633/784 kN

收　力:(*P*=31.5MPa):277 kN

⑧侧推千斤顶:(双侧活动)5个

型　式:普通双作用

缸径/柱径:63/45 mm

行　程:170 mm

推力/拉力:(P=31.5MPa)98/47 kN

3.支架结构特点

(1)支架为掩护式液压支架。

(2)顶梁结构采用铰接型式,顶梁为前梁带800mm外伸缩梁结构,护帮板采用二级护帮。

(3)平衡千斤顶一端支在掩护梁上,另一端支在底座上。

(4)顶梁、掩护梁、后连杆采用双侧活动侧护板。

(5)推移千斤顶采用正装结构,推杆为短推杆结构。

4.液压控制系统

(1)采用400L/min大流量控制系统。

(2)主进液胶管Φ31.5mm,主回液胶管Φ51mm。

(3)立柱、千斤顶主要密封圈采用聚氨脂密封圈。

(4)喷雾降尘系统采用手动控制。

5.支架用材料

(1)结构件用材:Q460占70%,Q550占20%,16Mn占10%。

(2)销轴用材:主要为30CrMnTi,部分为40Cr。

(3)立柱、前斤顶用材:油缸用材27SiMn,活柱27SiMn,千斤顶活塞杆40Cr。

二、支撑掩护式液压支架

支撑掩护式液压支架有支顶支撑掩护式(两排立柱都支撑在顶梁下)和支顶支掩支撑掩护式(前排立柱支撑在顶梁下,后排立柱支撑于掩护梁下)。我们以ZZ4000/17/35型支撑掩护式支架为例做一介绍。

ZZ4000/17/35型支撑掩护式支架是我国自行研制的支撑掩护式支架,主要零部件强度经过优化设计,因而重量较轻,性能好,在我国矿山应用极为普遍。

(一)适用范围

ZZ4000/17/35型支架是四柱直接撑顶的支撑掩护式支架,适用于煤层厚度2.0~3.3mm,倾角小于25°,顶板中等稳定并且比较平整,地质构造简单,底板允许比压不小于2MPa的地质条件。

(二)主要技术特征见表6-2

(三)结构特点

该支架主要由顶梁、立柱、掩护梁、前后连杆、底座、推移装置、防滑装置、护帮装置和液压元件等组成。见图6-19。

该支架有以下特点:

(1)工作阻力大,支护强度高,切顶能力强。两排立柱都向前倾斜布置,有利于切顶。

表6-2　　ZZ4000/17/35型支架的主要技术特征

支架型式	四柱支撑掩护式
支架高度,m	1.7~3.5
支架宽度,mm	1430~1600
支架中心距,m	1.5
支架初撑力,kN	1884
支架工作阻力,kN	4000
推溜力,kN	179
拉架力,kN	454
支架支护强度,MPa	0.73
支架对底板比压,MPa	1.86
重量,t	10.7
泵站工作压力,MPa	14.7

(2)采用带机械加长段的单伸缩立柱,调高范围较大。

(3)采用分式铰接结构顶梁。由千斤顶控制前梁,可向上摆动15°,向下摆动19°,顶梁前部有较好的支护性能。

(4)顶梁、掩护梁都装有双侧可换装活动侧护板,由千斤顶和弹簧控制,具有挡矸防倒及调架性能。

(5)采用四连杆机构,使梁端距变化小,变化量仅为42mm。

(6)整体底座正装推移,前端有抬底装置。

(7)采用浮动活塞式推移装置,使移架力大于推溜力。推移千斤顶的活塞杆与输送机相连,缸体与支架的底座相连。推溜时活塞腔进液,先将浮动活塞推至缸口,然后活塞杆才移动而推溜;当活塞杆腔进液时,先将浮动活塞推回到活塞杆后端,随后推缸体而移架。因为活塞杆面积小于缸体环形面积,故移架力大于推溜力。

(8)前梁千斤顶承载腔油路上装有较大流量的安全阀,其整定压力为38.8MPa,比立柱安全整定压力(31.8MPa)高,流量也大(40L/min)。升架时前梁千斤顶先推出,前梁端部翘起,在支架继续升起直到整个顶梁撑紧顶板前,因前梁端部先接触顶板,故被强迫返回,其千斤顶收缩。在此过程中,前梁千斤顶安全阀因过载而溢流。由此可见,前梁千斤顶600kN的工作阻力在初撑段已经达到,但它不是由泵站工作压力产生的,而是由前梁千斤顶安全阀预先过载溢流而得到的。这样,在支架刚支撑好时,前梁对顶板的支撑就达到了工作阻力,因而可以有效地防止工作面前部顶板过早离层。

此外，在挑梁千斤顶两腔油路上都装有液控单向阀（双向液压锁），以使护帮保持在紧贴煤壁的位置上不动。

（四）液压系统

ZZ4000/17/35型支撑掩护式支架的液压系统如图6-20所示。

从泵站来的高压液体流经进液截止阀后分为两路：一路到副控阀组，一路到主控阀组。操作副控阀，高压液体即进到各副控阀的进液口，同时打开下一架开关阀，通过开关阀进入主控阀组进液口。通过邻架副控阀控制主控阀组使各液压缸动作，完成支架的所需动作。

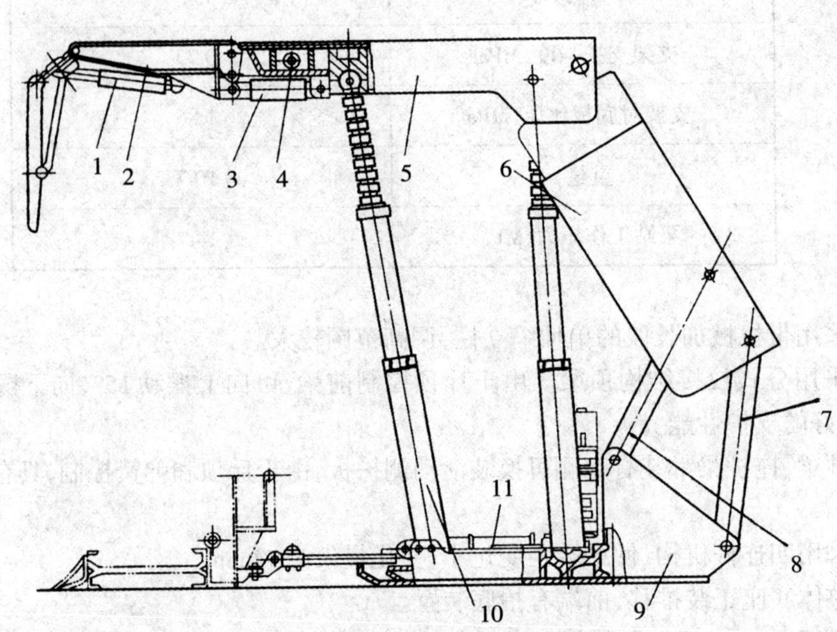

图6-19　ZZ4000/17/35型支架

1——护帮千斤顶；2——前梁；3——前梁千斤顶；4——侧护千斤顶；5——顶梁；6——掩护梁；7——后连杆；8——前连杆；9——底座；10——立柱；11——推移千斤顶

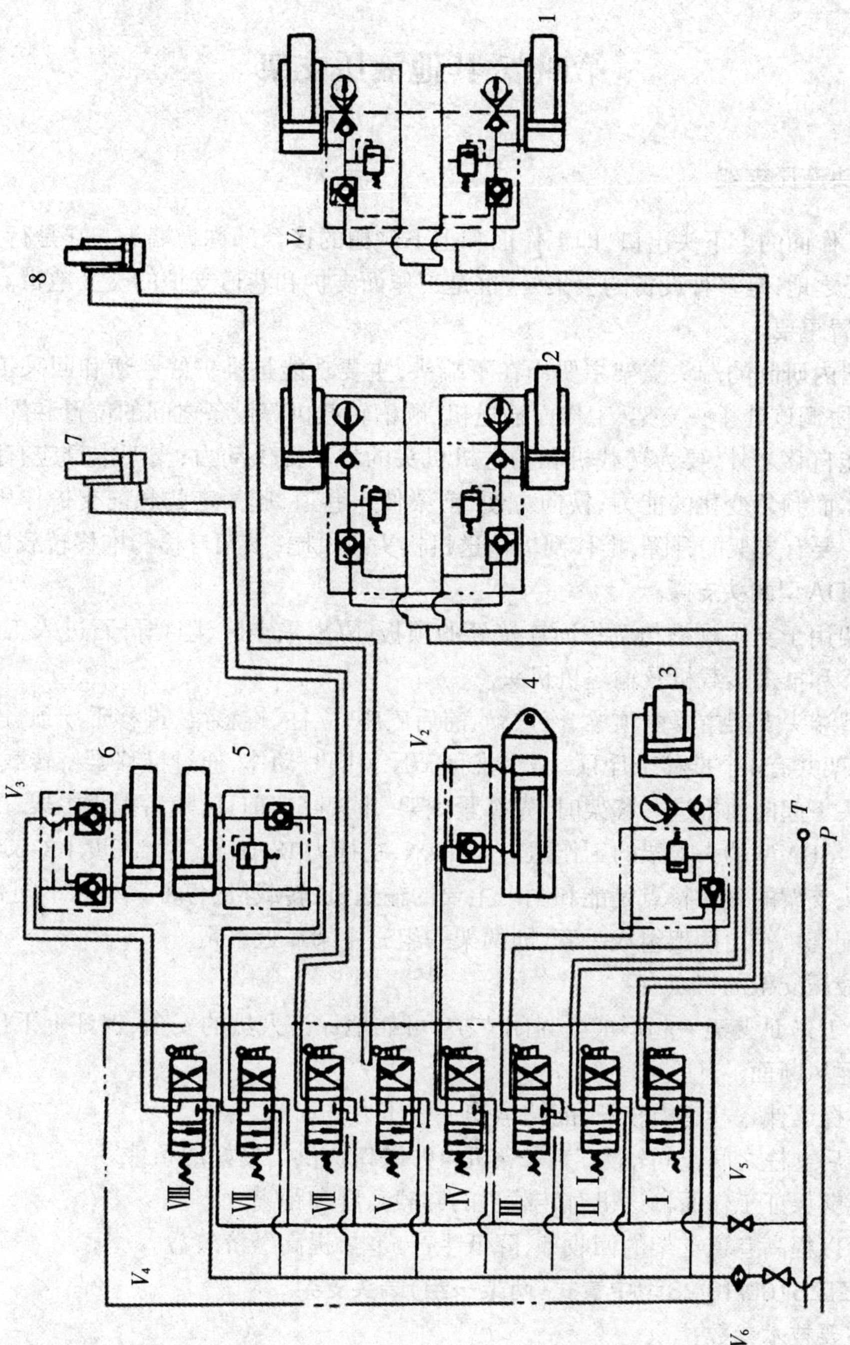

图6-20 ZZ4000/17/35型支撑掩护式支架的液压系统

1——前立柱；2——后立柱；3——短柱；4——推移千斤顶；5——防滑千斤顶；6——护帮千斤顶；7——掩护梁侧推千斤顶；8——顶梁侧推千斤顶；V_1——控制阀；V_2——液控单向阀；V_3——液控双向锁；V_4——操纵阀；V_5——截止阀；V_6——过滤器；P——高压管路；T——回液管路

第四节 其他液压支架

一、端头液压支架

综采工作面的上下头出口,即工作面和上下顺槽的接合部称为端头。它是行人、运输和通风的必经之地,是多种设备的会集处,也是工作面支护和巷道支护的交叉地带。端头处条件复杂,位置重要。

目前国内研制的端头支架主要用在下端头,主要功能是维护好巷道和回采工作交叉口处的顶板;协调该处排头支架、工作面输送机、顺槽转载机等设备之间的位置和配套关系;除端头支架能自移之外,要为转载机和输送机机头的移动提供动力;支架本身应有防倒、调架或适应工作面倾角变化的能力;换向方便;前梁伸入巷道,起一定的超前支护作用。端头支架的动作主要有支架的升降,推移刮板输送机机头或机尾,支架自移和推移转载机等。

(一)SDA型端头支架

该支架用于支护顺槽与工作面连接处的顶板,隔离采空区,阻挡矸石进入工作空间,并能自身前移和推进转载机及输送机机头。

SDA型端头支架主要由顶梁、掩护梁、前后底座、立柱、推移梁、推移千斤顶、连接板等组成。主、副架共有4个推移千斤顶。4个推移千斤顶同时动作,通过推移梁将转载机、工作面输送机机头一起向前推进。移架时,先撑紧副架,主架降架前移,随后撑紧主架,副架降架前移并支撑。SDA型端头支架的工作阻力4500kN,初撑力1810kN,支架高度1.8~3.45m。

该端头支架的最大特点是能和国内主要的输送机、转载机、各种架型和不同高度的工作面支架相配套。它由两架组成一套(即两架一组),主架靠近下帮。

端头液压支架的特点有:

(1)与工作面支架一起形成全封闭支护,可靠地保证人员的安全,保证上下出口的通常和足够的通风断面。

(2)前探梁伸入巷道内较长,能够承受一些压力。

(3)前后立柱之间空间较大,为采煤机自开缺口提供了良好的条件。

(4)能够保证工作面输送机对转载机的卸载高度和距离。

(5)可以提高巷道支架的回收率,降低生产成本,提高经济效益。

(二)ZTZ6100/18/28型中置式(两架一组)端头支架

(1)主要技术参数:

高　度:1800~2800mm

单架宽度:550mm

整架宽度:2180mm

初 撑 力:(P=31.5MPa)4796kN

工作阻力:(P=40MPa)6100kN

支护强度:0.65MPa

底板平均比压:1.14MPa

泵站压力:31.5MPa

操作方式:本架操作

重　量:约22.5t/架

立柱、千斤顶参数:

①前立柱:2个

型　式:单伸缩

缸　径:210 mm

杆　径:185 mm

初撑力:(*P*=31.5MPa)1090 kN

工作阻力:(*P*=40MPa)1385 kN

行　程:1000 mm

②后立柱:2个

型　式:单伸缩

缸　径:230

杆　径:210 mm

初撑力:(*P*=31.5MPa)1308 kN

工作阻力:(*P*=40MPa)1661 kN

行　程:735 mm

③推移千斤顶:2个

型　式:普通双作用

缸径/柱径:200/115 mm

行　程:1300 mm

推溜力/拉架力:986/660 kN

④调架千斤顶:2个

型　式:普通双作用

缸径/柱径:100/70 mm

行　程:765 mm

推力/拉力:246/126 kN

⑤护顶千斤顶:6个

型　式:普通双作用

缸径/柱径:80/60 mm

行　程:50 mm

推力/拉力:(*P*=41.4/31.5MPa)208/68 kN

⑥放煤千斤顶:4个

型　式:普通双作用

缸径/柱径:63/45 mm

行　程:150 mm

推力/拉力:(P=41.4/31.5MPa)129/48 kN

(2)支架用材料:

①结构件用材:Q460占100%。

②销轴用材:主要为30CrMnTi,部分为40Cr。

③立柱、千斤顶用材:油缸27SiMn,活柱27SiMn,千斤顶活塞杆40Cr。

二、放顶煤液压支架

放顶煤综采法是近20年兴起的特厚煤层机械化开采的新技术。放顶煤液压支架是这种综采法的主要配套设备之一。通过多年的实践,越来越多的国家采用了这种技术,并且认为在适宜的条件下,是解决厚及特厚煤层开采的一种经济、有效的方法。

我国厚及特厚煤层储量非常丰富,自20世纪80年代初我国开始研制放顶煤液压支架并投入使用。目前,这种综采法不仅用于缓倾斜煤层,还成功地用于急倾斜特厚煤层的水平分层开采。

(一)放顶煤综采法的优点

(1)生产集中化程度高,大大减少了采区数目与工作面的巷道掘进量,以及相应的支护、维护等工作量与材料消耗。

(2)依靠矿压自动破煤,大大减少了设备的动力。

(二)放顶煤液压支架的基本特点

放顶煤支架是在普通液压支架架型结构的基础上增加了一套液压机械放煤装置,把综采液压支架采煤工艺中的顶板由液压支架顶梁后端切顶冒落改为顶煤由掩护梁上的放煤机构放落。因此放顶煤支架在架型结构上除应满足放顶煤工作面顶板、顶煤的支护外,还应具有完成放落顶煤的有效性能。

(1)一般采用整体性、稳定性及掩护性较好的支撑掩护式和掩护式液压支架。

(2)有较宽敞、便于控制的放煤口以及松动、破碎煤块的辅助装置。

(3)支架受上部顶板和顶煤的动载影响较大,因此要求支架纵向和侧向稳定性较高。

(4)支架调高范围要求不严。为使操作、行人等比较方便,支架高度一般为2~3m。

(5)应附加装有能喷阻化剂,防止煤层发火以及喷雾降尘的装置。

(三)放顶煤液压支架适用范围

(1)煤层厚度一般为5~12m左右,或者厚度变化较大。

(2)煤质比较松软,或节理发育,容易在矿压作用下冒落的煤层。

(3)对于松软和易碎裂煤层,厚度为5~8m左右时,可选用掩护式支架,采用天窗式结构,如单输送机放顶煤支架;对于厚度较大,煤质较硬,但节理发育,易碎裂的煤层,可用支撑掩护式支架,采用插板式或天窗插板式等结构。

(4)顶板中等稳定以下,可随采随冒。

(5)工作面倾角一般不应大于30°。

(6)煤的自然发火期一般应大于半年并应采取相应措施。

(四)FZ300-1.5/3型放顶煤支架简介

该支架适用于厚度5~12m、倾角≤30°的煤层。要求顶板中等稳定以下,底板抗压强度不低于10MPa。

FZ300-1.5/3型放顶煤支架为四柱支撑掩护式结构。反向四连杆安装在支架中部,以承受顶煤垮落时向前的水平推力;顶梁前端铰接有前梁,在前梁端部装有护帮板,顶梁后端铰接有掩护梁,掩护梁由上下两部分组成,在上掩护梁和底座之间装有刚性支撑板,在下掩护梁下端设置有放煤板。在底座前部和后部各装一部输送机,分别靠千斤顶推移。根据需要可在顶梁下面装防倒装置。

该支架不但架前具有普通综采支架的特点和后部放顶煤功能,而且还有以下用途:

(1)可用于分层开采。此时架内后部可安装配套设计的机械化铺底网装置,实现架后机械化自动铺底网。

(2)可用作走向长壁综采水力放顶煤支架。使用时在掩护梁上可安装高压水枪,下面设置煤水溜槽,利用高压水机械化放顶煤,并靠水力将煤运出工作面。

(五)ZF10000/18.5/35型放顶煤液压支架简介

该支架吸收了国内放顶煤液压支架的优点,支架经过参数优化,结构合理,与同类型支架相比,具有适应性强、可靠性高、结构紧凑、支护能力大、操作方便、移架速度快等特点。适用于放顶煤工作面,采高范围为2.5 ~ 3.2m。支架中心距1.5米,工作阻力10000kN,是目前国内该宽度系列产品中工作阻力最大的支架。

(1)技术参数:

支架高度:1850~3500 mm

支架中心距:1500 mm

支架宽度:1430~1600 mm

支护强度:1.22 ~ 1.24 MPa

底板比压:前端比压为(f=0.2)2.08 ~ 2.92 Mpa

支架初撑力:7743~7697 kN

支架工作阻力:9980~9920 kN

适应煤层倾角:≤20°

泵站压力:31.5 Mpa

操作方式:本架控制

质 量:(约)30244 kg

采 高:2.3 ~ 3.3m

(2)结构特点:

采用优化设计,确定支架的总体参数和主要部件的结构尺寸,并利用计算机模拟试验进行受力分析和强度校核,确保支架的可靠性。

采用分体式双连杆结构,提高了支架的抗偏载能力和整体稳定性。

该架型为四柱低位放顶煤液压支架,是国内放顶煤液压支架的主力架型,对外载荷作用点变化适应性强,切顶能力强,性能稳定可靠。

底座对底板比压分布合理,前端比压较小,移架阻力小,有利于顺利移架。

通风断面大,在设计时增大了放煤口处通风断面,使风量的配比更趋合理。

采用长推杆结构,整体结构,强度高,适应性强。

为了提高支架移架速度,控制立柱、推移千斤顶的操纵阀流量选用400L/min,缩短架前露顶时间,减小架前冒顶的可能性。

三、铺网液压支架

铺设金属网分层假顶是分层综采的重要工序。在专门的铺网支架研制使用之前大多采用一般液压支架,或稍加修改的支架,并在支架的前部铺顶网。这种方法操作繁琐且与采煤工序干扰,影响工作面产量和效率,而且铺设的网经过支架顶梁,掩护梁后才与底板重合,容易扯网砸坏,影响铺设质量。

铺网支架除具有一般综采工作面支架所具有的功能之外,还有以下3个特点:

(1)提供独立的铺网作业空间;

(2)能自动将金属网铺设于底板;

(3)用机械或用手工方式连网。

铺网液压支架的掩护梁较长,并在其后部装设尾梁。网卷平行工作面架设,随着支架的前移网自动铺设于底板,联网采用人工操作。

第五节　液压支架的选型简介

液压支架的选型,其根本目的是使综采设备更好地适应矿井和工作面的地质和生产条件,投产后做到高产、高效、安全,并为矿井的集中生产、优化管理和取得最佳经济效益提供前提条件。由于地质条件的复杂性和矿压观测的模糊性,使得液压支架呈现出多样化、大流量化发展趋势,随着安全生产越来越被重视,液压支架的设计和选型显得尤为重要。液压支架的选型主要决定于矿山地质条件,特别是顶板条件,直接顶的类别与老顶的级别对支架的选型起着主导作用。

进行液压支架选型时,其基本依据是顶板性质、煤层条件和经济成本等。

一、顶板性质

一般情况下,根据直接顶的类别和基本顶级别选择架型。不同的直接顶和基本顶基本决定了所采用的液压支架架型和工作方式。直接顶的分类有:不稳定顶板、中等稳定顶板、稳定顶板、坚硬顶板。基本顶级别:Ⅰ级顶板(周期来压不明显)、Ⅱ级顶板(周期来压明显)、Ⅲ级顶板(周期来压强烈)、Ⅳ级顶板(周期来压极其强烈)。

具体选用时可遵循下列原则:

(1)对于基本顶周期来压不明显的中等稳定或破碎顶板,可选用掩护式液压支架;对于直接顶稳定的顶板,可选用支撑式或支撑掩护式液压支架。

(2)对于基本顶周期来压强烈(Ⅲ~Ⅳ级)、直接顶不稳定或中等稳定的顶板,可选用支撑掩护式液压支架;对于直接顶稳定或坚硬的顶板,可选用支撑掩护式液压支架或支撑式液压支架。此外,由于某些顶板条件比较特殊,故可采用多种形式的液压支架,因此液压支架的选择既要以顶板性质作为依据,还应考虑顶板级别划分的模糊性。在顶板类级大致估定的条件下,宜侧重于选用防护性能较好的液压支架,如掩护式支架或带有护帮装置的液压支架。

二、煤层条件

1.煤层厚度

煤层厚度是液压支架选型的一项重要指标。煤层厚度及其变化情况决定了液压支架的结构高度和伸缩范围,采高和顶板性质直接决定了液压支架的工作阻力或支护强度。

①液压支架的工作阻力实质上是液压支架在工作中能承受顶板的载荷,是衡量液压支架支护性能的最主要的技术参数,可按下式计算:

$$Q=Zb(L+C)$$

式中:Z为支护强度;b为支架中心距;L为顶梁长度;C为顶梁前端到煤壁距离。在液压支架出厂代号中都明确地标有其工作阻力,如ZZ6000液压支架(工作阻力为6000kN)。

②液压支架最大高度的确定。考虑到顶板有顶板冒落或可能局部冒落而压住液压支架,为保证立柱有一定的行程量,液压支架最大高度应在煤层最大采高基础上,再加200mm ~ 300mm。

③液压支架最小高度的确定。考虑到液压支架上、下浮煤堆积影响,移架操作时支架立柱要有150mm左右的回缩量等因素,液压支架最小高度应在煤层最小采高基础上再减200mm ~ 300mm。

选型原则:对于薄煤层(采高小于1.3 m)开采,在液压支架选型时应考虑通风断面和作业空间较大的掩护式或支撑掩护式液压支架。煤层厚度超过1.5m时,顶板对液压支架有一定的水平和侧向推力,这种情况下应优先选用抗水平力和扭转能力强的掩护式结构的液压支架,而不宜用支撑式支架。煤层厚度超过2.5 m时,煤壁和悬顶部分顶板可能在矿压作用或采煤机割煤时振动而引起垮落,需要选用带有护帮装置的液压支架,一般多采用支撑掩护式支架。如果煤层厚度变化较大应选用双伸缩立柱的液压支架,由于双伸缩立柱的行程范围较大,能更好地适应这种煤层条件。对于煤层厚度大、煤层松软或节理发育,因其不便于分层开采,煤层较破碎,在矿压作用下易冒落,可选用放顶煤支架。

2.煤层倾角

煤层倾角主要影响液压支架的稳定性能。《煤矿安全规程》第六十七条规定:煤层倾角大于15°时,液压支架应采取防倒、防滑措施。

3.瓦斯量

瓦斯涌出量大的煤层,应考虑通风要求,优先选用通风面积大的掩护式或支撑掩护式液压支架。

三、经济成本

在地质条件允许的情况下,液压支架选择范围较大,且使用数量较多,此时应优先考虑经济型的液压支架,以降低企业成本。在管理上做好液压支架的日常检修和维护,可大大减少使用过程中的维检资金,争取最大的经济成本。

对于特定的开采要求,应选用特种支架。如厚煤层分层开采时要选用防顶煤支架,工作面端头支护要选用端头支架等。

第六节 乳化液泵站

一、概述

(一)乳化液泵站的功用和组成

乳化液泵站是采煤工作面支护设备及推移装置的动力源。用来向综采工作面液压支架和单体支护设备及其他用乳化液的液压装置输送乳化液。

乳化液泵站主要由乳化液泵组(一般由2台乳化液泵组成,一台工作,一台备用)、乳化液箱,以及必要的控制、保护、监视等元件及连接管路组成。

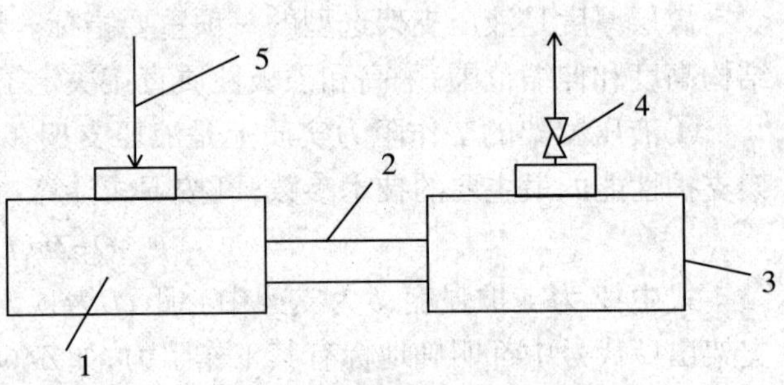

图6-21 乳化液泵站的布置

1——乳化液箱;2——吸液管;3——乳化液泵;4——截止阀;5——回液管

乳化液泵组由乳化液泵、防爆电动机、连轴节、底座架等组成。通过乳化液泵把电能转化为液压能,从而输出具有一定压力的乳化液供给液压支架。

乳化液箱是储存、回收和过滤乳化液的装置,它配有液压控制系统。

乳化液泵站用主进液管和主回液管联通与支架的供液线路,形成循环的泵—缸液压回路。如图6-21所示。

乳化液泵经吸液断路器从乳化液箱工作腔吸液,加压后送到压力控制装置。泵站启动过程中,手动卸载阀打开,泵与乳化液箱的工作室短路循环。正常工作时,关闭手动卸载阀。当工作面支架用液时,自动卸载阀经过交替阀把压力乳化液送给支架,支架回液经过乳化液沉淀室进行沉淀,去泡,磁性过滤和网状过滤后到工作室,形成一个完整的循环回路。当工作面支架不用液时,自动卸载阀打开,乳化液泵与乳化液箱形成短路循环。

(二)泵站主要参数

1.泵站压力

泵站压力必须满足立柱初撑力和千斤顶最大推力要求。若一种泵站压力不能同时兼顾两方面的要求时,应修改缸径或采用两种供液压力。

所需的泵站压力Pb':

$$Pb' \geq K_1 \cdot Pm$$

式中 Pm——根据立柱初撑力或千斤顶推力算得的工作压力;

K_1——考虑从泵站到支架管路中压力损失系数,一般1.1~1.2,支架管路长,且弯曲处多,应取最大值。

2.泵站流量

液压支架的移动速度应大于采煤机的工作牵引速度。一般按一架支架全部立柱和千斤顶同时动作来估算所需泵站的流量。

$$Qb' \geqslant K_2(\Sigma Qi)\cdot(Vq/A)\cdot 10^3(l/\mathrm{min})$$

式中　ΣQi——一台支架全部立柱和千斤顶同时动作所需的流量，cm^3；

Vq——采煤机的最大工作牵引速度(m/min)；

A——支架中心距(m)；

K_2——考虑从泵站到支架管路泄漏损失系数，一般为1.1～1.3。

根据Pb'、Qb'从乳化液泵产品目录中，选择稍大的乳化液泵。

(三)驱动乳化液泵的电动机功率P

$$P=(Pb\cdot Qb)/\eta_{泵}$$

(四)乳化液箱的有效容积

$$V=V_1+V_2+V_3$$

(1)V_1为乳化液泵三分钟的流量和箱底存液量Q_0之和。

$$V_1=3Q_b+Q_0$$

(2)V_2为乳化液泵站停泵时管路回流流量。

$$V_2=\frac{\pi d_g^2}{4}\cdot lg$$

(3)V_3为煤层厚度变化造成的液量差。

$$V_3=\frac{\pi D^2}{4}\triangle H\cdot Z\cdot n$$

式中　D——立柱缸径；

$\triangle H$——工作面煤层厚度变化量；

n——每架支架的立柱数；

Z——同时动作的支架数。

二、乳化液泵

(一)乳化液泵的结构特点

液压支架的工作介质是水包油性的乳化液，黏度低，润滑性能差，所以乳化液泵和一般以矿物油为工作介质的液压泵相比，在结构上有以下特点：

(1)由于乳化液的黏度低，泵的压力高，柱塞与缸体之间不可以采用间隙密封，必须采用密封圈密封。

(2)由于乳化液的润滑性能差，传动部分与工作部分必须隔开，传动部分用专用润滑油进行润滑。

所以，一般的液压泵不能用来当做乳化液泵使用，否则会造成严重漏损、运动部件严重磨损而不能工作。

(二)乳化液泵的技术特征(见表6–3)

表6–3　乳化液泵的主要技术特征

参数	XRB 2B型	MRB125/31.5型
额定工作压力/MPa	35	31.5
额定流量/l	80	125
曲轴转速/r/min	517	561
柱塞直径/ mm	32	40
柱塞行程/ mm	70	60
电机功率/ kW	75	90
电机转速/ r/min	1470	1475
质量/ kg	400	580
润滑方式	飞溅润滑	飞溅润滑

(三)乳化液泵的组成

乳化液泵的结构一般为卧式三柱塞往复泵。

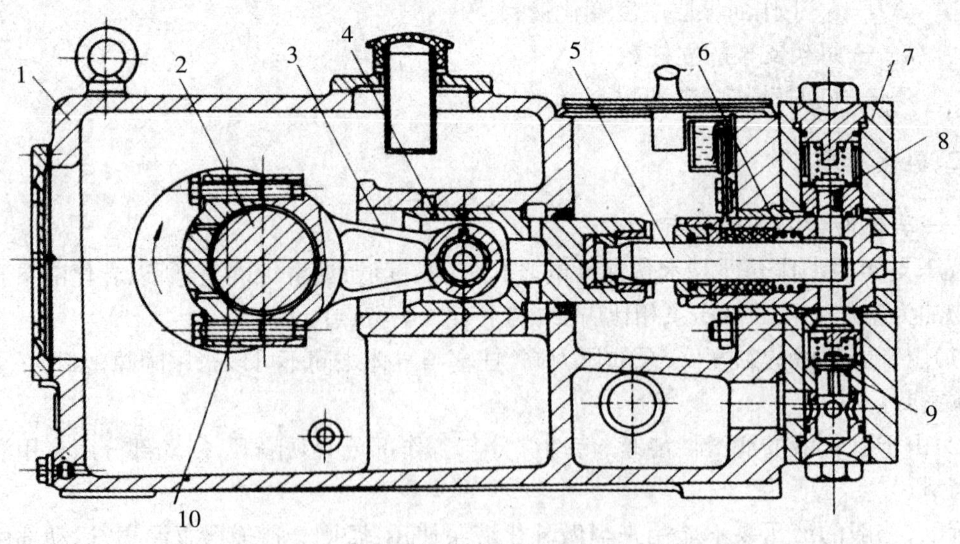

图6–22　乳化液泵

1——箱体;2——曲轴;3——连杆;4——滑块;5——柱塞;6——高压钢套;7——泵头;8——排液阀;9——吸液阀;10——轴瓦

由泵体和传动箱体两部分组成。

1.泵体

泵体主要由阀组件、缸套组件、柱塞等组成。

阀组件为整体锻钢件,通过螺栓与箱体牢固连接。阀体上有吸液阀组、排液阀组和排液回流孔,分别与安全阀和吸排液管相连接。

吸排液阀一般为锥阀结构。

柱塞由圆柱钢料制成,柱塞表面采用热处理、热喷涂等工艺来提高耐磨内腐蚀性能。

2.传动箱体

传动箱体由齿轮、曲轴、连杆、滑块等组成。采用飞溅润滑或者压力润滑。

箱体是泵件的支架,一般为整体结构的高强度铸件。同时,箱体还是泵的进液腔,与进液管路和柱塞的吸液阀前孔相连通。箱体必须有注油、放油、排气和观察孔口以及良好的防尘和密封。

曲轴是整体三曲柄曲拐结构,由优质钢制成。两端有轴承支撑并联结减速齿轮副。

连杆大头采用剖分式,便于装拆。小头采用圆柱销形式,工作可靠。

三、乳化液箱

乳化液箱是贮存、回收、过滤和沉淀乳化液的装置,具有较完善的过滤和监控系统。

一般1台乳化液箱可以供2台乳化液泵使用。

(一)XRXT型乳化液箱的技术特征

额定压力:35MPa

卸载阀的调压范围:10~35MPa

蓄能器的充气压力:22MPa

工作室容积:640l

质量:500kg

外形尺寸:(长×宽×高)2130mm×720mm×1040mm

(二)乳化液箱的工作原理

一般乳化液箱内分为4部分:沉淀室、消泡室、磁性过滤室、工作室。

工作面支架的回液先进入沉淀室,将比重大的杂物沉淀在箱的底部;再返上去进入消泡室,将气泡隔离在消泡室上;再经过磁性过滤室过滤掉液体中的磁性杂质,经网状过滤器去掉悬浮杂质;最后进入工作室,进入乳化液泵。

(三)乳化液箱的特点

(1)设有高压过滤器与泵的卸载阀出口相连接,过滤精度高。自动卸载阀安装在远离乳化液箱的泵出口处,可以减少管路脉动和磨损。

(2)装有容量较大的蓄能器,为系统补充能量。

(3)具有连通断路器,可以方便地增设辅助液箱。

(4)有自动配液装置和乳化油室。

(5)有液位的电控装置。

四、乳化液泵站的附属装置

乳化液泵站的附属装置有卸载阀、吸液过滤器、断路器和磁性过滤器等。

(一)卸载阀

卸载阀的作用是:

(1)在液压泵启动前打开手动卸载阀,使泵在空载下起动。

(2)当供液系统的压力超过调定压力时,卸载阀动作,将泵排除的乳化液直接送回乳化液箱,使乳化液泵站在空载下运行。

(3)如果供液系统的压力低于规定压力,可以使泵站重新恢复供液状态。

(二)过滤装置

乳化液箱的过滤装置包括吸液过滤器、过滤网槽、磁性过滤器及高压过滤器。

(1)吸液过滤器和断路器。乳化液箱工作室的乳化液在进入泵前要经过吸液过滤器进行过滤。

吸液过滤器需要经常拆下清洗,为了保证在拆下吸液软管和吸液过滤器时,不使乳化液箱内的乳化液外流,所以在吸液过滤器的两侧分别装设断路器。工作时,将吸液软管由卡口装入,顶开断路器,使乳化液自由通过。当拆下吸液管或清洗过滤器时,断路器在弹簧的作用下动作,阻止乳化液外流。

(2)回液过滤器。在乳化液箱沉淀室内设置回液过滤器可以防止乳化液中的脏物随着回液进入乳化液箱。

(3)磁性过滤器。设置磁性过滤器是为了吸附乳化液中的铁磁性微粒。

(4)高压过滤器。保证供液系统的清洁。

(三)减压阀

为满足两种或两种以上的工作面支护设备所需要的工作压力,采用系统减压阀,使泵排除的高压液降到所需要的工作压力,同时供给使用。

常用的减压阀型号有:MJF型弹簧调定式、FRG207(320)D500/30型减压阀和FRG弹簧调压式低压减压阀。

(四)蓄能器

在乳化液泵站设置蓄能器的作用是吸收乳化液泵的压力脉动和稳定卸载阀动作,补充泄漏,延长系统液压元件的工作寿命。

为了保证密闭性,选用气囊式蓄能器。

五、泵站液压系统

(一)乳化液泵站液压系统应该符合以下基本要求

(1)液压系统应该满足工作面支护设备和推移设备的要求。

当工作面支架需要用液时,能够及时供给高压液体;当工作面支架不需要用液时,能及时停止向工作面供液,但是乳化液泵仍可以在低负荷状态下运转。

(2)控制系统中,要配有各自独立的两台泵组,一台工作,一台备用。

(3)乳化液停止向工作面供液时,应保持工作面管路系统的压力;停泵时,应保证支架管路中的高压乳化液不倒流。

(4)系统中设有压力饱和装置和压力指示。

(5)设有缓冲减振装置,利于支架的平稳动作。

(二)XRB2B型乳化液泵站的液压系统(如图6-23所示)

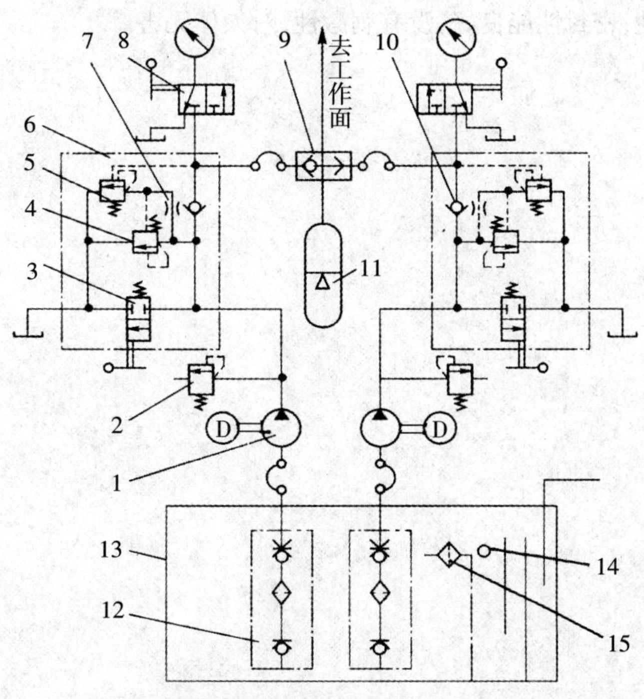

图6-23　XRB2B型乳化液泵站的液压系统

1——乳化液泵;2——安全阀;3——手动卸载阀;4——主阀;5——先导阀;6——卸载阀组;7——节流孔;8——压力表开关;9——交替进液阀;10——单向阀;11——蓄能器;12——吸液过滤器和断路器;13——乳化液箱;14——磁性过滤器;15——回液过滤器

工作过程如下:

首先打开手动卸载阀,使乳化液泵在空载下启动。

(1)正常供液运行。乳化液泵运转正常后,慢慢关闭手动卸载阀,使泵的压力逐渐升高。压力乳化液打开单向阀,经高压管、交替阀、工作面主进液管到达工作面支架;支架的回液经过主回液管到乳化液沉淀箱。

(2)卸载运行。当工作面不用乳化液而泵站继续运转时,高压管路中的乳化液压力急剧升高,达到卸载阀的动作压力时,先导阀和自动卸载阀打开,实现自动卸载。

(3)安全保护。泵站设有两级安全保护。

一级保护由卸载阀组实现。为防止自动卸载阀失灵导致系统中的液压元件及乳化液泵损坏,在系统中设置了安全阀,对系统实现二级安全保护。安全阀的调定压力比卸载阀的调定压力要略高一些。

六、乳化液

目前,国内外液压支架都采用由水和乳化油组成的水包油型乳化液(5%的乳化油和95%的水)。

这种乳化液具有足够的安全性:既不引燃又不助燃;价格便宜,经济性能好;黏度小,减小了支架管路中的能量损耗,黏温特性好,工作稳定;乳化液中添加了一定的防锈剂,有良好的防锈性和润滑性;密封性能良好,没有刺激性,对人体无害。

第二部分　专业核心知识点

1.液压支架的组成、分类和工作原理。

2.典型液压支架的结构和液压操作系统。

3.液压支架的使用维护和故障处理。

4.乳化液泵站的组成和功用。

5.乳化液泵站的使用和维护。

第三部分 专业技能训练

一、液压支架的运输与安装

(一)液压支架下井安装前的准备工作

(1)液压支架下井前,应组织专门调度机构,制订详细的工作计划,包括拆装搬运方案、程序、人员、时间和技术措施。

(2)设备下井前,检查从井口至工作面运输系统的设备能力和各井巷的断面尺寸,以及架线高度、巷道坡度和弯曲半径等,以便支架运输时顺利通过。

(3)新型支架下井前,必须在地面进行试组装,并和采煤机、刮板输送机联合运转。检查支架的零部件是否完整无缺;支架的立柱、千斤顶、阀件是否动作灵活、可靠,有无渗漏现象等;保证支架与刮板输送机、采煤机的配合是否得当,以便采取相应的措施。

(4)准备吊具和专用平板车。

(5)凡需解体运送的支架,应将零部件编号,小件装箱随主机同时运输,以防丢失或混乱。

(6)检查工作面的安装条件,宽度不够要扩大,高度不够应挑顶或卧底,并清扫底板。

(二)液压支架的装车和井下运输

(1)液压支架下井一般应整体运输,当顶梁较长时可将前梁分开运输。首先将支架降到最低位置,拆下前梁千斤顶,将支架主进、回液管的两端插入本架断路阀的接口内,使架内管路系统成为封闭状态。凡需要拆开运送的零部件应将其装箱编号运送,以防丢失或混乱。

(2)液压支架装车时应轻吊轻放,然后捆紧系牢,不得使软管或其他零部件露出架体外,以防运送过程中损坏。

(3)液压支架运送过程中应设专人监视。在倾斜巷道和弯道搬运时应注意安全,防止出现跑车、掉道、卡车等运送事故。

(4)运送过程中,不得以支架上各种液压缸的活塞杆、阀件以及软管等作为牵引部位,不得将溜槽、工具等相互紧靠,以防碰坏这些部件。

(5)支架运输时,必须捆绑紧、系牢,在平板车上要放正不可偏斜,不得使高压胶管或其他部件露出架体之外。

(7)吊装时应按照规定部位起吊,不得以各种千斤顶的缸体或活塞杆、阀体及高压胶管等物体作为牵引或起吊部位,以防损坏零件。

(8)工作面内运送材料、器材、工具时,应防止擦伤、碰坏立柱和千斤顶的活塞杆表面,以及各阀件与管路接头等零件。

从运输巷向工作面运送支架的方法有两种:

①利用输送机运送支架:先安装刮板输送机,但机尾、挡煤板、铲煤板不装。在输送机上设置滑板,把液压支架移放到滑板上,有运输机带动滑板将支架送到安装地点,再用回柱绞车调向,拉至安装地点。

②利用回柱绞车运送支架:在工作面设回柱绞车,用绞车拖拉到安装地点,调向定位。

(三)液压支架的工作面安装

液压支架一般从工作面回风巷运入工作面。在工作面回风巷与工作面连接处应根据支架结构及安装要求适当扩大其巷道断面,以利于支架转向。当采用分体运输需要在连接处安装前梁时,还需要适当挑顶以便安装起重设备。

二、液压支架的操作

在综采工作面上,正确地使用液压支架,对支架进行合理的操作,是支撑和控制顶板的重要保证。任何性能良好的液压支架,都必须正确使用和操作,才能充分发挥其作用。

(一)准备工作

首先,支架的操作人员必须熟悉液压支架的控制系统,了解各部件的结构和动作原理,以及技术性能和操作规程。未经培训人员,严禁擅自操作,以免发生事故。

在支架操作前,要细致地做好准备工作,认真检查液压管路、阀件及推移千斤顶的位置。

要对支架的位置、间距进行调整,防止间距过大而造成漏矸和局部冒顶,防止间距过小而造成挤架、卡架现象。要调整支架的步距,使支架沿工作面成为直线,从而保证输送机成一直线,保证煤壁成直线。

底板上的浮煤、浮矸要及时清理,以减小移架阻力,防止支架各元件的埋压,便于工作人员的通行和工作。当底板出现台阶时,必须采取措施,使台阶的坡度减缓,以保证支架能正常地完成移架和推溜。

(二)支架的操作

1.移架

移架要根据支架的类型和工作面的具体情况来操作,移架要及时迅速。在顶板条件较好的情况下,移架可滞后采煤机1.5m。在顶板较破碎时,移架应在采煤机前滚筒割下顶煤后,对重新暴露的顶板要及时移架进行支护,防止顶板冒落,但要避免发生挤人及割顶梁等事故。

移架时应使支架尽量做到擦顶移架,即“带压移架”,以便更好地控制顶板。另外,操作手把在降柱位置停留的时间要尽量短,减少顶板暴露时间。根据工作面具体情况,可以几组支架同时前移,也可各架顺序前移。支架前移要达到工作面的0.6m进度的要求,以保证输送机的推进步距和采煤机下一刀割煤深度。

另外,移架方向要正,要根据工作面的具体情况,来控制前移方向。由于综采工作面的长度变化小,上下顺槽处于平行,所以,支架的移架方向一定要平行于上下顺槽。

2.支架的支撑

支架顶梁与顶板接触的面积要尽可能大,无论支撑式、支撑掩护式支架的顶梁上,还是掩护式支架的托梁上,都不应有空顶的凸出情况,避免顶梁和托梁的单点压力,力求受力分布均匀。同样,底座与底板要求平整接触,以增加支架的稳定性。同时也可以均匀地传递顶板压力。支架前移后升柱时,利用泵站工作压力,使支架达到初撑力,以减少顶板的下沉量。

若顶板破碎并冒落成空洞时,须及时用坑木、板皮塞顶,使支架的顶梁,尤其是使前梁能有效地支撑顶板。若底板松软,支架可能下陷到输送机的水平以下,应在移架时,将木楔垫在底座下面,以抬高底座,便于移架。

3.推溜

液压支架移过8~9架后,可进行推溜。工作面的可弯曲刮板输送机的推移,要滞后采煤机割煤处10~15m左右。可以采用逐架推溜、间隔推溜或同时推溜。推溜时要注意随时调整步距,保持刮板输送机的平直。

(三)操作使用液压支架的要求

1.操作人员要做到“四懂”、“四会”

“四懂”:懂采机工艺、懂支架结构、懂支架性能、懂工作原理。

“四会”:会操作、会检查、会维护、会排除故障。

2.操作使用支架的要求

(1)操作前准备工作要做到“细”、“匀”、“净”。

细——仔细地做好移架前的准备工作。认真检查整理液压管路、阀组、千斤顶等,观察顶板情况,煤壁不要留有伞檐。

匀——支架间距保持均匀。防止过大造成漏矸,支架歪斜;过小造成咬架、挤架,给移架带来困难。同时要保持煤壁、输送机、支架成三条线。

净——底板清理干净,保证移架推溜顺利进行。可缩短支架的初撑和增阻过程,避免或减少顶板的大量下沉和顶板破碎,减少顶板对支架的压力和压死支架的现象。此外,架内的浮矸和浮煤也要清理干净,否则会埋住管路,影响行人和工作。

(2)操作支架时要做到“快”、“够”、“正”。

快——移架及时、迅速。移架落后于采煤机后滚筒不超过5m,及时支护新暴露的顶板,机道空顶过大时,移架应少降快拉,超前支护。顶板破碎时,采用带压移架。

够——移架推溜步距要够,而且要一次完成。这样便于采煤工作面保持“三直”,掌握好循环出煤量,保证工作面的推进速度,减少支架对顶板的反复支撑而造成的顶板条件恶化。

正——保证支架沿着一定的方向前移,不上下歪斜、左右偏移、前倾后仰,保证移架支撑后的正常工作性能。

(3)支架的支撑要做到“严”、“紧”、“平”。

严——架间空隙要靠严。挡矸板、侧护板等挡矸装置要保持正常工作状态,防止架间漏矸和采空区间架内窜矸。

紧——升柱后必须使支架达到足够的初撑力,使顶梁紧贴顶板。这样既可以保证支架可靠的工作性能,以便使邻架顺利降架前移。

平——架与顶、底板接触要平整,呈面接触。顶梁与顶板间如有空顶、虚接要采取措施,力求顶梁受力均匀。

“细”、“匀”、“净”、“快”、“够”、“正”、“严”、“紧”、“平”是支架操作必须遵守的九字诀。

(四)液压支架的操作注意事项

(1)操作过程中,当支架的前柱和后柱做单独升降时,前后柱之间的高差应小于400mm。应注意观察支架各部分的动作状况是否良好,如管路有无出现死弯、蹩卡、挤压及破损等；相邻支架间有无卡架及相碰现象；各部分连接销轴有无拉弯、脱出现象；推移千斤顶是否与底座别卡；液压系统有无漏液以及支架动作是否平稳，发现问题应及时处理，以免发生事故。

操作完毕，必须将操作手把放到停止位置，以免发生错误动作。

(2)支架前移时，应清除掉入架内、架前的浮煤和碎矸，以免影响移架。如果遇到底板出现台阶时，应积极采取措施，使台阶的坡度减缓。若底板松软，支架底座下陷到刮板输送机溜槽水平面以下时，要用木楔垫好底座，或用抬架机构调正底座。

(3)移架过程中，为避免空顶面积过大，造成顶板冒落，相邻支架不得同时移架。但是当支架移设速度跟不上采煤机前进的速度时，可根据顶板与生产情况，在保证设备正常运转的条件下，进行隔架或分段移架。但分段不易过多，因为同时动作的支架数过多会造成泵站压力过低而影响支架的动作质量。

(4)移架时要注意清理顶梁上面的浮煤和矸石，保证支架顶梁与顶板有良好的接触，保持支架的实际支撑能力，有利于管理顶板。发现支架有受力不好或歪斜现象，应及时处理。

(5)移架完毕支架重新支撑顶板时，要注意梁端距是否符合要求。如果梁端距太小，采煤机滚筒割煤时很容易切割前梁；如果梁端距太大，不能有效地控制顶板。

(6)操作液压支架手把时，不要突然打开和关闭，以防液压冲击损坏系统元件或降低系统中液压元件的作用寿命。要定期检查各安全阀的动作压力是否准确，保证支架有足够的支撑力。

(7)液压支架使用的乳化剂，应根据不同水质选用适宜牌号的乳化油，并按5%的乳化油与95%的中性水配制乳化液后使用。同时应对所有水质进行必要的测定，不符合要求的要进行处理，合格后才能使用，以防腐蚀液压元件。在作用过程中，应经常对乳化液进行化验，检查其浓度及性能，把浓度控制在3%~5%之内。支架液压系统中，必须设有乳化过滤装置。过滤器应根据工作面支架使用条件，定期进行更换与清洗，以免脏物堆积造成阻塞。尤其在液压支架运行初期，更应注意经常更换与清洗过滤器。

(8)液压支架进行液压系统故障处理时，应先关进、回液路阀，切断本架液压系统与主回路之间的连接通路。然后将系统中的高压液体释放，再进行故障处理。故障处理完毕后，再将断路阀打开，恢复供液。如果主管路发生故障需要处理时，必须与泵站司机取得联系，停泵后才可进行。

当刮板输送机出现故障，需要用液压支架前梁起吊中部槽时，必须将该架及左、右邻架影响的几个支架推移千斤顶与刮板输送机连接销脱开，以免在起吊过程中将千斤顶的活塞别弯(垛式支架还应该将本架与邻架防倒千斤顶脱开)，起吊完毕后将推移装置和防倒装置连接好。

(9)液压支架使用过程中，要随时注意采高的变化，防止支架被“压死”，即活柱完全被压缩，没有行程，支架无法降柱，也不能前移。使用中要及早采取措施，进行强制放顶或加强无立柱空间的维护。一旦出现“压死”支架情况，有以下3种处理方法：

①增加液压支架立柱下腔的液体压力，利用一根辅助千斤顶(推移千斤顶或备用的立柱)与被“压死”的立柱液路串联，作为被“压死”的立柱的增压缸，增大进入该立柱下腔的液

压力,进行反复增压,使顶板稍有松动。当立柱有小量行程时,就可拉架前移。

②放炮挑顶。在用上述方法仍不能移架时,在顶板条件允许的情况下,可采用小炮挑顶的办法来处理。放炮要分次进行,每次装药量不宜过大。只要能使顶板松动,立柱稍微升起,就可拉架前移。

③放炮拉底。顶板条件不好,不适宜挑顶时,可采用拉底的办法。需要在底座前的底板处打浅炮眼,装小药量进行放炮,将崩碎的底板岩石块掏出,底座下降,当立柱有小量行程时,就可拉架前移。顶板破碎时可在支架两侧架设临时抬棚。

(10)如果工作面出现较硬加石层、断层或有为层岩侵入而必须放炮时,应对放炮区内受影响的支架的各种液压缸、阀件、软管及照明设备等零部件采取可靠的保护措施,认真检查后,才可放炮。放炮后应认真检查崩架情况。

(五)即时支护方式的练习

(1)收回护帮板到止点位置。

(2)降架30~50mm。

(3)移架,移架步距为600mm。

(4)调架、调顶梁处于水平(稍有上仰)位置,调侧护板使支架位正。

(5)升架,达到足够的初撑力。

(6)伸出护帮板,保持垂直稍前倾。

(7)推移输送机,推移步距为600mm。

注意事项:

(1)姿势端庄:

①两脚居支架底座的同一侧;

②两手:左手扶持右手操作或右手扶持左手操作;

③体态:猫腰状或半蹲状;

④眼神:眼的视线与动作部位协调一致。

(2)操作果断,不得忧豫。

(3)操作顺序符合支护的操作要求。

(4)一人操作,他人监护,轮流练习。

(5)操作中认真体验各种标准的实现。

三、液压支架的维护保养

液压支架是综采工作面的重要设备,它投资大,数量多。为了延长支架的使用期,保证安全可靠地工作,除严格遵守操作规程外,还必须对液压支架加强日常的维护和保养,对出现的故障应及时进行检查维修,使液压支架经常处于完好状态,保证工作面正常生产。

(一)液压支架的完好条件

(1)液压支架的所有零部件完全、完好、连接可靠。

(2)立柱和各种千斤顶密封良好、动作可靠、无损坏、无影响使用的变形。

(3)各受力结构完好,无影响使用的变形,焊缝无开裂现象。

(4)各种阀类性能良好,不串液、不漏液,动作灵活可靠。安全压力符合规定数值,过滤器完好,操作时无异常响声。

(5)高压胶管完好、无漏液,管路排列整齐,连接正确,无挤压、扭、刮等现象,U形卡完好无缺。

(6)泵站供液压力,流量符合要求,乳化液符合标准。

(二)液压支架的维护与保养

(1)组建维修队伍,经培训考试合格后方能上岗。配备维修设备和试验设备。健全维护检查制度,并认真执行。

(2)支架上各类安全阀的压力不允许在井下随意调整,检修后的安全阀压力必须经地面调试合格后方能用于井下维修更换。不同压力和流量等级的安全阀要严格区别,不得串用。

(3)处理支架故障前必须先关闭进回液截止阀,处理总管路故障时应停泵,不许带压作业。

(4)井下更换的液压部件须上井检修。维修后的液压件必须按有关液压件的出厂实验要求重新进行性能试验,合格后方能允许使用。

四、液压支架的“五检”

液压支架的“五检”包括班检、日小检、周中检、月大检、总检。

(一)班检

生产班维修工跟班随检,着重维修保养支架和处理一般故障。

(二)日小检

检修班维护和检修支架上可能已发生的故障部位和零部件,基本上能保证三个班正常生产。

日小检的内容和要求如下:

(1)液压支架系统有无漏液、窜液现象,发现立柱和前梁有自动下降现象时,应寻找原因并及时处理。

(2)检查所有千斤顶和立柱用的连接销,看其有无松脱,并要及时紧固。

(3)检查所有软管,如有堵塞、卡扭、压埋和损坏,要及时整理更换。

(4)检查立柱和千斤顶,如有弯曲变形和伤痕要及时处理,影响伸缩时要修理或更换。

(5)推移液压缸要垂直于工作面输送机,其连接部分要完好无缺,如有损坏要及时处理。

(6)当支架动作缓慢时,应检查其原因,及时更换堵塞的过滤器。

(三)周中检

对设备进行全面维护和检修,对损坏、变形较大的零部件和漏、堵的液压件进行“强制”更换。

(四)月大检

在周检的基础上每月对设备进行一次全面检修,统计出其完好率,找出故障规律,采取预防措施。

（五）总检

一般在设备换岗时进行，主要是统计设备完好率，验证故障规律，找出经验教训，特别要处理好在井下不便处理的故障，使设备处于完好状态。

五、液压支架的常见故障与处理方法

（一）了解支架故障现象

故障现象是指设备因本身存有缺陷而在外部和使用性能上的表现形式，如：不升柱、不降柱、依架速度慢等。准确地把握故障现象是安全、快速处理设备故障的前提条件。在长期的生产实践中各单位都积累了丰富的经验，值得我们学习和实践，归纳起来主要方法有问、闻、听、望、触。

（1）问：是指询问操作及日常维护人员，了解设备的工作状况和故障产生背景与过程。如：不降柱的故障，若是在使用中突然出现的，就可能是某个元件的失效所引起的，若是在做其他维护工作后出现的，则可能是管路的误联所引起的。

（2）闻：是指由嗅觉器官受到某些气味的刺激来发现设备的某些缺陷，如油液泄漏等。

（3）听：是指由设备所产生的声音特点来发现、判断设备缺陷。

（4）望：是指通过静态和动态观察来发现设备和零件的缺陷。如：零件脱落、变形，运行状况，阻力大小，管路安装等。

（5）触：是指用手触及设备机体或零件的感受来发现设备的缺陷。如：温度、震动、胶管内的压力等。

（二）分析故障产生的可能原因

根据已掌握的信息来进行分析，首先用反推法提出指导性的思路。如：不降柱这一故障的指导思路应是立柱活塞的两侧面不能形成液体压力差。而后遵循这一思路再分析出造成故障的可疑（潜在）点。最后把所有的可疑点按照可疑的程度和排除的难易程度依次排列起来作为处理该故障的依据（即方案）。

（三）做好排除故障的准备工作

排除故障的准备工作主要有以下方面：

（1）保证工作安全顺利所必需的支护、通风、照明、防尘等措施，并保证环境整洁、过道畅通。

（2）保证设备本身不受其他工作和安全的影响的措施。

（3）准备好所使用的工具、材料必要的备件等。

（四）故障诊断与排除操作

依照故障分析的结果，运用一定的手段进行查证，并对查出实有缺陷的部件，进行更换或维护处理的过程。在工作中要慎防一处不结再查他处，这样会给排除工作带来不必要的麻烦，甚至造成故障面的扩大。

（五）故障处理质量检验

故障排除后，必须经过实际的检验，确定彻底排除。

液压支架的常见故障和处理方法见表6–4。

表6-4 液压支架的常见故障和处理方法

部位	故障现象	原因	处理方法
立柱或前梁千斤顶	供液后不伸不降,或伸出太慢	1.供液软管或回液管打折,堵死 2.管路中压力小或泵的流量低 3.缸体变形,上下腔窜液 4.活塞密封圈损坏卡死 5.活塞杆弯曲变形卡死 6.操纵阀漏液 7.液控单向阀顶杆密封损坏、漏液	1.排除障碍,畅通液路 2.检修乳化液泵 3.检修缸体 4.更换密封 5.更换活塞杆 6.检修操纵阀 7.更换、检修
	供液时活塞杆伸出,停止供液后自动收缩	1.操纵阀关闭太早,初撑力不够,低压渗漏 2.活塞密封件损坏,高低压腔串通,失去密封性能 3.缸体焊缝漏液或有划伤 4.液控单向阀密封不严,阀座上有脏物卡住,或密封件损坏 5.安全阀未调整好或密封损坏 6.高压软管或高压软管接头密封损坏,漏液	1.按操作规程操作 2.更换密封件 3.检修焊缝或缸体 4.用操作阀动作冲洗,无效时更换或检修 5.重新调整或更换、检修 6.检修该部位管道
	不能卸载或卸载后不收缩及收缩困难	1.活塞杆或缸体弯曲变形卡死或划伤 2.柱内密封件反转损坏,或相对滑动表面间被咬死 3.液控单向阀顶杆折断,弯曲变形或顶端缩粗,使阀门打不开 4.液控单向阀顶杆密封损坏,泄漏 5.高压压力低或阻力大,使单向阀打不开 6.回液管截止阀未打开,或回液管堵塞 7.回液管截止阀、顶杆或密封圈损坏 8.立柱内导向套损坏	1.更换、检修 2.更换、检修 3.更换、检修 4.更换密封件 5.检查泵站及液压系统 6.打开截止阀、清除堵塞物 7.更换损坏件 8.更换导向套
	缸体变形	1.安全阀堵塞,缸体超载 2.外界碰撞	1.检修安全阀 2.更换缸体
	导向套漏液	密封件损坏	更换、检修
推移千斤顶	供液后无动作或动作缓慢	1.活塞密封损坏,高低压窜液 2.活塞杆弯曲变形或焊接处断裂 3.控制阀、交替单向阀或液控单向阀的密封不严,有脏物卡住或密封损坏 4.进液管路压力低,阻力大或回液管堵塞 5.采煤机割出台阶,或支架、输送煤壁侧有矸石、大块煤卡住 6.千斤顶与支架连接销或连接块折断	1.检查故障原因 2.确定故障原因后,拆换损坏件。并进行检查,由外部原因引起时,则清除杂物
	导向套漏液	密封圈损坏	更换,检修
	邻架移架时,本架不供液的推移千斤顶随之动作	推溜回路的液控单向阀密封不严	更换密封零件

表6-4 (续)

部位	故障现象	原 因	处理方法
操纵阀	手把处于停止位置时，阀内有嗞嗞声响，或液压缸有缓慢动作	1.阀座等密封不好 2.密封圈或密封弹簧损坏 3.阀内有脏物卡住	1.更换密封零件 2.更换密封圈或弹簧 3.先动作冲洗几次无效时，更换清洗
	手把打到任一动作位置时，阀内声音大，但液压缸动作缓慢或无动作	操纵阀高低压腔窜液	更换密封零件
	操纵阀手把周围漏液	阀盖螺钉松动，密封不严或密封损坏	更换、检修
	手把转动费劲	1.滚珠轴承损坏 2.转子尾部变形 3.卸压孔堵塞	1.更换、检修 2.更换、检修 3.清洗或疏通
液控单向阀和双向锁	不能闭锁液路	1.钢球或阀座损坏 2.液中杂质卡住，不密封 3.轴向密封件损坏 4.与之配套的安全阀损坏	1.更换，检修 2.充液几次，仍不密封则更换 3.更换 4.更换
	闭锁腔不能回液，立柱、千斤顶不能回缩	1.顶杆变形、折断，顶不开钢球 2.控制液路阻塞，不通液 3.顶杆处密封件损坏，向回路窜液 4.顶杆与套或中间阀卡塞，使顶杆不能移动	1.更换 2.拆检控制液管，保证畅通 3.更换、检修 4.拆检
安全阀	达不到调定工作压力就开启	1.未按要求调定开启压力 2.弹簧疲劳 3.井下调定	1.重新调定 2.更换 3.更换，井下严禁调定安全阀
	降到关闭压力不能及时关闭	1.阀芯与阀体等有蹩卡现象 2.弹簧失效 3.密封面粘住 4.阀芯、弹簧座错位	1.更换，检修 2.更换 3.更换，检修 4.更换，检修
	渗漏	1.O形密封圈损坏 2.阀芯与O形圈不能复位	1.更换 2.更换安全阀
	外载超过额定压力，安全阀不能开启	1.弹簧力过大，不符合性能要求 2.阀芯、弹簧座、弹簧变形卡死 3.杂质脏物堵塞，阀芯不能移动，过滤器堵死 4.调了调压螺钉，使阀实际超调	1.更换 2.更换，检修 3.更换，清洗 4.更换，重新调定

六、乳化泵站的操作与维护

乳化泵站的正确操作和合理维护，与泵的使用寿命有着很大的关系，是保障综采工作面正常工作的重要条件。

(一)泵的操作使用

1.泵的启动

泵的启动应该按照其启动操纵顺序进行：

(1)打开手动卸载阀；

(2)打开压力表开关阀；

(3)启动投入工作泵的电动机，使泵运行；

(4)检查泵的运转情况。

泵站的液体通路为：乳化液箱→吸液过滤器和断路网→乳化液泵→手动卸载阀→油箱。泵在空载状态下运行，液流进行循环。

2.泵的正常工作

待泵启动，检查一切正常后，则关闭手动卸载阀。

(1)泵向工作面支架供液：当泵站压力低于自动卸载阀调整压力时，泵站液体通路为：

乳化液泵排液→自动卸载阀单向阀→压力表指示压力→交替双进液阀→蓄能器蓄能→工作面液压支架。

(2)自动卸载环流：当由于工作面不用液或少用液，且泵连续运转使高压管路中压力增高，在压力超过自动卸载阀所调整压力时，先导阀动作，控制主阀打开，使泵实现自动卸载，液流进行循环:泵排液→自动卸载阀主阀→乳化液箱。从而液体自动环流，泵卸载运转，系统靠单向阀保持压力。

(3)重新向支架供液：由于工作面支架重新工作而用液，使系统工作压力有所下降，自动卸载阀又重新关闭，泵又可重新向支架供液。

(4)二次安全保护：当乳化液泵站压力过载，装在泵上的安全阀打开，保护泵和液压系统免于损坏。

3.泵的停止操作顺序

泵的停止运转也应按照一定的操作顺序进行：

(1)打开手动卸载阀；

(2)关闭电动机，使泵停止运转；

(3)关闭吸液截止阀；

(4)关闭压力表开关阀。

(二)泵站的使用与维护

泵站是整个液压系统的关键设备，维护、保养工作是直接影响泵站使用寿命以及整个采煤工作面正常工作的重要环节。因此，加强对泵站的维护和保养，是一项十分重要的工作。

1.泵站的使用

(1)泵站必须由经专门培训的熟悉泵站的性能、结构和原理的泵站司机操作。

(2)泵站启动前必须严格按泵站出厂试验中注意事项要求进行各项检查准备工作。

(3)新安装的泵应至少进行30min空负荷运转。负荷运转的压力应逐次升高,每次升高额定压力的25%。

(4)泵站在初次运转150*h*左右时乳化泵换第一次润滑油,同时清洗油池。正常运行中,适时补充油液。加油必须从滤网口加入,严防煤粉、矸石等进入泵体内。

(5)泵柱塞腔盖及液箱视孔盖等禁止敞开作用。泵站若设置在工作面回风巷,则应注意泵站工作环境的清洁保护。

2.泵站的日常维护

(1)检查各运动连接部件,紧固件是否松动,各连接管道有无折叠、损坏,连接处有无渗漏等。

(2)检查各部位密封是否可靠(特别是有无严重漏油和漏液等情况)。

(3)检查进排液阀的性能。如发现不正常,应停泵拆开检查,及时处理。

(4)开泵前要检查滴油器;检查蓄能器的充气压力;检查高压过滤器并进行清洗,检查乳化液,不合格时要及时更换或清洗乳化液箱。

(5)检查卸荷阀的动作情况是否正常。

(6)泵站连续供液时,回液路断路出口不应有液体流出,如发现漏液,应及时处理,以保护手动卸荷阀和主阀密封不损坏。

(7)允许在井下进行更换、维修部件,但应注意工作器具的清洁。

3.升井检修

泵经过一段时间运行后,由于磨损及锈蚀等原因,如失去原有精度和性能,应进行升井检查和维修,更换必要的易损件,调整各部运动部件的间隙,以恢复到其原来的性能。

(三)乳化液泵站常见故障与处理,见表6-5

表6-5　　乳化液泵站的常见故障和处理方法

故障现象	原 因	处理方法
泵启动后无流量或流量不足,压力脉动大,管路抖动厉害	1.泵内空气未放尽,包括吸液管路系统有吸气部位 2.柱塞密封损坏严重 3.吸、排液阀密封不好,泄漏严重或动作不灵活或弹簧断裂 4.吸液过滤器堵塞 5.乳化液箱液位过低 6.蓄能器无压力或压力过高 7.卸载阀漏液频繁 8.卸载阀漏液严重	1.放气 2.检查,更换 3.更换,修复 4.清洗 5.加乳化液 6.充气或放气 7.检查原因并排除 8.检查原因并排除
有流量无压力或压力不足	1.卸载阀或卸压阀密封不良 2.先导阀密封不良 3.卸载阀调压弹簧断裂或疲劳 4.主阀密封不良 5.压力表开关未打开或阀座变形、堵塞 6.排液管道开裂	1.修复或更换 2.修复或更换 3.更换 4.修复或更换 5.打开,更换 6.更换

表6-5 （续）

柱塞密封漏液严重	1.密封圈损坏 2.柱塞表面有严重划伤,拉毛	1.更换 2.更换或修理
运转噪音大,有撞击声	1.曲轴轴拐与轴瓦磨损严重,间隙过大 2.连杆螺钉松动 3.泵内有杂物 4.柱塞端部与承压块磨损 5.滑块连接螺母松动	1.更换或调整间隙 2.拧紧 3.清洗 4.更换 5.拧紧
润滑油油温升高	1.润滑油不足或过多、太脏,或油质选取不符合要求,黏度低 2.轴拐与轴瓦粘毛或轴瓦受压面不良,或配合间隙太小 3.连杆大头侧面与曲轴限板别卡 4.两半联轴器间隔距离过小 5.超负荷运行时间过长	1.按油质要求控制油量 2.更换、调整间隙 3.检查原因并排除 4.调整 5.调整负荷
泵压突然升高	1.安全阀失灵 2.卸载阀失灵 3.系统中的故障	1.修复安全阀 2.检查修复 3.检查原因并排除

七、《煤矿安全规程》对液压支架的有关规定

第五十五条　严格执行敲帮问顶制度。

开工前,班组长必须对工作面安全情况进行全面检查,确认无危险后,方准人员进入工作面。

第六十五条　采用掩护支架开采急倾斜煤层时,支架的角度、结构,支架垫层数和厚度以及点柱的支设角度、排列方式和密度,必须在作业规程中规定。

生产中遇有断梁、支架悬空、窜矸等情况时,必须及时处理。支架沿走向弯曲、歪斜及角度超过作业规程规定时,在下一次放架过程中,必须进行调整。应经常检查支架上的螺栓和附件,如有松动,必须及时拧紧。

正倾斜掩护支架的每个回采带的两端,必须设置人行眼,并用木板隔出溜煤眼。伪倾斜掩护支架工作面上下2个出口的要求和工作面的伪倾角,超前溜煤眼的规格、间距和施工方式必须在作业规程中规定。

掩护支架接近平巷时,应缩短每次下放支架的距离,并减少同时爆破的炮眼数目和装药量。掩护支架过平巷时,应加强溜煤眼与平巷连接处的支护或架设木垛。

第六十七条　采用综合机械化采煤时,必须遵守下列规定:

(一)必须根据矿井各个生产环节、煤层地质条件、煤层厚度、煤层倾角、瓦斯涌出量、自然发火倾向和矿山压力等因素,编制设计(包括设备选型、选点)。

(二)运送、安装和拆除液压支架时,必须有安全措施,明确规定运送方式、安装质量、拆装工艺和控制顶板的措施。

(三)工作面煤壁、刮板输送机和支架都必须保持直线。支架间的煤、矸必须清理干净。

倾角大于15°时，液压支架必须采取防倒、防滑措施。倾角大于25°时，必须有防止煤（矸）窜出刮板输送机伤人的措施。

（四）液压支架必须接顶。顶板破碎时必须超前支护。在处理液压支架上方冒顶时，必须制定安全措施。

（五）采煤机采煤时必须及时移架。采煤与移架之间的悬顶距离，应根据顶板的具体情况在作业规程中明确规定；超过规定距离或发生冒顶、片帮时，必须停止采煤。

（六）严格控制采高，严禁采高大于支架的最大支护高度。当煤层变薄时，采高不得小于支架的最小支护高度。

（七）当采高超过3m或片帮严重时，液压支架必须有护帮板，防止片帮伤人。

（八）工作面两端必须使用端头支架或增设其他形式的支护。

（九）工作面转载机安有破碎机时，必须有安全防护装置。

（十）处理倒架、歪架、压架以及更换支架和拆修顶梁、支柱、座箱等大型部件时，必须有安全措施。

（十一）工作面爆破时，必须有保护液压支架和其他设备的安全措施。

（十二）乳化液的配制、水质、配比等，必须符合有关要求。泵箱应设自动给液装置，防止吸空。

第六十八条　有下列情形之一的，严禁采用单体液压支柱放顶煤开采：

（一）倾角大于30°的煤层（急倾斜特厚煤层水平分层放顶煤除外）。

（二）冲击地压煤层。

有下列情形之一的，严禁采用放顶煤开采：

（一）煤层平均厚度小于4m的。

（二）采放比大于1:3的。

（三）采区或工作面回采率达不到矿井设计规范规定的。

（四）煤层有煤（岩）和瓦斯（二氧化碳）突出危险的。

（五）坚硬顶板、坚硬顶煤不易冒落，且采取措施后冒放性仍然较差，顶板垮落充填采空区的高度不大于采放煤高度的。

（六）矿井水文地质条件复杂，采放后有可能与地表水、老窑积水和强含水层导通的。

八、液压支架工操作要求

（1）必须持有效证件上岗。

（2）必须熟悉液压支架的性能和工作原理，懂得维护保养液压支架，懂得顶板管理方法，学习本工作面《采煤作业规程》。

（3）与采煤机司机合作，当支架与采煤机距离超过规定，应要求停止割煤。

（4）拉架前，检查帮顶状况及支架各部位，确保环境安全、支架完好、构件齐全标准，否则必须处理；清理架前及两侧障碍物，严禁挤压管线、电缆。

（5）拉架时，支架前后严禁有其他人员。移动端头支架时要放好警戒，其他人员一律撤到安全地点。

（6）移架前，将相邻支架推拉缸推出。

（7）移架时，支架工必须站在安全地点，面向煤壁，身体躲进架内操作。

（8）移架时，先收回护帮板、侧护板，然后降柱拉架达到规定步距；放顶煤支架拉架前，要先将后部运输机拉上来；拉架阻力大时，应停止拉架，查明原因处理后再继续操作。

（9）调整支架与输送机垂直，并保证支架不歪斜、不挤架、不咬架，支架排成直线，偏差不超过±50mm。降柱幅度低于邻架侧护板时，升架前应先收回邻架侧护板，待升柱后再将其伸出。

（10）先升前柱后升后柱，使顶梁与顶板严密接触3~5秒，达到初撑力。

（11）伸出伸缩梁、护帮板顶住煤壁；伸出侧护板，保证架间不漏货。

（12）采煤机前滚筒到达前先收回护帮板，割煤后立即将伸缩前探梁伸出护顶。

（13）顶板破碎及压力大时，要带压擦顶移架，拉到位后及时支护顶板。过断层时，严格控制采高，防止压死支架。

（14）推运输机距采煤机12~15米，弯曲段不小于15米。放顶煤工作面移运输机距拉架不小于3米，弯曲段不小于15米。

（15）不准由两头向中间推运输机。

（16）推运输机机头（尾）时，要听从班组长指挥。

（17）拉架、推溜完毕，各阀手把搬到“零”位。

复习题

1.液压支架的用途是什么？

2.液压支架按照与围岩的关系如何进行分类？各有什么特点？

3.简述液压支架的组成和工作原理。

4.说明液压支架的支护方式。

5.液压支架有哪些辅助装置？

6.简述安全阀的作用和结构。

7.试述液控单向阀的作用。

8.立柱和千斤顶有什么区别？

9.简述液压支架的液压控制方式。

10.放顶煤液压支架有哪些特点？

11.端头液压支架有什么特点和用途？

12.铺网液压支架有哪些特点？

13.液压支架在操作前的准备工作有哪些？

14.液压支架在操作时，如何保证支架的有效支护？

15.液压支架的维护包括哪些内容？

16.乳化液泵站的作用是什么？

17.液压支架的工作介质是什么？有什么特点？

18.乳化液泵是如何实现能量转换的？

19.乳化液泵站中自动卸载阀、安全阀的作用是什么?

20.蓄能器和吸液过滤阀的作用是什么?

21.乳化液泵站的维护有哪些内容?

22.对乳化泵站的液压系统有哪些基本要求?

23.乳化液泵站无流量或输出流量过小是什么原因?应如何处理?

讨论题

1.液压支架采用电液控制的优点有哪些?

2.如何解决推拉力不均衡的问题?

3.说明液压支架的“五检”内容。

4.液压支架供液后不伸不降的原因是什么?如何处理?

第三篇　掘进机械

随着机械化采煤的发展,巷道掘进已经由传统的钻研爆破法发展到综合机械化掘进。我国的机械化掘进按照机械化程度不同可分为普通掘进机械化和综合掘进机械化。

普通掘进机械化是利用钻爆法破碎岩石,用装载机把破碎下来的煤岩通过运输设备运走,由人工架设支架,用人工或者调度绞车运送支护材料和器材,通过局部通风机实现压入式通风,采用喷雾洒水的方式进行降尘。

综合掘进机械化是利用悬臂式掘进机进行落装煤岩,通过桥式胶带转载机和其他运输设备运送煤岩。用人工、托梁启、架棚机安装支架,利用绞车、单轨吊、卡轨车、铲运车、电机车运送支护材料和器材,用局部通风机进行压入式通风,用除尘风机进行降尘。

综合掘进机械化工作面的设备布置有掘进机、桥式转载机、带式输送机、除尘器、风筒等。这些设备配合使用,在煤巷或者半煤巷掘进工作面完成掘进工序。

本篇主要介绍在掘进工作面上完成钻孔、破碎岩石、装载和转载等几个工序的设备——凿岩机、装载机和掘进机。

凿岩机是完成在岩巷中钻凿炮眼的机械。

装载机是完成掘进巷道中装煤岩工序的机械设备。

掘进机直接从掘进工作面破碎煤岩,并通过本身的装载机构和运输机构将破落下来的煤岩装入矿车或其他运输设备中。从而使破碎、装载、运输等几项工序完全实现机械化。

第七章　巷道掘进机

第一部分　系统理论知识

巷道掘进机是一种能够实现截割、装载、运输、转载煤岩和调动行走、喷雾除尘的联合机组。采用掘进机掘进巷道,使破落煤岩、装载运输、喷雾灭尘等工序同时进行,提高了掘进速度和效率。

第一节　概述

一、掘进机的优点

使用掘进机掘进巷道,与钻爆法相比,具有以下优点:

(1)能够保证巷道的稳定性。巷道围岩避免受到爆破的破坏,既有利于巷道支护,又可以减少冒顶和瓦斯突出的危险，大大提高了生产的安全性。

(2)掘进速度快。巷道掘进速度平均提高1~1.5倍，工效提高1~2倍，巷道进尺成本降低30%~50%。

(3)巷道的成形好，减少了煤或者岩石的超挖量和支护作业的充填量。

(4)改善了劳动条件，减轻了工人的劳动强度。

二、掘进机的分类

掘进机可以按照其适用范围和工作方式进行分类。

(一)按照掘进机的工作方式进行分类

(1)全断面巷道掘进机，又称连续作用式巷道掘进机。主要用于掘进岩石巷道，其掘出的断面为圆形，目前在煤矿中应用较少。

(2)部分断面掘进机，又称循环作用式巷道掘进机，也称煤巷掘进机或半煤岩巷掘进机。这种掘进机的工作机构只能同时截割工作面煤岩断面的一部分，必须在断面内多次连续地移动工作机构，才能沿整个工作面破落一层煤岩，完成一次推进。工作机构一般为安装在悬臂上的截割头，悬臂沿工作面的水平或垂直方向做左右或上下摆动实现断面截割，故称之为悬臂式工作机构。具有悬臂式工作机构的掘进机通常又称为悬臂式掘进机。它可以掘出各种断面形状的巷道(主要是梯形和矩形)，在煤矿得到了广泛的应用，是我们本章重点介绍的类型。

(二)按照掘进机的使用范围进行分类

(1)煤巷掘进机 。适用于$f \leq 4$的煤巷。

(2)半煤巷掘进机。适用于$f \leq 6$的煤巷或软岩巷。

(3)岩巷掘进机。适用于$f \leq 6$的岩巷。

(三)按照掘进机可以掘进断面的大小进行分类

(1)小断面掘进机。掘进巷道断面小于$8m^2$。

(2)大断面掘进机。掘进巷道断面大于$8m^2$。

(四)按照掘进机的装载转运方式不同进行分类

(1)耙爪—刮板输送机型。这种装运机构采用曲柄摇杆机构，在传动装置的驱动下，两耙爪以一定的规律循环运动，连续耙装煤岩。这种形式结构简单，工作可靠，装载效果好，应用广泛。

(2)双环型挂板链—刮板输送机型。由两组并列的刮板链组成，刮板呈悬臂状布置，两组刮板链相向运转，实现连续装载。这种形式结构简单，容易制造和维修，但是磨损严重，功耗大，装载边容易形成煤岩堆积，造成卡链、断链事故。

(3)圆盘星轮—刮板输送机型。由两个完全对称的星轮相向旋转，实现连续装载。这种形式工作平稳、动载较小。

(五)按照掘进机截割滚筒的布置方式进行分类

(1)横轴式掘进机。这种掘进机的截割轴线垂直于截割臂轴线。切割头为两个半球形螺旋钻削式。能够截割较硬的煤岩,截割阻力对机身的力矩可通过机器的自重较好地平衡,稳定性好,重量较小。截割方向比较合理,破碎煤岩比较省力,截割下的煤岩容易排出。但是所掘出的巷道侧壁不平整,横轴式切割头挖柱窝、水沟不如纵轴式方便。

(2)纵轴式掘进机。这种掘进机的截割轴线与截割臂轴线重合,切割头为螺旋圆锥形。工作时,切割头的一侧剥落煤岩,所掘巷道断面平整,钻进效率高。但是为了保证机器的稳定性,一般机体重量较大。

三、掘进机的组成

掘进机主要由切割机构、装运机构、转载机构、行走机构、液压系统、电气系统、喷雾除尘系统等组成。如图7-1所示。

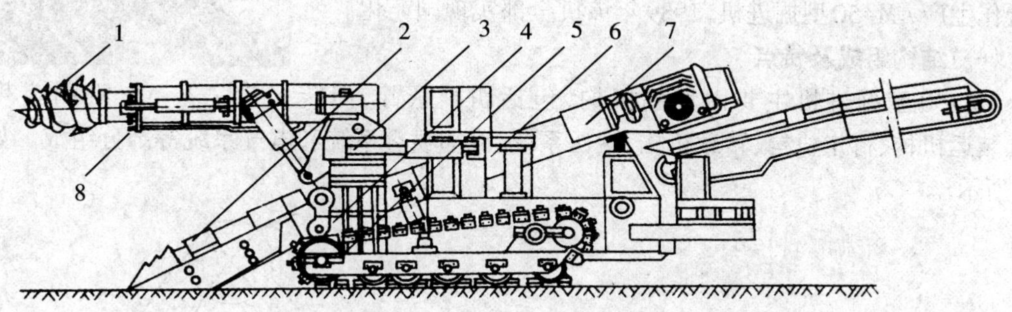

图7-1　掘进机的组成

1——切割机构;2——装运机构;3——液压系统;4——机架;
5——行走机构;6——转载机构;7——电气系统;8——喷雾装置

(1)切割机构:又称工作机构,直接在工作面上破碎煤岩形成所需断面形状的巷道。目前应用较普遍的是悬臂式切割机构。

(2)装运机构:将截割机构破落下来的煤岩通过耙爪或铲板的运动集装,并由刮板输送机转运到转载机上。

(3)转载机构:用以将刮板输送机运来的煤岩运至配套的后部运输设备上。

(4)行走机构:驱动掘进机在工作面前进、后退、转弯。这也是整台机器的连接、支撑的基础。

(5)液压系统:以高压油为动力,通过液压马达或液压油缸驱动机器各部分。

(6)喷雾除尘系统:进行内外喷雾,用以除尘、冷却截齿和电动机。

(7)电气系统:是掘进机的动力源,用以控制各电动机运行,并提供失压、过载、断相、短路、漏电等保护及照明,发送工作预警音响信号。

四、掘进机的工作原理

全断面巷道掘进机是采用滚压破碎原理来掘进圆形、拱形的断面巷道，用于岩巷的掘进。

部分断面巷道掘进机是采用截割破碎原理，利用安装在截割臂上的截割头的旋转来掘出任意形状的断面。同时，截割臂可以前后伸缩，上下左右摆动。

第二节 典型的掘进机

一、AM-50型掘进机

AM-50型掘进机是奥地利阿尔卑尼公司生产的悬臂横轴式部分断面掘进机。适用于掘进f≤7的煤巷或半煤岩巷道，切割断面为7~20.3 m²。我国于1985年开始与奥地利阿尔卑尼公司合作生产AM-50型掘进机，1989年该机全部实现国产化。

图7-2 AM-50型掘进机

（一）结构组成及特点

AM-50型掘进机主要由切割机构（包括切割悬臂、回转台）、装运机构、行走机构、转载机构、液压系统、冷却喷雾系统和电气系统等部分组成。如图7-3所示。

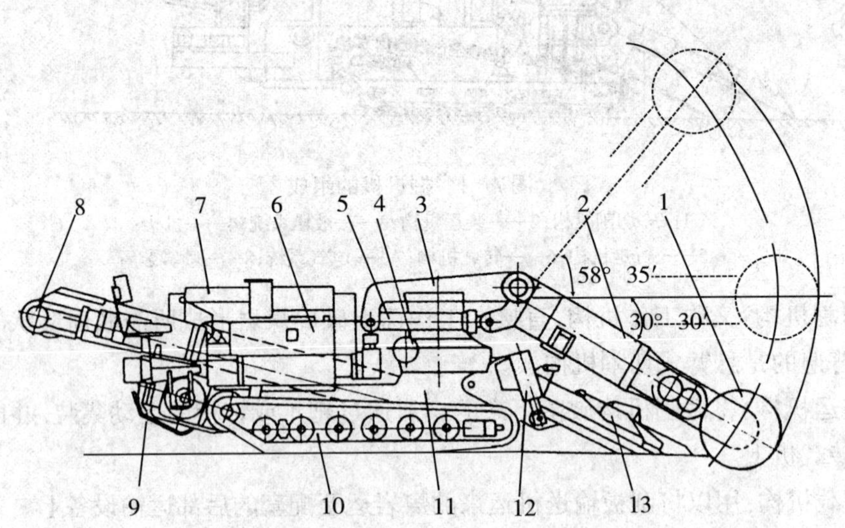

图7-3 AM-50型掘进机的组成

1——切割头；2——工作悬臂；3——回转台；4——回转油缸；5——升降油缸；6——液压系统；7——配电箱；8——中间刮板输送机；9——稳定器；10——履带行走机构；11——机架；12——铲板油缸；13——装载机构

AM-50型掘进机的结构特点如下：

（1）采用横轴式切割机构，与同类掘进机相比，稳定性好。

（2）切割功率大，对煤岩的适应性好。

（3）结构紧凑，操作简便，保护齐全，对过载、漏电、短路、冷却水温和油温等均设有保护装置或监测仪表。切割头与传动主轴之间以及回转台中,均装有涨套联轴器;装运机构中装有摩擦联轴器,能够实现过载保护。

(4)整机全部采用电动机、减速器传动,维修简单。

(5)司机操纵台和机器配电箱分设在机器两侧,维修和操纵均要求机器的两侧留有余地,致使机器适应巷道的断面范围缩小了。

(6)装载机构不能左右摆动,铲板两侧的煤要靠调动机来装载或人工装煤,影响掘进工效,增加劳动强度。

(7)切割机构卧底太浅,不能自开水沟,打柱窝较浅。

(8)切割机构不能伸缩。当切入煤岩壁时,要靠行走履带推进,操纵不方便。

AM-50型掘进机的技术特征见表7-1。

表7-1　　AM-50型掘进机的技术特征

1.总体	
生产能力	$100m^3/h$
切割断面	$7.5\sim20.3m^2$
切割最大高度	4m
切割最大宽度	4.8m
经济切割硬度	$f\leqslant5.5\sim6$
外形尺寸(长×宽×高)(不包括转载机)	7.5×1.91×1.65m
总重量(不包括转载机)	24t
供电电压	660v
总功率(不包括转载机)	163kw
2.切割机构	
切割部型式	横轴式
切割头转速	73.5/88.7r/min
切割电机功率	100kw
切割电机转速	1470r/min
3.装运机构	
装载型式	耙爪式
耙装次数	34.28次/min

表7-1 （续）

装运电机功率	2×11kw
中间运输机型式	单链刮板输送机
链速	0.9m/s
4.行走机构	
行走方式	履带式
行走电机功率	2×15kw
行走速度	5m/min
适应坡度	16°
5.转载机构	
转载运输型式	胶带转载机
转载电机功率(1台)	6kw
6.液压系统	
油泵电机功率(1台)	11kw
油泵电机转速	1470r/min
油泵结构型式	斜轴式轴向柱塞系
7.喷雾灭尘系统	
喷雾型式	内,外
额定水压	1.2~1.5mpa
额定流量	40L/min
8.电气系统	
总功率	100kw
额定电压	660V
控制系统电压	220,42,12V

(二)传动系统

AM-50型掘进机的传动系统由切割机构、装运机构、行走机构和附属的转载机构各自独立的传动系统组成。这些机构分别由各自的电动机通过减速器驱动。如图7-4所示。

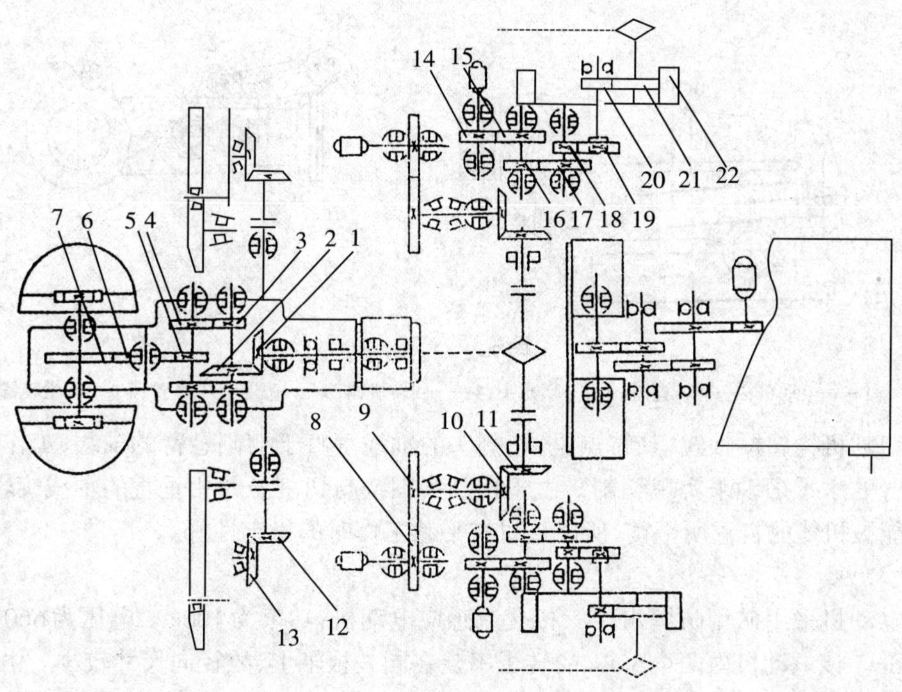

图7-4　AM-50型掘进机传动系统

切割机构的传动系统由切割电动机一对弧锥齿轮1和2、斜齿圆柱齿轮3和4及圆柱齿轮5、6、7三级减速，驱动垂直于悬臂的两个切割头进行切割。

装运机构的传动系统为集中传动形式，即装载耙爪和中间刮板输送机由位于中间输送机机头两侧的两台电动机驱动。两台电机的输出轴分别通过完全对称的斜齿圆柱齿轮8和9、弧齿锥齿轮10和11两级减速驱动中间刮板输送机的链轴及主动链轮运转，使刮板链接在机头主动链轮和机尾从动链轮之间运转。同时机头主动链轮把动力传到机尾从动链轮，然后再经对称的弧齿轮12和13一级减速，分别驱动两侧的耙爪运转。

行走机构的传动系统左右对称布置，分别由电动机经直齿圆柱齿轮14和15、16和17、18和19三级减速，再经一级行星齿轮20、21和22减速后，驱动主动链轮，通过履带和从动链轮驱动掘进机行走。

中间输送机后面的胶带转载机单独由一台电机经三级圆柱齿轮减速后驱动胶带滚筒运转。

（三）切割机构

AM-50型掘进机，主要由电动机1、减速器2、切割头3和回转机构4、喷雾降尘装置5和起梁装置6等组成。如图7-5所示。

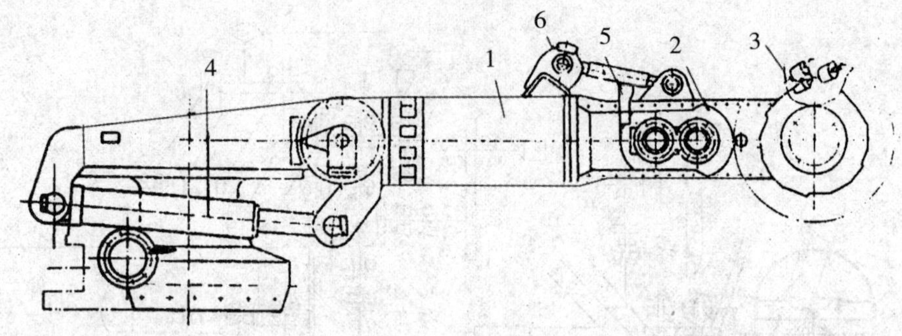

图7-5 切割机构

1——电动机;2——减速器;3——切割头;4——回转机构;5——喷雾灭尘装置;6——起梁装置

该切割机构属横轴式,其特点是:切割头的轴线垂直于切割悬臂的轴线,工作时主要靠切割悬臂的水平摆动来实现切割。由于切割头围绕与切割悬臂相垂直的轴线旋转,切割反作用力能被机体的自重所平衡,所以该机在平巷工作时的稳定性好。

1.电动机

该电动机采用矿用防爆水冷三相交流感应电动机,功率为100kw,电压为660V,转速为1470r/min。该电动机由两个50kw的转子串装在同一根轴上,故径向尺寸较小。由于切割电动机启动和过负荷频繁,容易发热,所以在特制的电动机外壳上设置了导水外套。定子壳体为铸钢件,导水外套为焊接结构,两端设有进、出水口,喷雾系统的水从导水套内流过,使该电动机的一侧与回转台上的支承座相连,另一侧与切割减速器相连组成切割悬臂。

2.减速器

切割减速器为三级圆锥圆柱齿轮减速器。电动机输出轴经弹性联轴器与减速器输入轴连接,减速器输出轴通过涨套联轴器与左右切割头连接。减速器各轴端的锁紧螺母都用乳状塑料胶防松,减速器箱体对口用普通密封胶密封。

该减速器的结构特点是:

(1)采用垂直剖分式箱体。

由于箱体本身作为切割悬臂的一部分,因此承受着切割反作用力。为了改善箱体的受力状况和提高箱体在切割过程中的承载刚性,箱体采用了垂直剖分式的结构型式,而没有采用常用的水平剖分式结构。

(2)第一级采用弧齿锥齿轮传动。

高速级为螺旋齿锥齿轮Z1和Z2传动。在啮合过程中同时啮合齿的对数多,重叠系数较大,且承载能力高,传动平稳、工作可靠、寿命长、噪声及振动较小。

(3)第二级为两对斜齿轮传动。

第二级减速采用并列的两对斜齿轮Z3和Z4传动。这两对齿轮,齿数和模数完全相同,而螺旋方向对应相反,相当于一对人字齿轮传动,这样可使两对斜齿轮传动所产生的轴向力互相抵消,既可提高传动能力,又可改善轴向受力状况。

(4)第三级为直齿圆柱齿轮传动。

为使切割悬臂具有足够的长度,满足切割范围及卧底量的要求,在第三级减速的直齿圆柱齿轮Z5和Z7之间增设一个惰轮Z6，使传动中心距增大到535mm。

3.切割头

该切割头为焊接组件，左、右两个切割头对称布置，分别由3个涨套联轴器固定在减速器输出轴的两端。如图7-6所示。

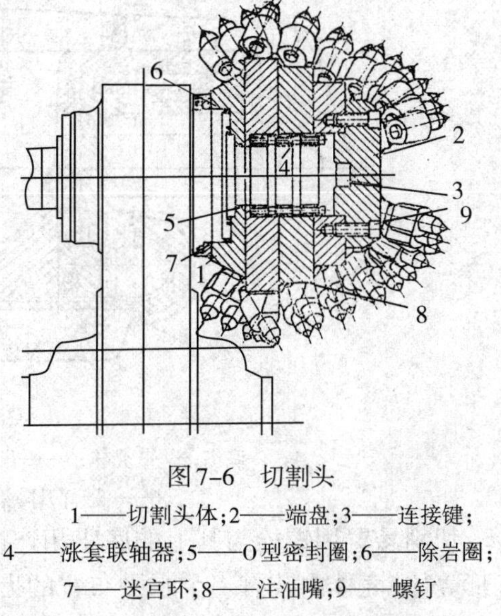

图7-6　切割头

1——切割头体；2——端盘；3——连接键；4——涨套联轴器；5——O型密封圈；6——除岩圈；7——迷宫环；8——注油嘴；9——螺钉

切割头由切割头体、端盘、齿座、截齿等组成。切割头体1由厚合金钢板组焊后加工而成，端盘2用螺钉9紧固于切割头体上，以键3连接传递扭矩。切割头体1靠3个涨套联轴器4装在减速器输出轴上，并用O型密封圈5、防尘圈6、迷宫环7密封，经注油嘴8向其内注入润滑脂。为提高齿座的寿命，齿座由两种金属用特种工艺制成。每个切割头装有48个镐形截齿，截齿的尾部用两个轴用弹簧涨圈固定在齿座中，既可防止截齿脱出，又可使截齿在齿座中自由旋转，均匀磨损。左切割头的截齿排列为右旋转，右切割头的截齿排列为左旋转。这样，在工作时可使切落的煤岩抛向两个切割头的中间，改善了切割时的受力状况和装载效果。

切割头与减速器输出轴连接采用的涨套联轴器，它的内环、外环、前后涨紧环在轴剖面上的接触面均呈楔形。内、外环各断开一个豁口，用于受力涨紧后收缩。涨套联轴器是靠螺钉和垫圈紧压前后涨紧环，涨紧内外环，产生摩擦力传递扭矩。当切割头受到过大的载荷时，涨套联轴器将在内环与轴之间，或在前后涨紧环与内环之间，或在前后涨紧环与外环之间，或在外环与切割头之间自动打滑，起过载保护作用。安装涨套联轴器时，应使用可调力矩扳手，并对螺钉分3次均匀地、对角地拧紧到147N。

该涨套联轴器具有传递扭矩大、对中性好、结构简单可靠、拆装方便，可起过载保护和缓冲作用。

在切割头上按照一定的截线间距焊接有齿座，每个切割头上安装有48个镐型截齿。截齿要求有一定的强度和耐磨性、高温稳定性，其几何参数要能够适应不同煤质的截割要求。

4.回转台

回转台是切割机构的主要组成部件，主要用于连接左、右履带架，支承、连接并实现切割机构的升降和回转运动。回转台的回转座用M30的螺栓和定位弹性涨销，在水平和垂直方向上与左、右履带架连接成一个刚性框架，以承受复杂的交变切割反作用力。

回转台主要由回转座、回转体、水平回转油缸、齿条式活塞杆、升降油缸8等组成。如图7-7所示。

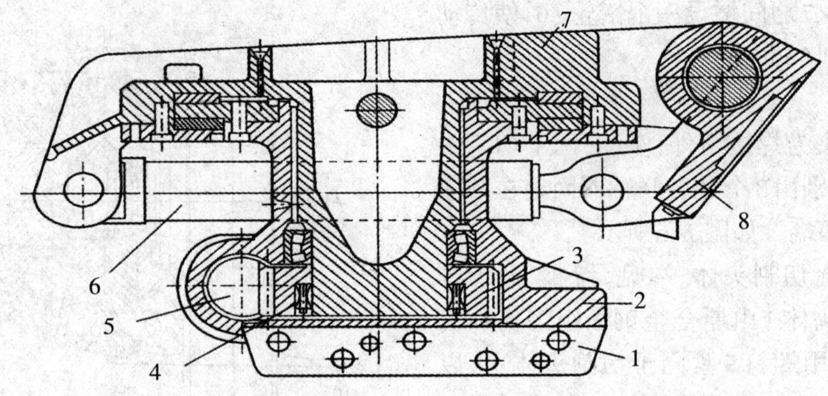

图7-7　回转台

1——底座；2——壳体；3——齿轮；4——涨套联轴器；5——双作用水平液压缸；6——悬臂升降液压缸；7——回转体；8——切割臂

切割悬臂用螺栓与其上的底座相连接。回转体装入回转座内，回转座的上面是一个圆柱形壳体，壳体内装有一个水平布置的齿轮，齿圈内安装着一个涨套联轴器（该涨套联轴器的结构形式和工作原理与切割头内的涨套联轴器相同），齿轮通过涨套联轴器与回转体相连，过载时可自动打滑起保护作用。壳体后方横向设置了一个双作用的水平回转油缸，缸内有两个活塞。两个活塞之间是一个带齿条的活塞杆，该齿条与壳体内的齿轮啮合。

工作时，齿条式活塞杆在活塞的作用下平移，通过啮合齿轮使回转体左、右转动，从而使切割悬臂在水平方向摆动，其摆动角度左、右各36°。升降油缸分别与底座和回转体下耳轴连接，推动切割悬臂绕轴做垂直摆动，从而完成切割悬臂的升降，其最大升角为58°32′，最低下降角为30°30′。升降角度可通过角度指标器显示。

5.起梁装置

起梁装置安设在切割机构悬臂上，用于架托支架的横梁。

（四）装载运输机构

AM-50型掘进机的装运机构包括装载部和中间刮板输送机两部分，这两部分采用了集中驱动的方式。AM-50型掘进机的装载机构和刮板输送机共用一套动力系统。两台11kw的电动机经减速器减速后共同驱动主动链轮转动，经刮板链带动从动链轮转动，再通过联轴器与左右扒爪减速器相连，驱动扒爪运动，使装载与运输联动。装载机构靠左右两个铲板升降油缸，可使铲板前段抬起340mm。

1.装载部

如图7-8。其作用是将截割机构切落下来的煤岩收集，耙装到中间刮板输送机上。铲板是通过销孔和销轴铰接于主机架上，并通过升降液压缸实现上、下摆动的。铲板通过升降液压缸下摆接地后，还可以成为机体的前支点，增加机器的稳定性。

铲板的上部表面从中线向两侧倾斜，前端呈三角形结构减少铲板插入阻力，有利于耙集煤岩。铲板一般宽度为2m，也可以根据使用要求增加至2.5m或3m。当增至2.5m或3m时，可在主耙爪上加装副耙爪，使之达到更佳的装载效果。

耙爪装置采用了曲柄摇杆机构，两曲柄圆盘的中心距为1225mm，曲柄主轴与耙爪减速器之间的密封，采用了迷宫密封和橡胶密封的组合形式。

装载装置的减速器采用了一级弧齿锥齿轮传动，锥齿轮副的轴夹角为98°05′32″±1′。该减速器的特点是：小锥齿轮输入轴通过十字滑块联轴器与刮板输送机的机尾轴连接，两轴之间允许有一定的径向偏差，小锥齿轮轴的前后由两盘单列圆锥滚子轴承支承，提高了安全精度，改善了受力状况，大锥齿轮用螺钉和涨销紧固在曲柄圆盘上，有利于加工和检修。

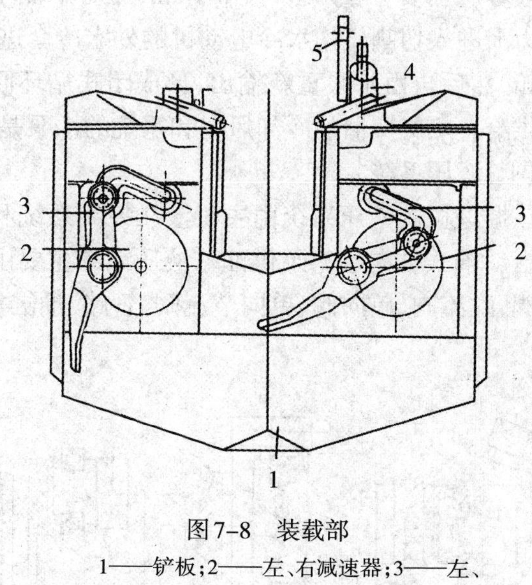

图7-8　装载部

1——铲板；2——左、右减速器；3——左、右耙爪；4——升降油缸；5——销孔

2.刮板输送机

刮板输送机由2台11kw的电动机、刚性联轴器、摩擦离合器、减速器、机头链轮、机尾链轮、刮板链、溜槽等组成。

刮板输送机的减速器为二级圆柱、圆锥齿轮减速器。

电动机与减速器之间是通过多盘式摩擦离合器连接的。该摩擦离合器一方面起联轴器的作用，即通过内、外摩擦片的接触摩擦力传递扭矩，另一方面又可以起过载保护的作用。

摩擦联轴器为干式，在安装使用时要严防油脂玷污。为了提高摩擦片的摩擦性能，内摩擦片两面粘结石棉铜丝层，外片为淬火钢片，内片共9片，外片共11片。在出厂时，摩擦片组要进行成套研磨，并做性能试验。更换时，摩擦片组要成套更换和研磨。

（五）行走机构

AM-50型掘进机采用履带行走机构，左右履带分别由2台15kw的电动机经过左右对称安装在履带架上的减速器减速后，再通过履带链轮驱动履带运动。

履带减速器采用3级圆柱齿轮和一级行星齿轮传动。如图7-4所示，其中太阳轮采用浮动，其轴向位置可进行改变。当太阳轮轴调节到右端位置时，行星轮杆系与太阳轮脱离，以便于整个掘进机由绞车用较快的速度自由拖拽。为避免掘进机在上坡时因为自重而产生下滑，在履带行走机构中设有电磁制动器，可以对履带进行刹车制动。为保证履带的正常工作和维护要求，在履带前段的从动轮处设有柱塞式张紧油缸，实现张紧履带的目的。

机后的稳定器在掘进机截割时可以提高机器的稳定性，减轻机器的振动，提高截割效果。并且可以使掘进机的尾部抬起，以便清理底板或者将履带垫起。机器在正常的切割工作中，可以操纵稳定器贴紧底板；同时操纵装载机构的铲板顶住底板，使机器前段稍微离开底板，让铲板前段作为前支点，这样可以提高机器在切割过程中的稳定性。

（六）冷却喷雾系统

该掘进机的冷却系统有两种型式，开式系统和闭式系统。采用开式系统时，水泵输出的压力水进入切割机构水冷电动机的外水冷套进行冷却后，供给切割悬臂上的11个喷嘴喷出。喷雾所需要水量不少于40L/min,压力不低于1.2~1.5MPa。采用闭式系统时,水泵输出的压力水进入切割机构水冷电动机的外水冷套进行冷却后,返回到水热交换器,经冷却后回到水箱,然后再由水泵重新输出,形成闭式循环回路。此时,外喷雾使用的压力水则由外部单独供给。热交换器的冷却风扇和系统的水泵是由一台单独的液压马达驱动。

(七)液压系统

该掘进机的液压系统由主机液压控制系统和胶带转载机液压控制系统组成开式系统,由一台斜轴式轴向柱塞泵供油。液压系统主要由轴向柱塞变量油泵、油箱、冷却装置、多路换向阀、溢流阀、单向阀、单向节流阀、管路、油缸等组成。如图7–9所示。

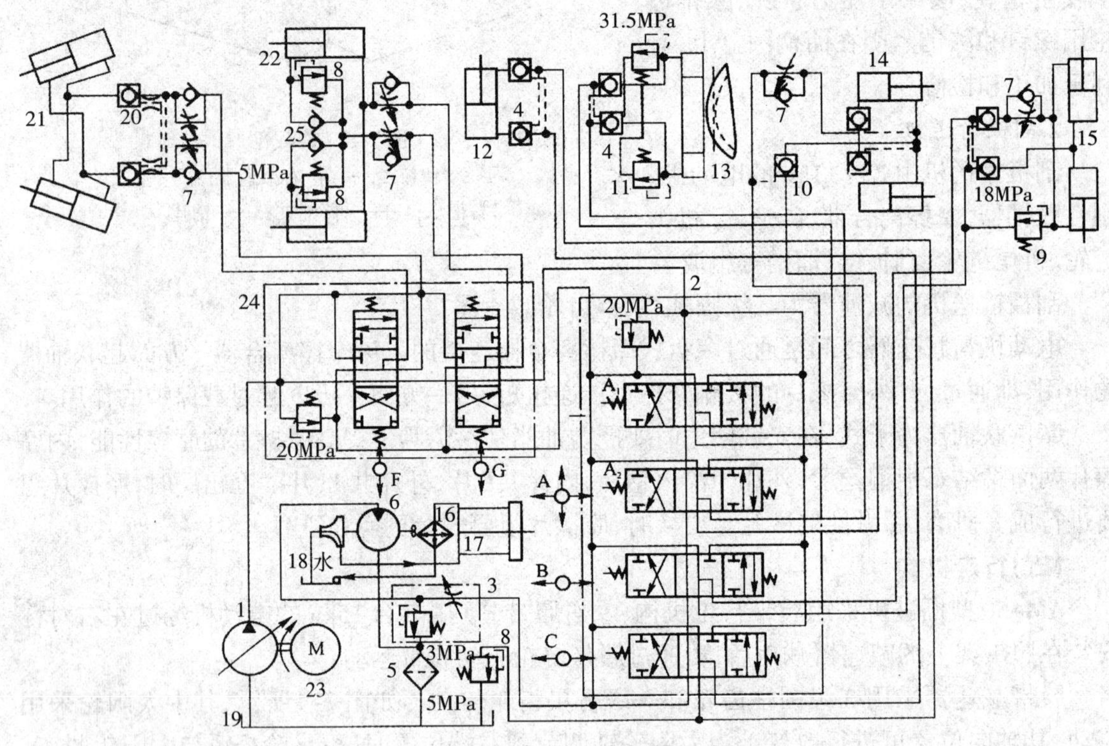

图7–9 AM–50型掘进机的液压系统

1——斜轴式轴向柱塞泵;2——多路换向阀;3——主路流量调节阀;4——液压锁;5——过滤器;6——齿轮液压马达/水泵风扇;7——单向节流阀;8、9、11——溢流阀;10——液控单向阀;12——稳定器液压缸;13——截割机构水平摆动液压缸;14——截割机构升降液压缸;15——铲板升降液压缸;16——冷却器;17——截割机构电动机;18——水箱;19——油箱;20——并联单向阀;21——桥式带式转载机水平摆动液压缸;22——桥式带式转载机升降液压缸;23——液压泵电动机;24——多路换向阀;25——单向阀

轴向柱塞变量油泵装在油箱内,由一台功率为11kw,转速为1470r/min的电动机驱动,向整个液压系统提供压力油。为适应切割头两种不同转速(73.5r/min、88.7r/min)的进给速度要求,可借助于油箱上的回转立轴,调整泵体到两个极限位置,使输出的流量分别达到两种不同转速的对应值(34L/min、40L/min)。泵站的最高工作压力由多路换向阀的溢流阀限定,为20MPa。

当切割机构电动机采用开式回路(图示系统为闭式回路)冷却时,系统回油不经3路流量调节阀而直接经过回油过滤器5返回油箱。当采用闭式回路冷却时,回油先进入3路流量调节阀3,控制供给约2/3的流量,压力为3MPa的液压油驱动液压马达6旋转,拖动冷却用水泵和风扇,然后经回油过滤器5返回油箱。

为使油缸得到自锁性能,提高油缸工作稳定性,各分支回路中均设置液控单向阀(桥式转载机回路除外)。

1.切割悬臂的升降、摆动的控制

切割悬臂的升降和摆动是由四联多路换向阀的手柄"A"按照"A_1"和"A_2"进行控制,手柄的动作方向与切割悬臂运动的方向一致(随动)。当手柄A处于中间位置时,水平摆动油缸13由于液控单向阀的锁紧作用,使截割悬臂固定在一定的回转角度上;升降油缸14也由于液控单向阀的锁紧作用将截割臂固定在一定高度。

为了防止切割悬臂在其管路上万一发生崩裂故障而突然下降,在其升降油缸活塞腔油路中装有液控单向阀7;在其水平摆动油缸的管路中,装有安全用的溢流阀11,对推动回转台的齿条油缸实行过载保护,其调定压力为31.5MPa。

2.装载铲板的升降的控制

装载铲板的升降由手柄"B"进行控制。当手柄B处于中间位置时,铲板升降油缸15在液压锁的锁紧作用下,使铲板固定在一定高度。当操纵手柄"B"使四联多路换向阀2的第三联处于图中左侧位置时,铲板升降油缸15的活塞杆缩回,铲板下降;当操纵该阀处于图中右侧位置时,铲板升降油缸15的活塞杆伸出,铲板升起。

在铲板升降油缸15的活塞杆侧和并联液控单向阀之间装设的单向节流阀9,用来防止装载铲板因自重快速下降。溢流阀9是为了防止切割头突然卡住、机器因惯性而突然撬起,而使油缸活塞杆腔内产生过高压力,引起元件损坏而设的。铲板后部装有碰撞块,切割悬臂下方装有紧固夹板碰撞块,当它们发生碰撞时,溢流阀9打开,铲板下降,避免事故的发生。

3.稳定器油缸的控制

机后稳定器是增加掘进机工作稳定性的辅助装置,用来减轻振动,改善切割效果。

机后稳定器油缸12由手柄"C"进行控制。当操纵手柄"C"使四联多路换向阀2的第四联处于图中右侧位置时,稳定器油缸12的活塞杆伸出,机器后部抬高;当操纵该阀处于图中左侧位置时,稳定器油缸12活塞杆缩回,机器后部下降到底板。

稳定器油缸的活塞杆腔一侧接有溢流阀8,它装在油箱侧壁的分配器底板上,用来防止机器后部抬起时将大块煤岩卡在行走机构电动机之间而将电动机损坏,其调定压力为5MPa。

4.桥式转载机的摆动和升降控制

桥式胶带转载机的液压系统包括水平摆动回路和升降回路。水平摆动和升降分别由两个手柄"F"和"G"分别进行控制。当操纵手柄"F"使二联多路换向阀24的上联处于图中左侧位置时,桥式转载机水平摆动油缸21的左缸活塞杆缩回、右缸活塞杆伸出,转载机向左摆动;当操纵该阀处于图中右侧位置时,转载机向右摆动。当操纵手柄"G"使二联多路换向阀30的下联处于图中左侧位置时,桥式转载机升降油缸22的活塞杆伸出,转载机升起;当操纵该阀处于图中右侧位置时，转载机下降。

为使转载机液压缸获得锁紧、缓慢、平稳的动作，系统中设有单向节流阀7、并联单向节流阀20、溢流阀8和单向阀25。多路换向阀组内设有主溢流阀，其调定压力为20MPa。

（八）电气系统

AM-50型掘进机一般采用6000/660V、50HZ的三相交流供电系统。该系统包括配电站设备和附属设备的电气系统及主机电气系统两大部分。

配电站设备包括500KV干式变压器一台、低压馈电开关一台、照明控制开关一台和低压配电箱一台。附属电气设备包括湿式除尘器电动机、胶带转载机电动机等。

掘进机主机电气设备包括电气控制箱、切割电动机、油泵电动机、装运机构电动机（两台）、行走机构电动机（两台）、照明灯等。从低压配电开关引出一条矿用电缆向电气控制箱供电，供电电压为660V。该电气控制箱分别向各电动机配电。

为便于司机集中操作，低压配电开关的远距离控制旋钮，切割机构、液压系统、桥式转载机电动机的起停旋钮，装运机构电动机的正、反起停旋钮，掘进机左、右向和前进、后退的履带电动机起停旋钮等均安装在司机操纵台上。

二、MRH-S100型掘进机

MRH-S100型掘进机是悬臂纵轴式掘进机。采用履带行走装置实现行走，由可伸缩的纵轴式锥形截割头进行切割，用扒爪式铲板和双链刮板输送机装载，实现掘、装、运连续作业的半煤岩巷掘进机械。该机的切割范围为：高约2.3~4.5 m，底宽约2.5~5.1 m。

图7-10　MRH-S100型掘进机外形图

（一）结构组成及特点

MRH-S100-41型掘进机，主要由切割机构、装运机构、行走机构、转载机构、液压系统、冷却喷雾系统等部分组成。其特点如下：

（1）除切割机构和胶带转载机外，其余各机构均采用液压驱动，具有良好的适应性和过载保护性能。

（2）切割臂可伸缩，除可扩大掘进断面外，还便于挖柱窝，整修巷道顶帮，提高了掘进巷道的质量。

(3)设有3MPa的内喷雾和外喷雾装置,能较好地冷却截齿和提高灭尘效果。

(4)行走机构后部装有两台起重油缸,当检修行走机构或机器因底板松软而下沉时,可用起重油缸将机器抬起。

(5)液压系统设有冷却装置,可保证机器长时工作。行走部油马达采用摩擦片式自动制动装置。

(6)切割臂上设有托梁器,可利用切割臂架设顶梁。

(7)电气控制箱设有各种保护装置,指示灯便于司机观察。切割电动机为单绕组双速电动机。

MRH-S100-41型掘进机的技术特征见表7-2。

表7-2　**MRH-S100-41型掘进机的技术特征**

1.总体	
最大掘进高度	4.5m
最大掘进宽度	5.1m
外形尺寸(长×宽×高)	8.3×2.8×1.8m
总重量	约25t
总功率	145kw
2.切割机构	
切割头形式	圆锥台形
切割头转速	23/46/r/min
切割头伸缩量	500mm
切割电动机功率(高/低速)	150/60kw
切割电动机车转速(高/低速)	1450/750/r/min
3.装运机构	
装载形式	耙爪式
装载能力	约3m³/min
耙装次数	40次/min

表7-2 （续）

中间运输机型式	双边链刮板输送机
链速	0.65m/s
4.行走结构	
行走方式	履带式
行走速度	7.5m/min
爬坡能力	±15°
5.转载机构	
转载运输型式	胶带转载机
转载机长度	18m
6.液压系统	
电机功率(1台)	45kw
三联泵(1台)	齿轮泵
二联泵(1台)	齿轮泵
油马达	6台
油箱容积	350l
油泵工作压力	16~21Mpa
7.喷雾灭尘系统	
喷雾型式	内,外
额定水压	3.0MPa
额定流量	47.8L/min
过滤器精度	100μm
8.电气系统	
电压	660v
总功率	145kw

(二)传动系统

MRH-S100-41型掘进机的传动系统如图7-11所示。

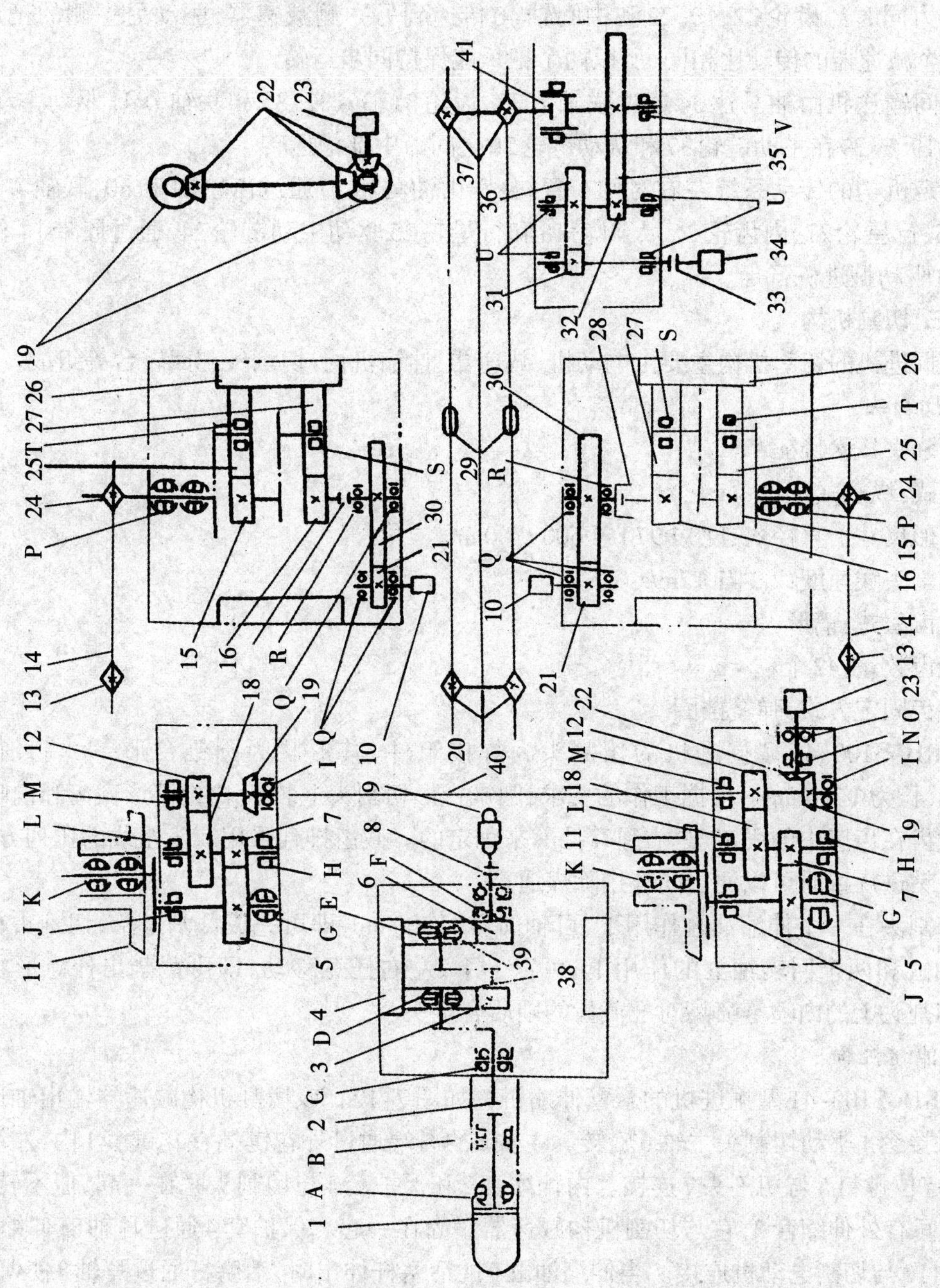

图7-11　MRH-S100-41型掘进机传动系统

1——切割头；2、8、17、28、33、41——联轴节；3、6、15、16——太阳轮；4、26——内齿轮；5、7、12、18、19、21、22、30、31、32、35、36——齿轮；9——电动机；10、23、34——油马达；11——耙爪；13——从动链轮；14——履带；20——从动链轮；24——主动链轮；25、27、38、39——行星轮；29——圆环链；37——主动链轮；40——中间轴

切割机构由切割电动机9通过联轴节8、太阳轮6、行星轮39、内齿轮4、太阳轮3、行星轮38和联轴节2驱动切割头1进行切割。

装载机构的传动系统由油马达23经齿轮22、19、12、18、7和5驱动一侧的耙爪11。油马达的动力同时经齿轮22、19、22和中间轴40传递到另一侧减速器,驱动另一侧的耙爪11。左右两个减速器的传动比相同,所以两个耙爪能保持同步运转。

中间输送机由油马达34通过联轴节33,齿轮31、36、32、35和联轴节41驱动主动链轮37,使刮板链29在主动链轮37和从动链轮20之间沿中部槽运转。

行走机构的传动系统左右对称布置,分别由油马达10通过齿轮21和30、联轴节28、太阳轮16、行星轮27、内齿轮26、太阳轮15和行星轮25驱动主动链轮24,通过履带14和从动链轮13驱动掘进机行走。

(三)切割机构

该掘进机的切割机构主要由电动机、减速器、伸缩机构、切割头和回转台等组成。

1.切割头

切割头技术特征:

型式:纵轴式

外形尺寸:(直径×长度)Φ970-Φ600×700mm

切割头线速度:2.24/1.12m/s

截齿型式:镐形

截齿数量:42个

截齿固定方式:弹簧挡圈

MRH-S100-41型掘进机的切割头为焊接组件,其形状为圆锥台形,大端直径为Φ600mm,长为Φ700mm。根据工作的要求,圆锥台形切割头上装有42把镐形截齿和内喷雾水嘴。截齿在齿座中的固定,是靠弹簧挡圈来固定的。截齿排列采用双头粗线的排列方式,目的在于钻进煤壁时可以便于向外排除煤屑。

切割头在一个伸缩油缸作用下,可轴向伸缩500mm,即可完成截割进给;切割头在两个升降油缸和两个回转油缸的作用下,可以上下、左右任意移动,即可截割出任意形状的断面。切割头上的内喷雾喷嘴对准截齿的硬质合金头。

2.伸缩机构

MRH-S100-41型掘进机的悬臂伸缩机构如图7-12。该切割机构减速器输出轴通过内花键联接套1驱动切割头主轴6旋转。主轴6的右端通过外花键插在花键套1内,左端通过花键、定位螺钉5与切割头7连接。内伸缩套2和保护套4与切割头联在一起,但不转动。2和4之间有外伸缩套3,它与切割机构减速器紧固在一起。保护套4通过耳轴8、伸缩油缸9和销轴10与切割电动机连接。当伸缩油缸9的活塞杆伸出时,活塞杆通过耳轴8使保护套4及与其连成一体的切割头7、内伸缩套2沿外伸缩套3为导轨,推动切割头前移,切入掘进工作面。为保持摩擦表面的润滑,在保护套4及外伸缩套3上设有注油孔。为避免煤尘落入伸缩机构内,在与保护套4连接的端盖内,装有浮动密封装置。

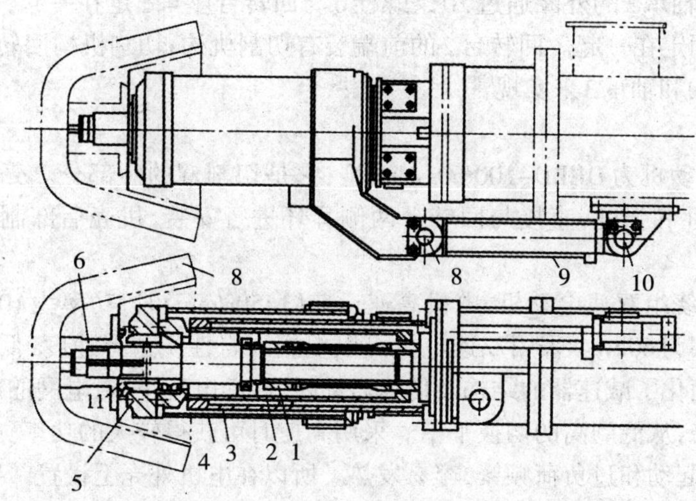

图7-12　MRH-S100-41型掘进机的悬臂升缩机构

1——花键；2——内伸缩套；3——外伸缩套；4——保护套；5——定位螺钉；6——主轴；7——切割头；8——耳轴；9——伸缩油缸；10——销轴；11——浮动密封装置

该伸缩机构为花键套筒式，也称内伸缩式，伸缩行程为500mm。其特点是结构紧凑，外形尺寸小。

3.切割机构减速器

MRH-S100-41型掘进机切割机构的减速器采用两级行星齿轮传动，具有结构紧凑，传动比大的特点。切割电动机经过一个联轴节和两级行星齿轮减速，再经花键联轴器把转矩传递给切割主轴，从而带动切割头工作。

该减速箱采用飞溅润滑方式，一次注油量为13.5升。

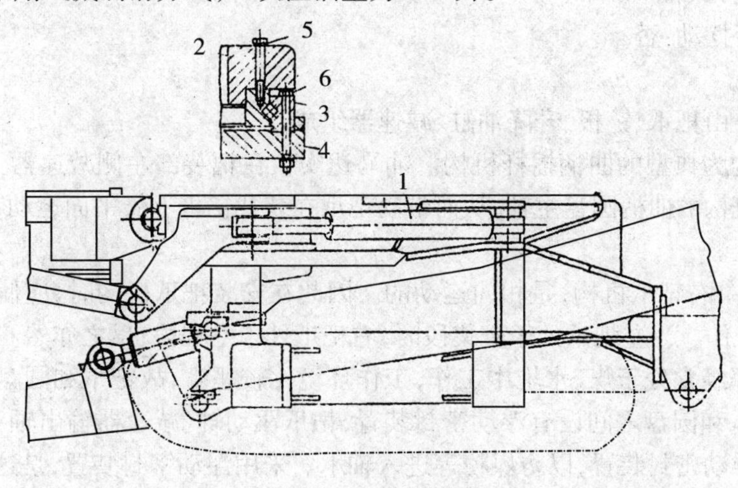

图7-13　回转台

1——回转油缸；2——回转台；3——轴承；4——回转台座；5——螺钉；6——螺栓

4.回转台

MRH-S100-41型掘进机的回转台如图7-13，主要由回转台2和回转台座4组成。回转台座4用螺栓固定在主机架上。轴承3是特殊设计的单列向心推力滚柱轴承，能承受较大的径向力和轴向力。轴承3的外圈通过20条螺栓6与回转台座4固定在一起,内圈通过29条螺钉5与回转台2固定在一起。回转台2的前端装有切割机构,切割机构回转动作通过回转油缸1(左右各一个)和轴承3来实现。

5.电动机

切割机构的电动机为DEBD–100/60–4/8S型,它是切割臂的一部分。壳体用厚钢板制造,具有充分的刚性和强度,直接与回转台两侧耳环进行安装,机壳后部制成中心跨度为800mm的孔臂。

该电动机为单绕组双速电动机,电机高速运转(1450r/min)时,功率为100kw;低速运转(750 r/min)时,功率为60kw。采用双速电机可以根据围岩性质选择速度,低速时可以得到较高的转矩,同时简化了减速器的结构且低速启动时,启动电流小,对电网的冲击减小,电压降低;低速启动平稳,从低到高的切换平稳。采用高速时可获得较大的功率。

切割电机由于起动和过负荷频繁,容易发热。所以在电机外壳上设置了导水外套,进行水冷;同时该电机采用了两组热敏电阻保护,当电机温度达到140℃时,指示灯亮,当温度达到170°C时,电动机自动停止运转。

(四)装运机构

该掘进机的装运机构主要由装载部分和中间运输部分组成,这两部分采用了分别驱动的方式。

1.装载部分

装载部分主要由油马达、减速器、耙装部等组成。其技术特征为:

驱动方式:油马达(1台)

驱动功率:16kw

铲煤板宽度:2.8M

铲煤板是否摆动:否

(1)耙装部:

耙装部主要由耙爪、铲板、升降油缸、减速器组成。

该耙装机构为典型的曲柄摇杆机构。油马达安装在耙装部左侧减速器上,经过三级减速后驱动耙爪机构的曲柄圆盘主轴,从而带动耙爪在装载铲板上做平面运动,将煤收集并装到中间运输机上。

耙装部的左、右耙爪机构,是相向运动的。因此在安装耙爪机构时,应使两个耙爪相差180°互相交替工作。当左耙爪处于耙集段时,右耙爪处于空程段;反之亦然。

由于耙装部经常处于煤、水堆中工作,工作环境比较恶劣,故耙爪和圆盘之间的密封十分重要。在耙爪和圆盘之间设有浮动密封装置,耙爪驱动轴(减速器输出轴)和减速器的轴承盖之间设有浮动密封装置,以防煤粉等进入轴承。采用浮动密封装置,是这种掘进机的特点之一。

(2)减速器:

由图7–11可知,耙装部的减速器是通过三级减速(一级圆锥齿轮传动,两级圆柱齿轮传动)来驱动耙爪的,两个减速器的传动比相同,两个耙爪的耙集次数相同,均为40次/min。耙装部减速器一次注油量为18升。

2. 中间运输部分

中间运输部分主要由油马达、减速器、主动链轮、从动链轮、刮板链、溜槽和张紧装置等组成。

中间输送机位于机体中央上部，前端与装载部分的溜槽相连，是双边链刮板输送机。其驱动机构位于卸载端，由单独的油马达驱动。油马达经齿轮两级减速，再经链轮轴驱动主动链轮运转，从而驱动刮板链运转，把装载机构运来的煤岩沿溜槽运至其后的转载机。当需要紧链时，可通过链轮轴两端的紧链器、螺母进行调节。中间输送机减速器一次注油量为5升。

刮板链为圆环链，为Φ14×50，其链节距为55mm，刮板长度为468mm，刮板间距为440mm。固定刮板的螺栓为M16×66，连接环为该机专用件。

（五）行走机构

该掘进机的行走机构为履带式，主要由油马达、行星轮减速器、履带架、从动轮、从动链轮、支重轮、履带和张紧装置组成。用以实现整机的行走、爬坡、转向等动作。

左右两个行走装置结构相同，对称布置，其驱动装置位于行走装置尾部，由两台油马达分别驱动。油马达通过减速器和主动链轮使履带在主动链轮和从动链轮之间运转，从而驱动掘进机行走。该掘进机的行走适应坡度在±15°范围内。

为保证行走履带具有一定的张紧力，在两侧履带架上均设置了履带张紧机构。履带张紧装置与从动链轮相连，张紧油缸的活塞杆处于伸出状态时，通过弹簧将从动链轮向外推，使履带始终处于合适的张紧状态。弹簧可以缓冲和吸收冲击载荷。

行走机构减速器为三级齿轮传动减速器，第一级为圆柱齿轮减速，第二、第三级为行星齿轮减速。油马达经过3级减速后带动链轮轴和主动链轮运转，从而驱动掘进机行走。该减速器一次注油量为14升。

（六）转载机构

该转载机构采用的是吊挂式胶带转载机，布置在中间输送机之后。胶带由一台7.5kw电机驱动，把来自中间输送机的煤岩转载到机后的运输系统。

（七）冷却喷雾系统

该掘进机的冷却喷雾系统如图7–14所示。

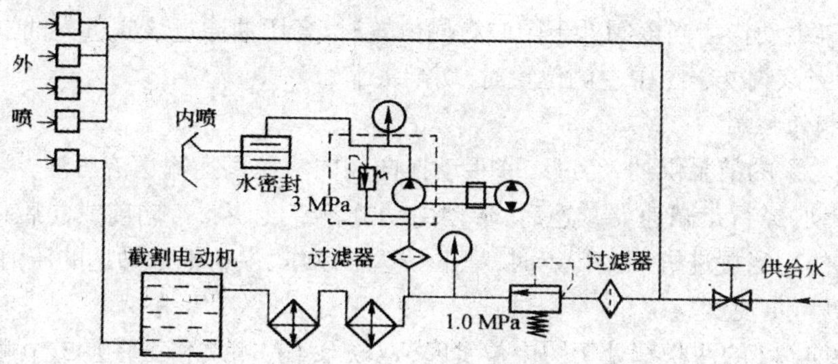

图7–14　冷却喷雾系统

切割电动机的冷却为循环水冷却方式。循环水用水冷却器进行冷却，电动机的冷却供水量在20L/min以上。当切割电动机冷却水流量低于20升/分时，流量开关自动动作，指示灯熄灭。

切割头为内外喷雾,内喷雾是通过柱塞式喷雾泵将水压上升到3.0MPa时喷出,外喷雾是将供的冷却水直接经水嘴喷出。内喷雾其灭尘和冷却截齿的作用,外喷雾只起灭尘作用。

(八)液压系统

该掘进机除切割机构切割头用电动机驱动外,其余装运机构、行走机构、装载铲板的升降及切割头的伸缩与升降、左右摆动等都采用液压传动。液压系统由油泵(一台三联泵5和一台双联泵4)、控制阀组、油缸、油马达、油管、过滤器及冷却器等组成。液压系统如图7-15。三联泵和双联泵由一台45kw的电动机22驱动,分别向装载机构油马达9、中间输送机油马达8、喷雾泵油马达7、行走机构油马达11、水泵油马达17及各种油缸12、13、14、15、16供油,油箱容积为350升。

液压系统的操纵台,设在司机座位的对面,通过操纵各个手柄,可控制掘进机的各种动作。

在控制油缸的各换向阀的进油回路中,均设置了锁紧单向阀。其目的是为了防止油缸活塞杆因某种原因而产生自行移动时,可使系统有效地锁紧。

1.切割头伸缩、升降及回转的控制

(1)切割头升降的控制:

当八联换向阀3的第一联(从下往上数)处于图中位置时,双联泵4左侧泵排出的高压油不能通过该阀,升降油缸16不动作。当该阀处于图中右侧位置时,高压油通过该阀进入油缸16的下腔,切割头升起。当该阀处于图中左侧位置时,切割头下降。

(2)切割头回转的控制:

当八联换向阀3的第二联处于图中位置,双联泵4左侧泵排出的高压油不能通过该阀,切割头不摆动。当该阀处于图中右侧位置时,高压油通过该阀进入左右摆动油缸15的左腔和右腔,切割头向右摆动。当该阀处于图中左侧位置时,高压油进入油缸15的右腔和左腔,切割头向左摆动。

(3)切割头伸缩的控制:

当八联换向阀3的第三联处于图中位置时,双联泵4左侧泵排出的高压油不能通过该阀,伸缩油缸14不动作。当该阀处于图中右侧位置时,高压油通过该阀进入油缸14的左腔,切割头伸长。当该阀处于图中左侧位置时,切割头缩短。

2.行走机构的控制

由二联齿轮泵的前泵供油,经过二联手动换向阀向液压马达输送液压油,液压马达按照给定的速度转动,经行走减速器减速后,带动主动链轮旋转使履带向前或向后移动,实现掘进机行走的目的。当掘进机调车行走时,耙爪马达不动作,供给耙爪马达的压力油将转供给行走马达,提高行走速度。

当双联换向阀1的两联都处于图中位置时,双联泵4右侧泵和三联泵5右侧泵排出的高压油不能通过该阀,只能经溢流阀回油箱,两个油马达11都不运转。当该阀处于图中右侧位置时(两个手柄同时向前推),高压油通过该阀进入两个油马达11,驱动掘进机后退。当掘进机前进或后退(该阀处于右侧或左侧位置)时,高压油同时通过单向阀顶开油马达的弹簧制动闸10,使其松闸;当掘进机停止行走(该阀处于图中位置)时,弹簧的张力使油马达转子制动,防止掘进机自行下滑。该双联换向阀的调定压力为16.32MPa。

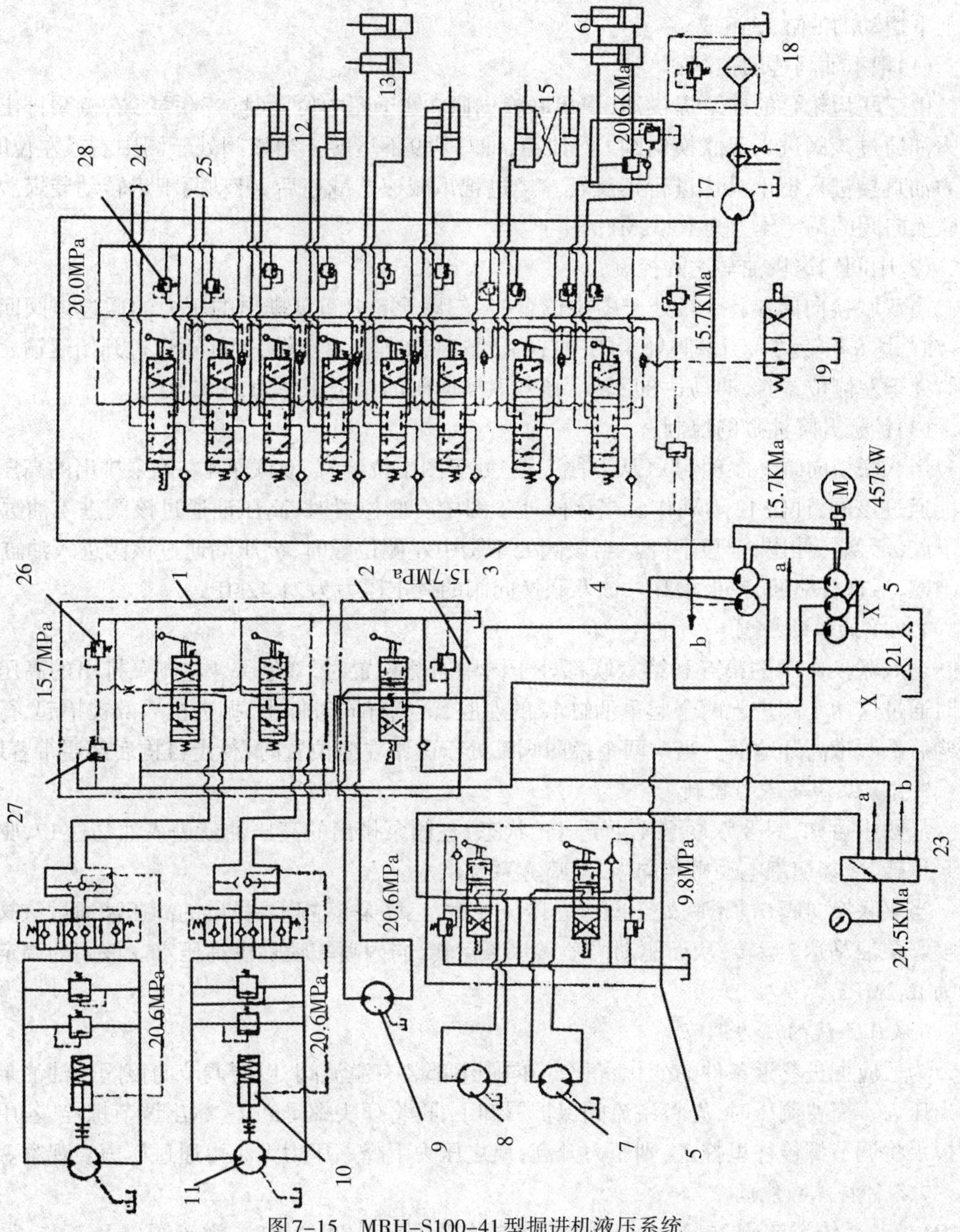

图7-15　MRH-S100-41型掘进机液压系统

1——双联向阀;2——单联换向阀;3——八联换向阀;4——双联油泵;5——三联油泵;6——双联换向阀;7——喷雾泵油马达;8——中间输送机油马达;9——耙装油马达;10——弹簧制动闸;11——行走油马达;12——起重油缸;13——铲板升降油缸;14——切割头伸缩油缸;15——切割头回转油缸;16——切割头升降油缸;17——水泵油马达;18——油冷却器;19——电磁阀;20——分配齿轮;21——油箱;22——电动机;23——选择阀;24——锚钻机;25——备用油路;26——工作压力溢流(共5个);27——压力调节阀(卸荷阀);28——安全阀(共15个)

3.装运机构的控制

装运机构的液压控制装置由驱动耙爪的油马达9、驱动中间输送机的油马达8和控制铲板上下摆动的油缸13组成。

(1)耙爪油马达的控制:

由三联齿轮泵的前泵提供油,当单联换向阀2处于图中位置时,三联泵5右侧泵排出的压力油通过该阀进入双联换向阀1回油箱,油马达9不运转。当该阀处于图中右或左位时,压力油直接进入耙爪马达进行正反转。经过耙爪减速器减速后,带动两耙爪转动装煤。该单联换向阀的调定压力为16.32MPa。

(2)中间输送机油马达的控制:

当双联换向阀6上一联处于图中位置时,三联泵5中间泵排出的压力油通过该阀回油箱,油马达8不转动。当该阀处于图中右侧位置时,油马达8正转,中间输送机开始运输。当该阀处于左侧位置时,油马达8反转。该双联换向阀的调定压力为21.42MPa。

(3)铲板升降油缸的控制:

当八联换向阀3的第四联(从下往上数)处于图中位置时,双联泵4左侧泵排出的高压油不能通过该阀,油缸13不动作。当该阀处于图中右侧位置时,高压油通过该阀进入油缸13的下腔,活塞杆伸出,铲板下降。当该阀处于图中左侧位置时,高压油通过该阀进入油缸13的上腔,活塞杆缩回,铲板抬高。该八联换向阀的调定压力为21.42MPa。

4.起重油缸的控制

当八联换向阀的第五和第六联都处于图中右侧位置时,双联泵4左侧泵排出的高压油同时通过这两个阀进入两个起重油缸12的左腔,活塞杆同时伸出,掘进机后部被抬起,行走机构后部履带离开地面。当这两个换向阀都处于图中左侧位置时,行走机构后部履带着地。

5.喷雾泵油马达的控制

从图中可知,只要双联泵4处于运转状态,左侧泵排出的高压油就进入油马达17,驱动水泵运转,冷却切割电动机和向内、外喷雾系统供水。

当双联换向阀6的下联处于图中右侧位置时,三联泵5左侧泵排出的高压油通过该阀驱动喷雾泵油马达7运转,从而驱动内喷雾水泵运转,向内喷雾喷嘴供高压水。该阀的调定压力为10.2MPa。

6.液压系统的压力调节

为适应掘进巷道条件的变化,每个换向阀组都装有溢流阀,以便调节向该阀供油油泵的输出压力。需要调压时,先将溢流阀保护罩卸下,再将死头螺母卸下,露出调节螺栓,若用六方扳手将调节螺栓往里拧入,则压力升高;反之压力下降。压力大小可通过压力表观察。

7.各种特殊功能阀

(1)各系统溢流阀26:当各个系统手动操作阀处于中间位置时,溢流阀26不工作,油液直接回油箱,各个齿轮泵空转,减少发热。当各个系统的手动操作阀处于工作位置时,溢流阀开启,释放部分油液,保持进油管路中15.7MPa的压力,确保工作机构完成规定的动作。该阀是决定系统工作压力的唯一元件。

(2)卸荷阀27:当各系统手动换向阀处于中间位置时,由于两端油压压差较大,可以使齿轮泵的出口液压油直接通入油箱，减少齿轮泵口工作负荷和油液发热。当手动换向阀处于工作位置时，卸荷阀17基本不开启、不工作。

(3)安全阀28：当各液压回路正常工作时，安全阀不动作。当溢流阀26出现故障时，回路压力急速上升，达到20.6MPa时，安全阀开启，保护液压系统各元件。

(九)电气系统

1.电气系统的组成、结构及参数

MRH-S100-41型掘进机电气系统由电气开关阀、电气操作箱、截割电动机、液压泵电动机、第二输送机电动机、蜂鸣器、紧急闭锁停止按钮、照明灯、电磁阀等组成。电源及电动机工作电压为三相交流660V。

(1)电动机：

①切割电动机：

切割电动机为隔爆型双速水冷电动机，型号为DEBD-100/60S，供电电压为交流660V，额定功率为100/60kw。定子内具有双套绕组，当电动机工作在低速时，双绕组串联，构成三角形连接，此时为8极，电动机转速为720r/min；当电动机工作在高速时，双绕组并联，构成星形连接，此时电动机为4极，转速为1450r/min。定子绕组内部有两个热敏电阻RT1和RT2，用于检测截割电动机定子绕组的工作温度。电动机采用循环水冷却方式。

②液压泵电动机(M3)：

液压泵电动机为隔爆型电动机，供电电压为交流660V，额定功率为45kw，电动机为4极，转速为1450r/min，冷却方式为强迫风冷式。专为二联泵和三联泵提供动力。

③第二输送机电动机(M1)：

第二输送机为带式转载机，其电动机为隔爆型电动滚筒，供电电压为交流660V，额定功率为7.5kw。

(2)电气开关箱：

电气开关箱为隔爆兼本质安全型电气设备，其隔爆壳体使用钢板焊制。壳体分上腔和下腔，下腔为主腔，大部分电器元件安装其中；上腔为接线腔，通过接线嘴用电缆与电源、负载及其他元器件相连接。其供电电压为交流660V，额定功率为152.5kw，额定电流166A。

电气开关箱位于掘进机机体部的左后方，整体为长方形，箱门和上盖用螺栓与箱体紧固。箱门下部与箱体用合页铰接，打开时可向下翻转90°便于检修、检查。箱门与电源总开关有机械锁，只有在电源开关处“停电”位置时才能打开。

主腔内芯子分为壳芯装配和门芯装配两个部分。壳芯装配有两块安装板，分别由螺栓安装固定在开关箱壳体上，安装板上安装有电源总开关——自动空气断路器K，5个电动机的控制开关——交流接触器(KM1、KM2、KM3、KM4、KM5)，以及电流互感器(TA1、TA2)、控制变压器(TC1)、保险(FU)、过热继电器(K1、K2、K3、K4)、辅助继电器(KA1-KA26)和时间继电器(KT1、KT2)等开关元件。

门芯装配又分为中门装配和前门装配。中门装配有中间继电器、整流电源、负荷监测器等控制元器件，此门可向一侧打开；前门装配是装在门体上，主要是显示和指示仪表及指示灯。

①开关元件:

a.电源总开关(K):电源总开关为一台自动空气断路器K,当断路器闭合时,开关箱及操作箱的电源指示灯亮,当掘进机需要检修停电时,拉开断路器,掘进机全部无电。当电气开关箱主电路发生短路时,断路器K将自动跳闸。如需要再次闭合,则需要将故障处理完成后,将手把复位才能闭合送电。

b.交流接触器(KM):交流接触器KM作为各电动机启停控制开关,是通过操作箱上的启停按钮进行控制各电动机的运转或者停止。KM1控制第二输送机,KM2、KM3、KM4控制截割双速电动机,KM5控制液压泵电动机。

②保护元件:

a.过流断电器(K1-K4):过流断电器K1-K4用于电动机过载保护。当电动机发生过负荷时,经一定延后过流继电器输出接点打开,交流接触器KM吸合线圈失电跑闸,电动机停止,防止烧毁电动机。过流继电器K1-K4附有电流设定值调整旋钮,应按电动机功率进行设定,否则起不到保护电动机的作用。

过流继电器K1-K4选用过热保护式继电器,当负荷电流大于设定值时,热元件使继电器输出接点打开,当解除负荷等原因后,可自动复位闭合。待闭合3min后,方能再次启动运转。

b.电动机超温保护器(A2、A3):当开关箱送电后,截割电动机的定子绕组内的两只热敏电阻(RT1、RT2)随时检测定子绕组的工作温度。其中RT1为140°C热元件,RT2为170°C热元件。当绕组温度高达140°C时,温度继电器A2动作,系统报警;当达到170°C时,温度继电器A3动作,系统将电动机回路跑闸断电,以保护电动机绕组不被破坏。

(3)截割电动机负荷监测及负荷保护装置:

当截割电动机负荷达到额定功率的75%、100%、125%时,功率显示装置便会显示出来,便于观测。当负载达到150%时,油路控制电磁阀降低进给速度或停止进给;当负荷达到200%延时10S,截割电动机电源就会被自动切断,使其停转。

(4)显示装置:

电气开关箱上有显示灯表示,操作箱门上的显示灯表示操作动作。

(5)操作箱及其附件:

操作箱为隔爆型电气设备,其防爆壳用钢板焊制,壳体分为前腔和后腔。后腔为接线腔,通过进线嘴用30芯电缆和电气开关箱相连,其供电电压为24V,额定电流为10A;前腔为主腔,装配有截割电机、第二输送机电动机的启停控制按钮及截割报警、信号、紧急停止按钮,截割高低速切换开关,第二输送机单联动切换凸轮开关和操作运行显示灯。

附件有:

紧急停止按钮:紧急停止按钮共两只,一只为总急停按钮(SA1),安装在机器右侧油箱前部;另一只为截割急停按钮(SA2),安装在司机席的前部,均为隔爆结构型并能自锁,型号为AB-1,其额定电流为10A。

蜂鸣器(HO):蜂鸣器为隔爆型,型号为XDFB-127V/150,供电电压为127V,位于机体右侧的油箱前部，在操作箱上按动警铃后，警铃发出警报声，当截割电动机启动时，警铃就自动停止。其主要用于掘进机截割前发出警报，提示机上、机下人员远离掘进机，以防出现危险。

电磁阀(YV)：电磁阀为隔爆型，供电电压为AC127V，位于机体右侧的油箱后部，当截割电动机的负荷达到设定值的150%时，该电磁阀动作，使截割头进给运动停止，使电动机的负荷降低。降低负荷3s钟后，又自动恢复原进给运动。

照明灯(HL1、HL2、HL3)：照明灯为隔爆型，前面两只，后面一只，共3只，型号为KBZ-60，其供电电压为AC24V，主要用于掘进机截割时前部照明和后部照明。

限位开关(A7)：限位开关位于司机席下面，其接点接入本质安全型电路，本安电路开路电压为1.6V，短路电流为2.8MA，其作用是在正转的情况下，可以使第一和第二输送机联动。

2.电气系统的控制功能

电气系统的控制功能分为保护功能、联锁功能和显示功能。

(1)保护功能：

①失压保护。

②短路保护。

③各电动机的过载保护。

④截割电动机的过热保护。

⑤截割电动机运行负荷监测及过负荷保护。

(2)联锁功能：

①电气开关箱的电源总开关与前门具有坚固可靠的机械联锁装置。

②截割电动机高、低速接触器间具有电气联锁。

③截割电动机启动“报警”只有当液压泵启动后才能发出。

④截割电动机启动前必须发出“报警”信号，“报警”5s后截割电动机才能启动，截割电动机启动后，报警自动停止。

⑤截割电动机可以进行低速运行，也可进行高速运行。当“高低速转换”开关指向“低速”时，截割电动机低速运转，截割头转速为23r/min；当“高低速转换”开关指向“高速”时，截割电动机启动后先低速运转5s后自动转换为高速运转，截割头转速为46r/min。

⑥系统可实现第二输送机的单独启动和停止，也可和第一运输机联动。当“单联转换”开关指向“单向”时，第二输送机可以单独启动、停止；当“单联转换”开关指向“联动”时，第二输送机启动、停止按钮失去作用。当第一输送机正转时，第二输送机随之运转；当第一输送机反转时，第二输送机不随之运转。

(3)显示功能：

①电气系统电源显示；

②各电动机的启动显示；

③截割电动机的运行状态显示(高速低速)；

④各电动机的过载显示；

⑤截割电动机的工作负荷显示；

⑥截割电动机的超温显示；

⑦截割电动机的工作电流显示；

⑧截割电动机和液压泵电动机的工作时间显示；

⑨供电电源的电压显示；

⑩当巷道瓦斯含量超过定值时，由甲烷断电仪提供信号，可使电气系统空气自动断路器跳闸、停电；当瓦斯含量达到报警规定值时，系统显示“瓦斯报警”。

三、EBJ-120TP型掘进机

EBJ-120TP型掘进机是煤炭科学研究总院太原分院在总结国内外同类机型优缺点的基础上，积累多年研制掘进机的经验，最新开发、设计、制造的一种悬臂式部分断面掘进机。该机主要特点是结构紧凑、适应性好、机身矮、重心低、操作简单、检修方便。

（一）使用条件及用途

EBJ-120TP型掘进机是为煤矿综采及高档普采工作面巷道掘进服务的机械设备，主要适用于煤及半煤巷的掘进，也适用于条件类似的其他矿山及工程巷道的掘进。该机可经济切割单向抗压强度≤60MPa的煤岩，适应巷道断面9m²~18m²，可掘巷道最大宽度（定位时）5m，最大高度3.75m，可掘任意断面形状的巷道，适应巷道坡度±16°。该机后配套转载运输设备可采用桥式胶带转载机和可伸缩带式输送机，实现连续运输，以利于机器效能的发挥。

（二）结构特点

EBJ-120TP型掘进机主要由切割机构、装运机构、行走机构、机架和回转台、液压系统、冷却喷雾系统及电气系统部分组成。

EBJ-120TP型掘进机的特点如下：

（1）机身矮，结构紧凑，适合于中等断面巷道的掘进。

（2）采用小直径的切割头，单刀力大，破岩能力强，切割稳定性好。

（3）采用新工艺生产的截齿，其强度高、耐磨、损耗小。

（4）采用液压马达直接驱动行星轮装载机构，取消了减速器，提高了装载机构的可靠性。

（5）采用无支重轮履带行走机构，性能可靠，维护量小。

（6）液压系统采用自动补油系统、全封闭油箱，确保了油液清洁度。

（7）电气系统采用了可编程控制器（PLG），并采用电子保护和断路器保护相结合的方式，保护功能强。

（8）设置了独立的液压锚杆钻机动力源，可以同时驱动两台锚杆钻机，省去了锚杆钻机自身配置的动力源。

EBJ-120TP型掘进机主要技术参数，见表7-3。

表7-3　EBJ-120TP型掘进机的技术参数

<table>
<tr><td colspan="3">1.总体参数</td></tr>
<tr><td colspan="2" rowspan="3">外形尺寸</td><td>长8.6m</td></tr>
<tr><td>宽2.1m</td></tr>
<tr><td>高1.55m</td></tr>
<tr><td colspan="2">机重</td><td>35t</td></tr>
<tr><td colspan="2">总功率</td><td>190kw</td></tr>
<tr><td colspan="2">可掘巷道断面</td><td>9m²~18m²</td></tr>
<tr><td colspan="2">最大可掘宽度</td><td>5.0m</td></tr>
<tr><td colspan="2">最大可掘高度</td><td>3.75m</td></tr>
<tr><td colspan="2">适应巷道坡度</td><td>± 16°</td></tr>
<tr><td colspan="2">供电电压</td><td>660/1140v</td></tr>
<tr><td colspan="3">2.切割部</td></tr>
<tr><td rowspan="3">电动机</td><td>型号</td><td>YBUS3-120</td></tr>
<tr><td>功率</td><td>120kw</td></tr>
<tr><td>转速</td><td>1470r/min</td></tr>
<tr><td rowspan="3">切割头</td><td>转速</td><td>55r/min</td></tr>
<tr><td>截齿</td><td>镐形</td></tr>
<tr><td>最大摆动角度</td><td>上42°，下31°，左右各39°</td></tr>
<tr><td colspan="3">3.装载部</td></tr>
<tr><td colspan="2">装载形式</td><td>三爪转盘</td></tr>
<tr><td colspan="2">装运能力</td><td>180m³/h</td></tr>
<tr><td colspan="2">铲板宽度</td><td>2.5m/2.8m</td></tr>
<tr><td colspan="2">铲板卧底深度</td><td>250mm</td></tr>
<tr><td colspan="2">铲板抬起</td><td>360mm</td></tr>
<tr><td colspan="2">转盘转速</td><td>30r/min</td></tr>
<tr><td colspan="3">4.刮板输送机</td></tr>
<tr><td colspan="2">运输形式</td><td>边双链刮板</td></tr>
<tr><td colspan="2">槽宽</td><td>510mm</td></tr>
<tr><td colspan="2">链速</td><td>0.93m/s</td></tr>
<tr><td colspan="2">锚链规格</td><td>18mm × 64mm</td></tr>
<tr><td colspan="2">张紧形式</td><td>黄油缸张紧</td></tr>
<tr><td colspan="3">5.行走部</td></tr>
<tr><td colspan="2">行走形式</td><td>履带式</td></tr>
<tr><td colspan="2">行走速度</td><td>3m/min；6m/min</td></tr>
<tr><td colspan="2">履带板宽度</td><td>500mm</td></tr>
<tr><td colspan="2">张紧形式</td><td>黄油缸张紧</td></tr>
<tr><td colspan="2">制动形式</td><td>摩擦离合器</td></tr>
</table>

表7–3 （续）

6.液压系统		
系统额定压力		
油缸回路		16Mpa
行走回路		16Mpa
装载回路		14Mpa
输送机回路		14Mpa
锚杆钻机回路		≤10Mpa
系统总流量		450 L/min
泵站三联齿轮泵流量		50/50/40 ml/r
泵站双联齿轮泵流量		63/40 ml/r
锚杆泵站双联齿轮泵流量		32/32 ml/r
泵站电动机	型号	YB250m–4
	功率	55kW
	转速	1470r/min
锚杆泵站电动机	型号	YB160L–4
	功率	15kW
	转速	1470r/min
油箱	有效容积	610L
	冷却方式	板翅式水冷却器
油缸数量		8个
7.喷雾冷却系统		
灭尘形式		内、外喷雾
供水压力		3Mpa
外喷雾压力		1.5Mpa
流量		63L/min
冷却部件		切割电动机、油箱
8.电气系统		
供电电压		660/1140v
总功率		190kW
隔爆形式		隔爆兼本制安全型
控制箱		本质安全型

(三)切割机构

该掘进机的切割机构主要由切割电机6、叉形架5、切割头1、切割悬臂2、二级行星减速器3等组成。

切割头装在切割悬臂的前端,切割悬臂的左端与减速器连接;减速器的另一端经齿轮联轴节与电动机连接。120kw的水冷电动机把动力经齿轮联轴节传至二级行星减速器、再经切割悬臂传给切割头,从而达到破碎煤岩的目的。

整个切割机构通过一个叉形架、两个销轴铰接于回转台上。借助安装于切割机构和回转台之间的两个升降油缸,来实现切割机构的升、降,切割机构最大摆动角度向上为42°,向下31°;两个回转油缸安装于回转台和机架之间,在两个回转油缸的作用下,可使切割机构在±39°的范围内水平摆动。司机在工作面通过操纵升降油缸和回转油缸,便可切割出任意形状的断面。

该机切割头有大、小两种规格。小切割头最大外径Φ700mm,在其周围安装有27把强力镐形截齿,由于其破岩过断层能力强,故主要用于半煤岩巷道的掘进;大切割头最大外径为Φ960mm,在其周围安装有33把强力镐形截齿,适用于煤巷的掘进。两种切割头可以互换,可根据需要选用。

该切割机构减速器为二级行星减速器。

切割电动机采用型号为YBUS3-120型的水冷式电动机,功率为120kw,电压为660/1140V,电机转速为1470r/min。

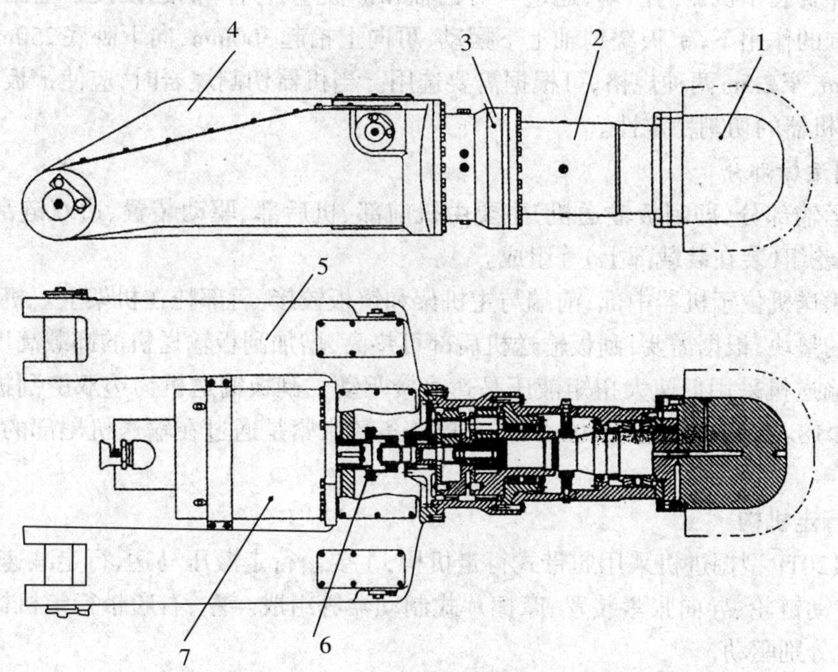

7-16 EBJ-120TP型掘进机的切割机构

1——切割头;2——切割臂;3——减速器;4——电机护板;5——叉型架;6——切割电机;7——齿轮联轴节

(四)装运机构

装运机构是由装载部和中间运输部分组成的。这两部分采用了分别驱动的方式。

1.装载部

该掘进机的装载结构如图7-17,主要由铲板1、左右对称的驱动装置4、液压马达5、三爪转盘3等组成。低速大扭矩液压马达5直接驱动三爪转盘3向内转动,从而达到装载煤岩的目的。

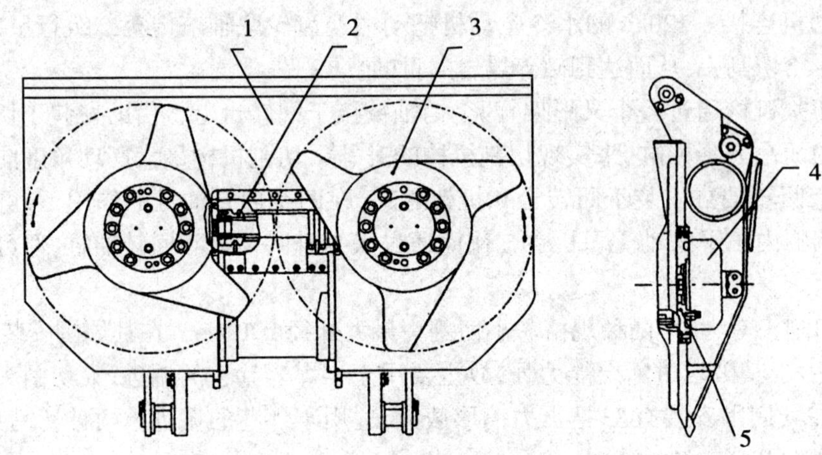

图7-17 EBJ-120TP型掘进机的装载部

1——铲板体;2——刮板输送机改向链轮组;3——三爪转盘;4——驱动装置;5——液压马达

装载部安装于机器的前端,通过一对销轴和铲板左右升降油缸铰接于主机架上。在铲板升降油缸的作用下,铲板绕销轴上下摆动,可向上抬起360mm,向下卧底250mm。铲板设计有宽2.8m,窄2.5m两种规格,可根据需要选用。当机器切割煤岩时,应使铲板前端紧贴底板,以增加机器的切割稳定性。

2.中间运输部分

中间运输部分(即刮板输送机)主要由机前部、机后部、驱动装置、边双链刮板、张紧装置、导向链轮组(装在装载部上)等组成。

刮板输送机位于机器中部,前端与主机架和铲板铰接,后部托在机架上。机架在该处设有可拆装的垫块,根据需要,刮板输送机后部可垫高,增加刮板输送机的卸载高度。

刮板输送机采用低速大扭矩液压马达直接驱动。刮板输送机为边双链刮板输送机,锚链规格为Φ18×64mm,链速为0.93m/s。刮板链条的张紧是通过在输送机尾部的张紧油缸来实现的。

(五)行走机构

EBJ-120TP型掘进机采用履带式行走机构,主要由行走液压马达、行走减速器、履带架、履带链、主动链轮、导向张紧装置、摩擦片式制动器等组成。左、右履带行走机构结构相同,对称布置,分别驱动。

由行走液压马达通过减速器(三级圆柱齿轮和二级行星齿轮)驱动主动链轮,通过主动链轮的轮齿与履带啮合使履带在主动链轮和导向链轮之间运转,从而驱动掘进机行走。该机工作时行走速度为3m/min;调动时行走速度可调到6m/min。该掘进机的行走适应坡度为±16°。

当机器行走时,泵站向行走液压马达供油的同时,向摩擦片式制动器提供压力油推动活塞,压缩弹簧,使摩擦片式制动器解除制动。

履带张紧装置设在导向链轮端,采用黄油缸张紧方式。紧链时,使用黄油枪向安装在导向张紧装置油缸上的注油嘴注入油脂,从而推动导向链轮向左移动,履带随之张紧(油缸张紧行程为120MM),调整完毕后,装入适量垫板及一块锁板,拧松注油嘴螺塞,泄除油缸内压力后再拧紧该螺塞,使张紧油缸活塞杆不承受张紧力。

(六)机架和回转台

回转台主要用于支承,连接并实现切割机构的升降和回转运动。回转台座通过大型回转轴承用止口、36个高强度螺栓与机架连接。工作时,在回转油缸和升降油缸作用下,切割机构实现水平摆动及升降。

左右后支撑腿是通过后支撑油缸及销轴分别与后机架连接的,它的作用有4个:

(1)切割时使用,以增加机器的稳定性;

(2)窝机时使用,以便履带下垫板自救;

(3)履带链断链及张紧时使用,以便操作;

(4)卧底时使用,抬起机器后部,以增加卧底深度。

(七)冷却喷雾系统

该系统主要用于灭尘,降低截齿温度,消灭火花,冷却掘进机切割电机及油箱,提高工作面能见度,改善工作环境,消除安全隐患。内、外喷雾冷却系统如图7-18。

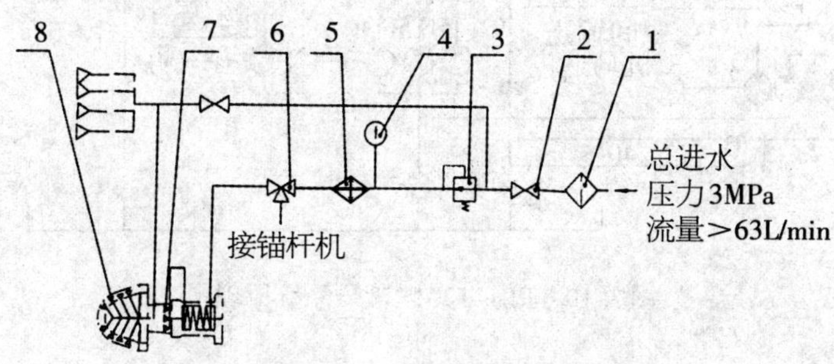

图7-18 冷却喷雾系统

1——Y型过滤器;2——球阀;3——减压阀;4——耐震压力表;5——油箱冷却器;
6——球阀;7——雾状喷嘴;8——线型喷嘴

冷却水从井下输水管通过过滤器1过滤后进入总进液球阀2,一路经减压阀3减至1.5MPa后,经油箱冷却器5冷却油箱和切割电动机,再引至前面雾状喷嘴架处,经外喷雾喷嘴7喷出。另一路不经减压阀3的高压水,引至悬臂段上的配水盘,经旋转水密封进入主轴,经切割头上的内喷雾喷嘴8喷出。当没有内喷雾时,此路水引至叉形架前方左右两边的加强型外喷雾处的线型喷嘴喷出。

内喷雾配水装置安装在悬臂段内,8个线型喷嘴分别安装在切割头的齿座之间;外喷雾喷嘴架固定在悬臂筒法兰上,安装有10个雾状喷嘴;加强型外喷雾的喷雾架固定在叉形架前端,安装有8个线型喷嘴。

(八)液压系统

该掘进机除切割机构切割头的旋转用电动机驱动外,其余装运机构、行走机构、转载机构、装载铲板的升降、切割头的升降及回转等均采用液压传动。液压系统主要由油泵(一台三联齿轮泵和一台双联齿轮泵)、油马达、油缸、换向阀组、过滤器、冷却器等组成,液压系统如图7-19所示。

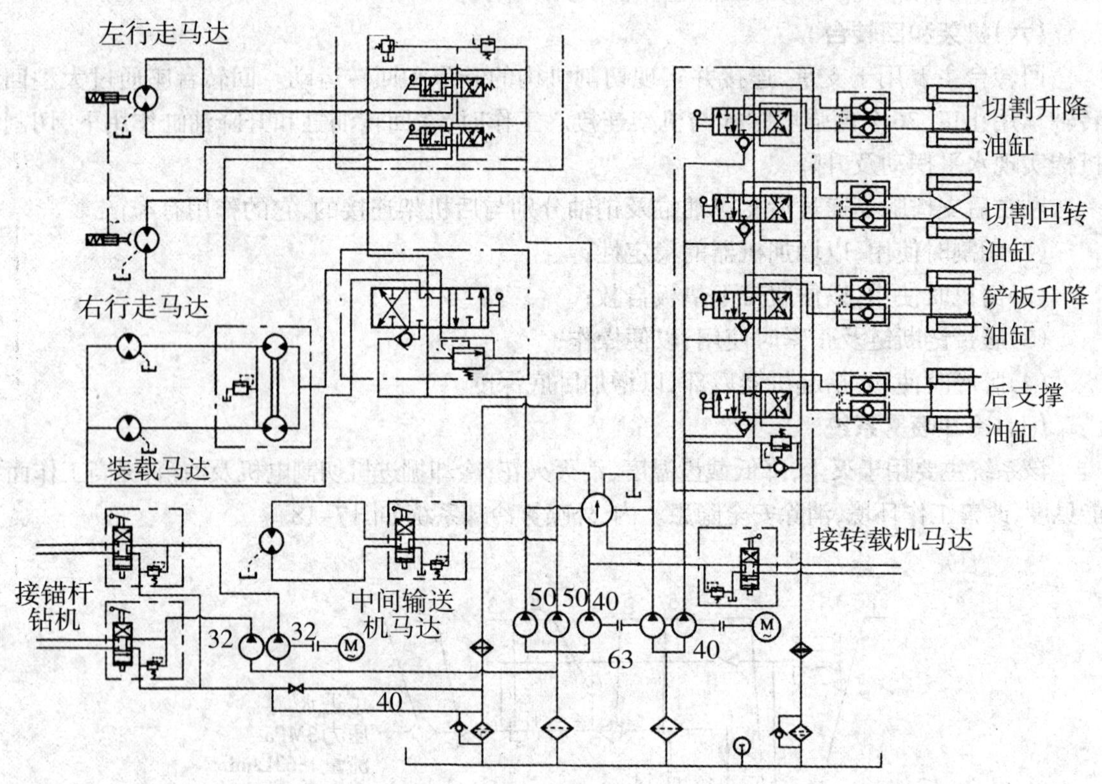

图7-19 EBJ-120TP液压系统原理图

双联泵和三联泵由一台55kw的电动机通过同步齿轮箱驱动,分别向油缸回路、行走回路、装载回路、输送机回路、转载机回路供压力油,主系统由5个独立的开式系统组成。该机还设有液压锚杆钻机泵站,可同时为两台锚杆钻机提供压力油;另外系统还设置了补油系统为油箱补油,避免了补油时对油箱的危害。

1.切割机构升降、回转及铲板升降等的控制(油缸回路)

油缸回路采用双联齿轮泵的后泵(40泵)通过四联多路换向阀分别向4组油缸(切割升降、切割回转、铲板升降及后支撑油缸)供压力油。油缸回路的工作压力由四联多路换向阀阀体内自带的溢流阀调定,调定的压力为16MPa。

当四联换向阀的第一联(从上往下数)处于图中位置时,双联泵的后泵(40泵)排出的高压油经该阀后流回油箱,切割升降油缸不动作。当该阀处于图中左侧位置时,高压油经该阀进入切割升降油缸的无杆腔,切割头升起。当该阀处于图中右侧位置时,高压油经该阀进入切割升降油缸的有杆腔,切割头下降。

当四联换向阀的第二联(从上往下数)处于图中位置时,双联泵的后泵(40泵)排出的高压油经该阀后流回油箱,切割回转油缸不动作。当该阀处于图中左侧位置时,高压油经该阀进入切割回转油缸的无杆腔,切割头向右摆动。当该阀处于图中右侧位置时,高压油经该阀进入切割回转油缸的有杆腔,切割头向左摆动。

当四联换向阀的第三联处于图中位置时,双联泵的后泵(40泵)排出的高压油经该阀后流回油箱,铲板升降油缸不动作。当该阀处于图中左侧位置时,高压油经该阀进入铲板升降油缸的无杆腔,铲板升起。当该阀处于图中右侧位置时,高压油经该阀进入铲板升降油缸的有杆腔,铲板下降。

当四联换向阀的第四联处于图中位置时,双联泵的后泵(40泵)排出的高压油经该阀后流回油箱,后支撑油缸不动作。当该阀处于图中左侧位置时,高压油经该阀进入后支撑油缸的无杆腔,后支撑腿抬起。当该阀处于图中右侧位置时,高压油经该阀进入后支撑油缸的有杆腔,后支撑腿下降。

为使切割头、支撑油缸能在任何位置上锁定,不致因换向阀及管路的漏损而改变其位置,或因油管破裂造成事故,以及防止切割头、铲板下降过速,在回路中装有液压锁。

2.行走机构的控制(行走回路)

行走回路由双联齿轮泵的前泵(63泵)向两个液压马达供油,驱动机器行走。该掘进机行走速度为3m/min;当装载转盘不运转时,供装载回路的三联齿轮泵的前泵(50泵)自动并入行走回路,此时两个齿轮泵(63泵和50泵)同时向行走油马达供油,实现快速行走,其行走速度为6m/min。该回路的工作压力由装在双联换向阀体内的溢流阀调定,其调定压力为16MPa。

通过操作多路换向阀手柄来控制行走马达的正反转,实现机器的前进、后退和转弯。当双联换向阀的两联都处于图中位置时,双联齿轮泵的前泵(63泵)排出的高压油不能通过该阀,只能经过溢流阀回油箱,两个行走油马达都不运转。当该阀处于图中左侧或右侧位置(两个手柄同时向前推或向后拉)时,高压油通过该阀进入两个行走油马达,驱动掘进机前进或后退。

注意:根据该机器液压系统的特点,行走回路的工作压力调定时,必须先将装载转盘开动。快速行走时,由于并入了装载回路的50泵,其工作压力为14MPa。

防滑制动是通过行走减速器上的摩擦制动器来实现的。当行走回路工作时,高压油进入制动器,使其松阀;当行走回路不工作时,由于弹簧张力使油马达转子制动,制动器处于闭锁制动状态。

3.装运机构的控制

(1)装载油马达的控制(装载回路):

装载回路由三联齿轮泵的前泵(50泵)通过一个分流器分别向2个装载马达供油,用一个单联手动换向阀控制马达的正反转。该回路的工作压力由换向阀体上的溢流阀来调定,其调定的工作压力为14MPa。

当单联换向阀处于图中位置时,三联齿轮泵的前泵(50泵)排出的压力油不能通过该阀给两个装载油马达供油,两个装载马达都不运转。当该阀处于图中左侧或右侧位置时,高压油经该阀进入两个装载马达，马达正转或反转。

(2)中间输送机油马达的控制(输送机回路)：

输送机回路由三联齿轮泵的中泵(50泵)向中间输送机油马达供油，用单联换向阀控制马达的正反转。该回路的工作压力由换向阀体上的溢流阀来调节，其调定的工作压力为14MPa。

当单联换向阀处于图中位置时，三联齿轮泵的中泵(50泵)排出的压力油通过该阀流回油箱，中间输送机油马达不运转。当该阀处于图中左侧或右侧位置时，中间输送机油马达正转或反转。

4.转载机构的控制(转载机回路)

转载机回路由三联齿轮泵的后泵(40泵)向转载机马达供油，通过单联手动换向阀控制油马达的正反转。系统的工作压力为10MPa，是通过调节换向阀体上的溢流阀来实现的。

5.锚杆钻机的控制(锚杆钻机回路)

锚杆钻机回路由一台15kw的电动机驱动一台双联齿轮泵，通过两个单联手动换向阀可同时向两台液压锚杆钻机供油，该回路工作压力为10MPa，是通过调节换向阀体上的溢流阀来实现的。

6.油箱补油回路

油箱补油回路由两个截止阀、文丘里管和管接头等辅助元件组成，为油箱加补液压油。如图7-20。补油系统并接在锚杆钻机回路的回油管路上(若掘进机没设置锚杆钻机泵站，则补油系统并接在输送机回路或转载机回路的回油管路上)。当需要向油箱补油时，截止阀2关闭，截止阀3开启，油液经文丘里管4时，在A口产生负压，通过插入装油容器5内的吸油管吸油，将油补入油箱。在补油系统不工作时，务必将截止阀3关闭，截止阀2开启。

注意：

(1)补油时，油箱内必须要有一定量的油，以保证油泵不吸空。

(2)给油箱加好油后，必须将截止阀3关闭，截止阀2开启。在系统工作时，绝不能将截止阀2和3同时关闭。否则会造成危险。

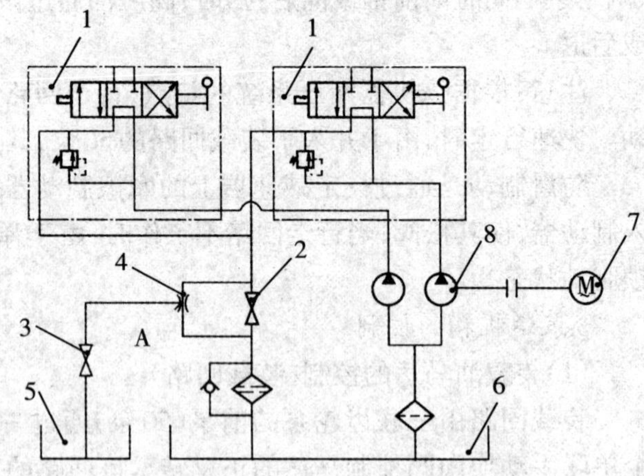

图7-20　补油回路原理图

1——换向阀；2——截止阀；3——截止阀II；4——文丘里管；5——装油容器；6——油箱；7——锚杆电机；8——双联齿轮泵

7.液压元件

(1)过滤器：

为了保护液压泵和其他元件，避免吸入杂质，有效控制液压系统的污染，提高液压系统的清洁度，在液压泵的吸油口处设置了2个吸油过滤器，过滤精度为20um。当更换、清洁滤芯时，只需旋开滤油器端盖，抽出滤芯，此时自封阀就会自动关闭，隔绝油箱油路，使油箱内的油液不会流出。当滤芯被堵塞时，设在滤芯上部的旁通阀开启，避免液压泵出现吸空。

在液压系统中还设置了2个回油过滤器。该过滤器为粗过滤器，过滤精度为100um，位于油箱的上部。

(2)四联手动换向阀：

换向阀部分是由阀体和滑阀组成，滑阀机能为Y型，阀体是并联的。既可以分别操作，又可以同时操作。

(3)油缸：

本系统共有4组(8个)油缸。切割机构的升降油缸，回转油缸、铲板油缸、后支撑油缸各2个，结构形式都相同。

(4)油箱：

油箱为封闭式，采用N68抗磨液压油。油箱上配有液位液温计。当油液低于工作油位或者油温超过70度时应停机。油箱的冷却器是热交换量较大的板翅式散热器。

(5)压力表：

压力表的指针表明回路的工作压力。

(九)电气系统

EBJ-120TP型掘进机的电气系统由前级馈电开关、KXJ250/1140型隔爆兼本质安全型掘进机用电控箱、CZD24/8型矿用隔爆型掘进机用电控箱用操作箱、XEFB-36/150隔爆型蜂鸣器、DGY-60/36型隔爆照明灯、LA810-1型隔爆急停按钮、KDD2000型瓦斯断电仪和驱动掘进机各工作机构的防爆电动机和链接电缆组成。

EBJ-120TP型掘进机的电气系统包括主回路部分、电源部分、保护单元和控制单元。

1.主回路部分

采用了隔离开关作为电控箱主回路电源的开关，在主回路中设有两组熔断器，用于短路保护。在控制上，切割回路和油泵回路都采用了真空接触器，加装了阻容吸收装置；在备用回路和锚杆泵站回路采用了空气接触器。该4个回路中设有检测主回路电流的电流互感器。

2.电源部分

电源部分是由1台主变压器、1台隔离变压器和控制熔断器组成。主变压器有5个电压范围的输入抽头：660V、726 V、1050 V、1140 V、1250 V。当井下电压不稳定时，可以随着电压的变化来调整变压器的抽头，来保证输出电压的稳定，进而保证控制回路的可靠。隔离变压器为饱和设备可控是单元提供180 V电源。

3.保护单元

保护单元由综合保护器和漏电保护器组成。各机构电动机的过热、过流、过载、断相、漏电闭锁都可以得到保护。

保护单元同归对主回路和控制回路的运行状态进行信号的采集，经过电子电路的处理，将系统的状态反映到控制单元。达到实时监控系统并及时故障中断系统运行。

4.控制单元

主要控制部件为西门子PLC-CPU226，可以明确的显示出系统的启动和停止的控制接点，各保护接点的输入接点及相应的输出接点。同时也表示出了显示器可控制器的接口。TD200中文液晶显示器可以显示整个系统的运行状态和故障情况。

第二部分　专业核心知识点

1.掘进机的特点。

2.掘进机的分类。

3.掘进机的工作原理。

4.典型掘进机的结构组成、工作特点、液压系统和实际使用。

5.掘进机的拆运、操作、维护、故障处理。

第三部分　专业技能训练

一、掘进机的组成认识

针对掘进机实物，明确它的切割机构、装运机构、行走机构等各组成部分的结构。

二、掘进机的拆运

掘进机在实际使用过程中，经常要面临设备的搬迁、检修、运行试验等，为了能够顺利地完成设备的搬迁与运输任务，要求在实施前必须掌握设备的连接方式、解体组装的原则和顺序、解体组装的要求、设备组装后的试验要求等。只有做到了正确的解体、搬迁、组装、调试、验收，才能较好地保证掘进机的正常工作。

整机均需解体才可向井下运输，保证顺利、安全地运输到工作面。

（一）掘进机拆卸的注意事项

（1）根据所要通过的巷道的断面尺寸（宽度和高度），确定设备的分解程度。

（2）拆卸时对于配合较紧的零部件，必须使用专用的工具，不得强行拆卸，以免损坏零部件，造成安装困难。

（3）拆卸液压系统高压胶管时，不必将两端都拆开，只将与液压缸或液压马达连接的一段拆开并用塑料布包扎好，卷捆在液压操作台上，以便安装。电气电缆线也不需要两端全部拆开，只需将与动力部分连接的接头拆开，随电源箱一起运输即可。电气设备必须用塑料薄膜覆盖。

（4）充分考虑到用台车运送时，其台车的承重能力、运送中货物的窜动，以及用钢丝绳紧固时防止设备损坏及划伤。

（5）诸如销轴、螺栓类小件物品，要用箱子装好，以免丢失。特别是各种专用的高强度螺栓，必须用专用容器保管。各种小部件应与相应的分解部分一起运送。

掘进机的解体顺序见表7–4。

表7–4　　掘进机的解体顺序

1	各盖板类
2	第二运输机
3	切割部
4	第一运输机
5	铲板部
6	油箱
7	操作台

表7-4(续)

8	液压系统部
9	电气开关箱
10	第二输送机回转部
11	后支承部
12	履带部
13	本体部

(二)掘进机装车的注意事项

掘进机解体装车时,要充分考虑安装的前后顺序,使安装作业安全方便。

(1)矿车要进行编号,按照安装的先后顺序确定矿车的次序。

(2)装车时必须捆绑牢靠,防止在运输途中组件超出车外。

(3)吊装作业要小心轻放,避免损坏组件、管件等。

(三)掘进机的井下运输

掘进机的井下运输要充分考虑井下运输路线的特殊环境,确保顺利安全地运送到安装作业地点。

三、掘进机的安装

(一)安装前的准备工作

(1)机组组装采用机械牵引起吊,组装前准备一台回柱绞车。在顶板岩层中安装两组滑轮。

(2)使用前将回柱绞车固定牢固,不许使用撬杠、压杠固定回柱绞车。安装时必须结实,不许放在浮煤、浮矸上。

(3)两组滑轮必须装在特制的滑轮架上,滑轮架间距7.5m,分别用6根树脂锚杆与顶板固定,锚杆深度不小于1.3m,滑轮架安装后,全部用双螺母拧紧。

(4)安装前将巷道浮煤、浮矸、杂物清理干净。

(5)回柱绞车采用Φ2l mm钢丝绳,不得有死弯、断丝、断股或陈旧等现象。发现钢丝绳磨损超过原直径的10%以上时,不准继续使用。

(6)组装前先备好绳扣等挂钩用具。

(7)使用导链之前,应事先检查好吨位是否合适,大小轮、逆止装置是否齐全完好。

(8)备有一定数量的方木衬板,把掘进机垫平,防止受力后突然倾翻。

(二)安装顺序

基本的装配顺序与分解顺序相反,见表7-4。

(三)主要部件的安装方法

1.主机架和履带行走部的安装方法

(1)利用吊钩位置作为起吊位置,用钢丝绳将主机架吊起。

(2)用枕木将主机架垫起,使其底板距履带部的安装面为400mm以上。

(3)用钢丝绳将一侧的履带部吊起,与主机架相连接。

(4)用枕木等物垫在已装好的履带下面,以防偏倒。

(5)用相同方法安装另一侧的履带。

(6)两侧履带连接完后,用与1同样的方法将主机架吊起抽出枕木等物。

(7)按要求的紧固力矩紧固螺栓后,再用铁丝进行防松固定。

2.后支撑器的安装

起吊后支撑器与主机架的后面连接,连接螺栓的紧固力矩为900N/m。

3.铲装板部的装配

(1)用钢丝绳将铲装板吊起,与主机架相连接。

(2)安装铲装板升降用的液压缸。

(3)安装铲板两侧部分,应当与中心部分保持一定的间隙,为安装耙爪创造条件。

(4)安装左右两个耙爪。

4.第一输送机的装配

(1)用钢丝绳将输送机吊起从后方插入本体机架内。

(2)输送机的溜槽与铲板连接后,装入链条:

①将链条的调整螺栓完全松开,同时也将输送机用的减速机向前推。

②将链条的一端用长铁丝捆住,由上部向前引入,在前导向轮处反向,由链条的返回侧拉出铁丝。

③在溜槽后端的链轮处,溜槽及后端链轮固定在第二输送机连接部上,将链条向上弯曲与链轮相啮合后,用连接环把链条连接好。用调整螺栓将链条调至规定的张紧程度。

5.切割部的安装

(1)用钢丝绳将切割部吊起与主机架相连接。

(2)装切割头液压缸。

(3)装好后或者使截割头前端与底板相接,或者用枕木垫起。

(四)组装注意事项

(1)严格按使用维护说明书指定顺序安装,原则上按谁拆谁装的办法,确保组装合格,符合质量标准。

(2)液压系统和供水系统各管接头必须擦拭干净后方可安装。

(3)安装各连接螺栓和销轴时,螺栓和销轴上应涂少量润滑脂,防止锈蚀后无法拆卸;各连接螺栓必须拧紧,重要连接部位的螺栓拧紧力矩应符合设计要求。

(4)更换易损件时,应先用油清洗,然后用高压风吹净后装入。各紧固部位必须均匀紧固,防止造成组建偏斜,影响正常使用。

(5)连接螺栓必须使用规定的螺栓,不得用其他型号的代替。

(6)安装完毕按注油要求加注润滑油。

四、掘进机的验收工作与地面试运转

(一)验收工作

整台掘进机在地面安装完毕后,必须达到一定的完好标准,才能保证掘进机持久地稳定运转。

掘进机的完好标准如下:

(1)手柄动作灵活,位置准确,符合人们的一般使用习惯。

(2)急停开关工作可靠。

(3)液压缸活塞杆镀层无脱落,局部轻微锈斑面积不大于50mm²,划痕深度不大于0.5mm,长度不大于50mm,单件上不多于3处。

(4)注油嘴齐全,油路畅通。

(5)照明灯齐全明亮,符合安全要求。

(6)切割头无裂纹、开焊,截齿完整,短缺数不超过总数的5%。

(7)切割头左右回转摆动均应灵活。

(8)履带板无裂纹,不碰其他机件,松紧适宜,松弛度为30~50mm。

(9)耙爪转动灵活,伸出时能超出铲煤板。

(10)刮板齐全,弯曲不超过15mm。

(11)链条松紧适宜,链轮磨损不超过原齿厚的25%,运转时不跳牙。

(12)胶管及接头不漏油。

(13)油泵、马达运转无异响,压力正常。

(14)压力表齐全,指示正确。

(二)地面试运转

验收完毕后要进行试运转,按规定的启动顺序启动掘进机,观察掘进机的运转情况是否达到要求。掘进机的启动顺序如下:

(1)操作远方磁力启动器,向掘进机送电。

(2)将各急停按钮(操作箱急停按钮、油箱前急停按钮和操作台前急停按钮)置于解锁位置。

(3)用专用手柄将司机席后面的电气开关箱的操作开关(隔离开关)向上转到“接通”位置(日本产开关箱先向下后向上),这时照明灯亮,即电源已经接通。

(4)操作司机席右侧操作箱上的有关按钮,其顺序是:

①将转载机单、联动旋钮旋至“联动”位置;

②按“转载机启动按钮”启动转载机;

③按“信号”按钮,发出警报鸣响;

④按“液压泵运转按钮”,启动液压泵电动机(安装或检修后第一次启动时,应检查液压泵转向,正确的转向是:面向工作面,电动机顺时针方向旋转)。

(5)操纵液压操作台“刮板输送机手柄”,启动刮板输送机。

(6)操作“耙爪”手柄,启动耙爪。

(7)将操作箱"截割电动机高、低速旋钮"旋至高速位置。

(8)按"截割警报"按钮,警报鸣响,约持续5s。

(9)启动喷雾泵,进行喷雾冷却。

(10)按"截割运转按钮"启动截割电动机。

至此,启动工作全面完成,观察其运转情况。

五、掘进机的操作

掘进机的基本操作是指在地面工厂对掘进机基本操作技能进行训练,其目的是培养学生初步感受掘进机司机岗位的工作性质、任务及要求,并掌握相关的专业理论知识,为后续教学奠定坚实的基础。

掘进机基本操作主要包括:掘进机操作前的检查,启动操作,运行操作,停机操作(一般停机和紧急停机)。

(一)掘进机操作装置的认识

现以AM-50型掘进机为例熟悉操作与控制装置的组成及相应的操作使用方法。

1.AM-50型掘进机电气操作箱的功能

AM-50型掘进机电气操作箱设在司机座的前方,其上有9个旋钮、2个按钮和3块表。各旋钮与按钮的功能图中都有标志。见图7-21。

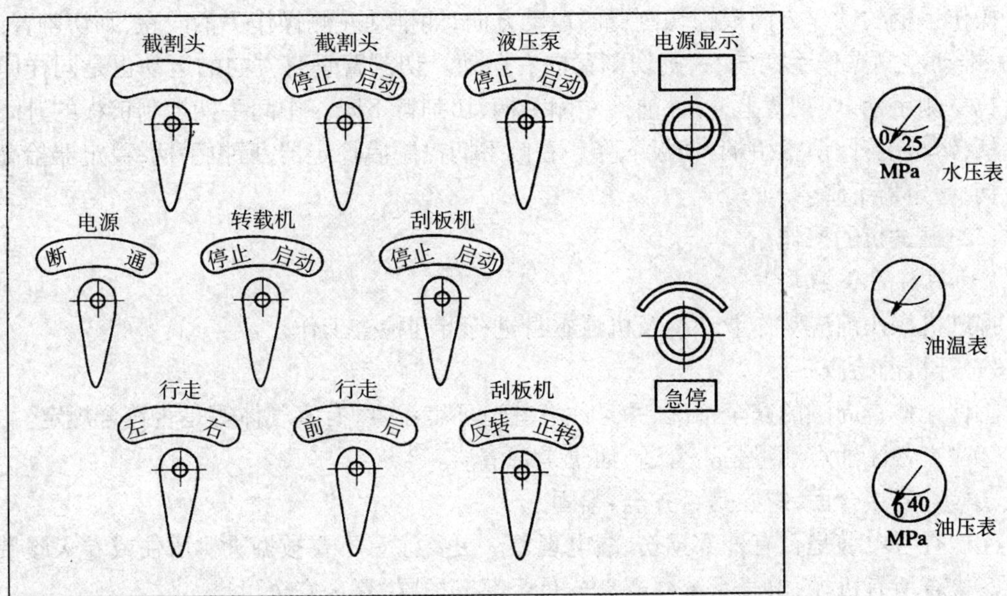

图7-21　操纵盘面上旋钮布置图(AM-50型掘进机)

该掘进机工作时的切割、装载、运输、转载、履带行走和液压系统的动力,都由电动机驱动,都是通过操作台的电器旋钮分别控制的。

从安全出发,要求必须首先启动液压泵,然后才能启动其他电动机。

液压泵启动后,发出声响,向机器附近的人们提醒:机器正在启动,必须马上撤离工作区域。

为了防止由于切割电动机启动方面的偶然事故,启动时双手同时转动2个旋钮开关,延时8s左右,切割电动机才能启动,在这段等待时间内响起警铃。为了启动电动机,旋钮开关必须一直保持在启动位置,直到警铃停鸣为止。

此外,在电气操作箱上还设有3块表,第一块用以观察内喷雾水的压力,第二块用以观察液压油的温度,第三块用以观察液压油的压力。

2.AM-50型掘进机液压操作手柄的功能

AM-50型掘进机切割臂、铲板和后支撑均由液压缸驱动。它们的动作是由操作台上四联换向阀组的各操作手柄控制。如图7-22所示。

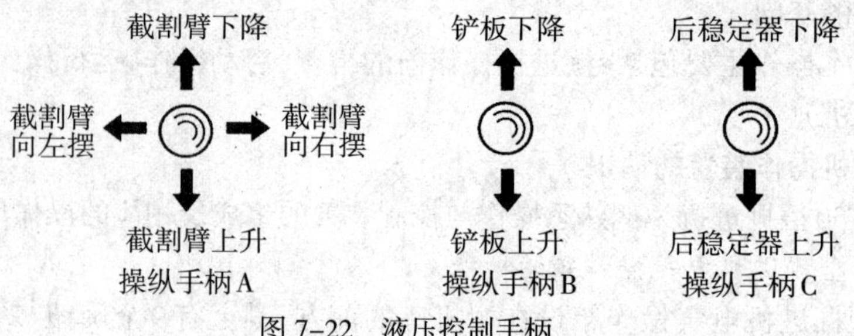

图7-22 液压控制手柄

操作手柄的动作方向模拟切割臂的运动方向,如推动左侧操作手柄向左,则切割臂向左摆动;推动左侧操作手柄向右,则切割臂向右摆动。切割臂垂直方向的运动也是同样原理,往后拉左侧手柄,切割臂上升;往前推左侧手柄,切割臂下降。中间手柄控制铲板的升降,后拉手柄,铲板上升,前推手柄,铲板下降。右侧手柄控制后稳定器,后拉手柄;稳定器抬高;前推手柄,稳定器下降。

(二)掘进机的操作

1.切割前的准备工作

掘进机操作前应对作业环境及机器本身进行下列检查工作:

(1)开机前检查:

①首先检查周围的安全情况,并且注意巷道环境温度、有害气体等是否符合规定。

②检查各注油点油量是否合适,油质是否清洁。

③检查各接合面,螺栓是否齐全、紧固。

④检查各电缆是否有外部损伤、漏电现象。更要注意不要被掘进机压住或卷入履带内。

⑤检查所有机械、电气系统裸露部分是否都有护罩,是否安全可靠。

⑥工作面支护是否符合作业规程的规定。

⑦工作面有无障碍。

⑧供水、供电是否正常。

⑨掘进设备配套是否可靠。

⑩各操作手把和按钮位置是否正确。

⑪截齿是否锐利、齐全;各零部件是否齐全、紧固,灵活可靠;各减速器、液压缸及油管是

否有漏油、缺油现象。

⑫刮板链、履带链松紧程度是否适宜。

⑬电缆、水管、喷雾灭尘装置是否正常。

经以上检查确认安全无误后,方可开机。

(2)正式运行前准备工作:

①先按按钮使电动机微动,以确定其运转方向是否正确。

②开机前先鸣响报警,打开照明灯。

③电动机空载运行3 min,观察各部位声响、温度是否正确,有无卡阻或异常现象。

2.切割过程的操作

(1)掘进机开机:

开动液压泵电动机→开动转载输送机→开动刮板输送机→开动扒爪→打开供水阀→开动截切头,以此作为开机顺序。

当没有必要开动装载时,也可以在开动液压泵电动机后,启动截割电动机

①利用切割头上下、左右移动切割,可切割出初步断面形状。如果切割断面与需要的形状和尺寸有一定的差别,可进行二次修整,以达到断面形状尺寸要求。

②当切割较软煤壁时,采用左右循环向上的截割顺序。

③当切割稍硬岩石时,可采用由下而上左右截割方法。

④不管采用哪种方法,都要尽可能地从下而上截割。

⑤当遇有硬岩时,不应勉强截割。

对有部分露头硬石,应首先截割其周围部分,使其坠落。对大块坠岩需经处理后再行装载。

⑥当掘柱窝时,应将截割头伸到最长位置,同时将铲装板降到最低位置向下掘,然后在此状态下将截割头向回收缩,可将煤岩拖拉到铲装板附近,以便装载。然后,还需用人工对柱窝进行清理。

(2)操作中注意事项:

①发现异常应停机检查,处理好后再开机。

②截割头必须在空载旋转工况下才能向煤岩壁钻进。

③掘进机前进或后退时,必须收起后支撑,抬起铲装板。

④截割部工作时,若遇闷车现象应立即停车,防止截割电动机长时间过载。

⑤对大块掉落煤岩,应破碎后再进行装载。

⑥输送机减速器中的摩擦离合器,其打滑时间为15s。若在使用过程中出现打滑现象,应及时关闭截割电动机、装运电动机,避免有关零部件损坏。

⑦液压系统和供水系统的压力不能随意调整,需要调整时应由专职人员进行。

⑧若油箱油温大于等于70℃,此时油温指示灯亮,应停机冷却,降温后再开机工作。

⑨若油箱油位低于工作油位,指示灯亮,应停机注油。

⑩注意观察油箱回油滤油器上的压差指示器,若指针从绿色指到红色,即需更换滤心。

⑪人工加油时,须用洁净的容器,避免油质污染造成元件损坏。

⑫若外喷雾供水压力低于1.5MPa，需打开水泵站中与减压器并联的球阀，以保证冷却水供应。

⑬掘进机工作中，若遇到非正常声响和异常现象，应立即停机查明原因，排除故障后方可开机。

(3)停机与紧急停机：

停机操作顺序为：

①把工作面及两帮浮煤、矸装净，以便架设棚梁。

②把刮板输送机与转载机的煤、矸输送干净。

③开始停机。停机顺序：停止截割头运转→停止内外喷雾→停止耙爪→停止刮板输送机→停止转载机→铲板落地→截割臂落地→后支承落地→停止液压泵→切断电气开关箱电源→取下电源开关手柄→停止上一级磁力启动器。

紧急停机：当机械设备或作业人员人身的安全处于危险情况时，直接按紧急停止开关停机。紧急停止开关分别装在操作开关箱内及油箱的前部。按下紧急停止开关后，掘进机上的电动机全部停止运转。

六、掘进机的维护与保养

(一)掘进机的完好标准

1.机体

(1)操作手柄动作灵活、位置准确。

(2)蜂鸣器、紧急开关等工作可靠。

(3)千斤顶活塞杆镀层无脱落，局部轻微锈斑面积不能大于50mm²；划痕深度不能大于0.5mm，长度不能大于50mm，单件上不多于3处。

(4)注油嘴齐全，油路畅通。

(5)照明灯齐全、明亮，符合安全要求。

(6)喷嘴装置保护良好。

2.切割部

(1)切割头无裂纹，开焊，截齿完整，短缺数不超过总数5%。

(2)切割臂伸缩，上下摆动均匀灵活。

3.回转部

左右回转部摆动均匀灵活。

4.行走部

(1)履带板无裂纹，不碰其他部件，松紧适宜，松驰度为30～50mm。

(2)前进、后退、左右拐弯、灵活可靠。

5.装运部

(1)耙爪转动灵活可靠，伸出时能超过铲煤板。

(2)刮板齐全，弯曲不超过15mm。

(3)链条松紧适宜，链轮磨损不超过原齿厚的25%，运转时不跳牙。

6.液压系统

(1)胶管及接头不漏油。

(2)油泵、油马达动转无异响,压力正常。

(3)压力表齐全,指示正确。

7.安全保护

(1)掘进机应在开、闭电气控制回路的专用工具,由专职司机掌握和保管。

(2)在机器的非司机侧,停止掘进机运转的紧急停止按钮应可靠。

(二)掘进机的检查

为了使掘进机能够持续正常工作,发挥其效能,对机器进行日常检查是非常重要的。

掘进机日常检查的内容:

1.切割头、切割臂的日常检查内容

掘进机的切割头、切割臂的日常检查必须在闭锁切割电动机的状态下进行。其日常检查的内容包括:

(1)固定切割头的螺钉有无松动,是否齐全。

(2)更换磨损超限、丢失、损坏的截齿。

(3)检查齿座有无裂纹和磨损。

(4)喷嘴是否完好畅通。

(5)掘进机伸缩机构的密封挡环固定螺钉有无松动。

(6)检查掘进机伸缩机构的润滑情况。

(7)检查减速器的螺钉、螺栓、排气孔和润滑情况,按规定注油。

2.行走机构的日常检查

(1)履带的张紧程度是否正常。

(2)履带板、销子有无损坏和断裂。

(3)通过油位计检查行走减速器的注油。

3.铲板部的日常检查

(1)耙爪转动是否正常,轴承有无松动。

(2)耙爪与铲板间的间隙是否正常。

(3)耙爪减速器的注油是否合适。

(4)耙爪转动是否灵活自如。

(5)各连接销有无松动,螺栓是否齐全。

4.刮板输送机、转载机的日常检查

(1)刮板链的松紧程度是否合适,转动是否灵活。

(2)检查挂板、圆环链、连接环和链轮的磨损、变形、丢失情况。

(3)检查固定刮板链的螺栓有无松动和丢失。

(4)减速器的油量是否合适。

(5)输送带的松紧程度是否合适,接头是否完整。

5.液压系统的日常检查

(1)各油管有无损伤,各接头是否牢固,有无漏油现象。

(2)减速器、分配器、油箱的油量是否充足。

(3)油箱液压油的油温是否保持在规定范围内。

(4)液压泵、液压马达有无异常声响、有无漏油现象。

(5)各换向阀的操作手柄位置是否正确,有无漏油现象。

6.喷雾冷却系统的日常检查

(1)喷雾泵的连接螺栓是否紧固

(2)内外喷雾压力是否符合规定。

(3)各喷嘴的雾化效果是否正常。

(4)喷雾泵有无漏水现象。

(5)清洗过滤器内部的脏物。

7.电气部分的日常检查

(1)检查拖拽电缆护套有无损伤或扭曲现象。

(2)检查导线、电器元件的连接螺钉有无松动。如有要及时紧固。

(3)检查各电动机轴承有无缺油及异常响动。

(4)检查各种电器设备的接地装置是否良好。

掘进机定期检查的内容见表7-5。

表7-5　　掘进机的定期检查

检查部位	检查内容	第1个月或250h	第6个月或1500h	第1年或3000h
截割头	(1)修补截割头耐磨焊道 (2)更换磨损的齿座 (3)检查凸起部分的磨损	○ ○ ○		
伸缩部	(1)抓卸检查内部 (2)检查保护管前端的磨损	○		○
截割减速器	(1)分解检查内部 (2)换油 (3)加注电动机黄干油 (4)检查螺栓有无松动	○	○ ○	○
铲板部	(1)检查偏心圆盘的密封 (2)检查衬套类有无松动 (3)修补扒爪的磨损部位 (4)检查轴承的润滑 (5)检查铲板的上盖板磨损情况	○ ○ ○	○	○

表7-6(续)

锂基润滑脂ZL-3	1	伸缩轴承部	1次／周　(用黄油枪)	适量
	2	伸缩油缸销子	1次／日　(用黄油枪)	适量
	3	切割头上下油缸销子	1次／日　(用黄油枪)	适量
	4	切割电机销子	1次／日　(用黄油枪)	适量
	5	回转轴承	1次／日　(用黄油枪)	适量
	6	铲板销子	1次／日　(用黄油枪)	适量
	7	切割头左右油缸销子	1次／日　(用黄油枪)	适量
	8	喷雾泵	1次／日　(用黄油枪)	适量
	9	第二运输机连接销	1次／日　(用黄油枪)	适量
	10	第二运输机回转连接销	1次／日　(用黄油枪)	适量
	11	耙爪销子	1次／日　(用黄油枪)	适量
	12	铲板上下油缸销子	1次／日　(用黄油枪)	适量
	13	后支承连接销	1次／日　(用黄油枪)	适量
	14	后支承油缸销子	1次／日　(用黄油枪)	适量
	15	水封部	1次／日　(用黄油枪)	适量
	16	水封部	1次／日　(用黄油枪)	适量
	17	花键部	1次／日　(用黄油枪)	适量
	18	伸缩保护筒	1次／月　(用黄油枪)	适量
	19	伸缩保护筒滑动面	1次／周　(用黄油枪)	适量

(四)注意事项

(1)当对电气设备及机械部分进行维护、修理时必须切断电源,在不带电的状态下进行工作。

(2)日常维修应按日检项目内容严格遵照执行。

(3)对于有泥土和煤泥沉积的部位要定期清除。

(4)维修液压系统时要充分注意不要因煤尘和水的注入而造成液压系统的故障。对液压油的管理务必注意。

(5)维修电气系统,在欲打开防爆接触面时必须事先将外部的灰尘、煤泥清扫干净。

(6)为了防止防爆面生锈,可涂抹润滑脂。

(7)各处的盖板拆开后,不要长时间放置,特别要防止浸入水。在高温及恶劣环境下尽量不要打开盖板。

(8)发现零部件损坏、失去原有性能,一定要及时修复或更换。

(9)处理电气故障必须由专职电工操作,确认安全后方可检查、排除故障。

(五)三级保养制

(1)日常维护保养:相关人员每班前后认真检查、擦拭设备的各个部位,按时、按质加油。各班中要严格按照操作规程使用设备,发生故障要及时排除,做好交接班工作。

(2)一级保养:以操作工人为主,维修工人配合,对设备进行局部的解体和检查,清洗有关部件,疏通油路,更换油线,调整间隙,紧固螺栓。

(3)二级保养:以维修工为主,对设备进行针对性的局部的解体和检查,修复或更换磨损的部件,清洗检查润滑系统,更换润滑油;检查修理电气系统、安全装置,包括输送机链条的张紧程度的调整、履带张紧程度的调整、液压部分的调整等。

七、掘进机的一般故障与处理

(一)处理故障的一般步骤

(1)首先了解故障的现象及发生过程,尤其要注意了解细微现象。故障判断方法是:先外部,后内部;先电气,后机械;先机械,后液压;先部件,后元件。

(2)分析引起故障的可能原因。即通过听、摸、看、量和综合分析,确定发生故障的原因。

(3)做好排除故障的准备工作。

(4)排除故障。

(二)常见故障与处理方法

1.截割部故障与维护

(1)截割头不转动:

①截割电动机过负荷、温度过高。当截割负荷超过额定值20%以上且持续时间超过10s,就会导致截割电动机快速升温。当截割电动机温度超过170℃时,定子绕组的热敏元件通过转换发出指令讯号,继电器就动作,电磁开关箱信号显示器的绿色灯亮,截割电动机停止运转。温度下降约3min后,电动机能自动恢复运转。处理方法:减少截割头进刀量、增大截割电机冷却水流量,可有效减少截割电机过负荷及高温停机故障。

②零部件损坏。截割臂轴承、减速器轴承或者齿轮损坏;花键套定位销脱落,导致花键套从花键轴上滑落等都导致不能正常传递转动扭矩,因而导致截割头不动作。处理的方法是更换损坏的零部件。

③截割电动机损坏。用欧姆表检测电动机的绝缘电阻,如果电阻小于0.2MΩ以下,就可判定电机损坏;或者一启动截割电机,便顶掉馈电开关,也可判定截割电机损坏。处理的方法是更换截割电机。

(2)伸缩筒不动作:

①伸缩液压缸出现故障。

②切割头主轴弯曲或在键扭曲。

③密封装置损坏。

2.转载部故障与维护

(1)耙爪转动慢或不转:

①液压力不够,是由于液压泵效率低或溢流阀调整压力过低造成的。

②液压马达泄漏大或损坏。

③左右耙爪减速器中齿轮磨损严重导致左右耙爪相互碰撞。

(2)刮板机出现故障:

①卡链。岩巷掘进机使用过程中,刮板机卡链的现象经常发生,其原因主要有:一是由于链条过松,两边链条张紧后长短不等造成跳链;二是链轮处有岩石或异物卡链;三是因二运转载机出货不及时,造成刮板机头积货后矸石异物被带入刮板机下部,造成卡链;四是脱链器损坏或丢失。前两种处理方法是调整和更换刮板链条,使其长度相等,松紧适度,及时清理卡在链轮处的矸石;第三种原因造成的卡链,需要往返运行刮板机,使刮板链带出刮板机下部矸石,预防方法是根据二运转载机的出货能力适当控制刮板机马达转速。第四则要及时更换安装脱链器。

②断链。造成断链的原因有:链条节距不等,刮板链过松活或过紧,链轮中卡住岩石或异物,链条过度磨损,卡链时不及时处理硬拉,扫底时截割部与改向链轮干涉等。处理方法是拆检更换链条,清理异物,扫底时将铲板下压,避免与截割部发生干涉。

由于岩巷掘进机的刮板机运输的岩石一般都比较硬,刮板机故障成为岩巷掘进机使用过程中的主要影响因素,卡链处理不当往往会引起断链,断链处理不及时又会引起卡链,因此,硬岩掘进机加强对刮板机的检修十分重要。

3.行走故障与维护

(1)履带部不行走:

①液压系统压力不够。其原因有:一是液压泵效率降低或损坏;二是双联换向阀泄漏大或溢流阀调整值小。处理方法:一是更换液压泵;二是调大溢流阀的压力值或更换双联换向阀。

②行走马达故障。行走马达故障的原因有:一是先导管堵塞或漏液;二是马达泄漏大或者马达内部故障。处理的方法是:一是更换新的先导管;二是更换行走液压马达。

③液压马达过载,安全阀调整压力低。这种原因也会造成履带不行走。处理的方法是重新调整过载安全阀。

④行走制动器不能完全打开。如果掘进机行走时,其行走制动器不能完全打开,将会加大行走阻力,导致行走困难或不行走。造成行走制动器不能完全打开的原因有:一是控制制动器的减压阀或梭阀损坏;二是制动器泄露或内部结构损坏。处理方法:一是更换减压阀和梭阀;二是更换制动器。

(2)履带链松、脱轮、断链:

履带链松易造成履带断链、脱轮,使掘进机不能正常行走。造成履带链松的主要原因及处理方法如下:

①张紧用的溢流阀(单向阀)泄漏大或者损坏。溢流阀的作用是使履带张紧液压缸始终处于伸出状态,保持履带适宜的张紧程度。由于溢流阀泄漏大或者损坏,不能使其始终保持

伸出状态,致使履带链松弛。处理的方法是更换新的溢流阀。

②张紧液压缸密封损坏或者张紧液压缸管路漏液。张紧液压缸为单作用液压缸,由于密封或管路漏液,伸出的液压缸在外力的作用下,被迫回缩,导致履带链松弛。处理的方法是更换张紧液压缸或更换供油管。

③张紧弹簧断裂。张紧弹簧不仅使履带具有较强的柔韧性,对履带行走起到较大的缓冲作用,而且对履带张紧也起到辅助作用。张紧弹簧断裂,就会使履带松弛,缓冲作用消失,导致履带不能正常工作。处理的方法是更换张紧弹簧。

④八联阀履带张紧联泄漏大或损坏。履带张紧液压缸依靠八联阀上的张紧联供油,如果张紧联泄漏大或者损坏,便不能正常地向张紧液压缸供油,使松弛的履带得不到有效张紧。处理的方法是调换张紧联,或者更换八联阀。

此外,可以通过安装张紧油缸垫片的方法,油缸张紧后在活塞杆上安装垫片,以减少油缸的受力,保护油缸密封及液压元件。

4.液压系统故障与维护

(1)液压油温度过高。当液压油温度超过70℃时,掘进机的工作性能会大大降低,甚至会导致液压系统发生故障。造成液压油温度超限的原因及处理方法如下:

①油箱的油量不足。油箱的油量不足,会导致液压油循环加快,从而导致油温迅速上升。处理方法是把液压油加至规定的油位。

②液压油质量不良。如果液压油内混入水分、固体颗粒等杂质,使液压油的物理性能、化学性能明显降低,液压适应性较差,抗磨性能降低,在液压循环过程中温度会很快升高。处理方法是更换油箱内的液压油。

③油冷却器水量不足或内部堵塞。液压油依靠冷却水进行降温,如果冷却水水量不足或冷却器内部堵塞,都将不能实现正常降温。处理的方法是:如果因水的流量不足所致,可以调大水的流量,开机作业时必须开水;如果因冷却器内部堵塞所致,可拆卸清理冷却器,或更换新的冷却器。

④各溢流阀的调整值过高。各溢流阀的调整值过高,使掘进机各液压工作元件克服的负荷较大,功率增加,因而液压油的温度升高较快。处理的方法是高速各溢流阀,使其压力值适宜。

⑤马达的质量问题。马达的质量问题会对液压系统造成重大影响。劣质的液压马达,不仅使液压油循环加快,功率降低,而且容易导致液压油温度升高,使液压系统运转不正常。处理的方法是更换质量低劣的马达。

(2)液压泵运转异常。液压泵运转异常主要表现为有异常声响、发热。故障原因:①油箱的油量不足;②吸油过滤器堵塞;③液压泵吸油侧密封不好,进入空气;④安全阀调整值过高;⑤液压泵内部损坏。处理方法:①把油箱的油量加足;②打开油箱,清洗过滤器;③对液压泵吸油侧进行密封紧固,杜绝进气;④调整溢流阀的整定值,使其压力值适宜;⑤更换损坏的液压泵。

(三)典型掘进机的常见故障与处理方法

EBJ120-TP型掘进机常见故障及其原因和处理方法见表7-7。

表 7-7　　EBJ-120TP型掘进机故障判断方法

部件名称		故　障	原因	处理方法
截割部		(1)截割头堵转或电机温升过高	过负荷,截割部减速器或电动机内部损坏	减小截割头的切割深度或切割厚度,检修内部
		(2)截齿损耗量过大	钻入深度过大,截割头移动速度太快,齿座孔变形或齿座开焊脱落	降低钻进速度,及时更换补齐截齿,更换截割头
		(3)截割振动过大	截割岩石硬度>60MPa;截齿磨损严重、缺齿;悬臂油缸铰轴处磨损严重;回转台紧固螺栓松动	减小钻进速度或截深;更换补齐截齿;更换铰轴或加轴套;紧固螺栓;铲板落底,使用后支撑
装运部		(1)刮板链不动	链条太松,两边链条张紧后长短不等、刮板变形造成卡链,或煤岩异物卡链,或液压系统故障	调整紧链卡阻,更换变形刮板。检查液压系统及元件
		(2)转盘转速快慢不均或不璧动	分流器故障,液压系统及元件故障	修理或更换液压元件,排除故障
		(3)断链	链条节距不等;刮板链过松或过紧;链轮中卡住岩石或异物,链环过度磨损	拆检更换链条,正确调整张力,排除卡阻
行走部		(1)驱动链轮不转	液压系统故障;液压马达损坏;减速器内部损坏;制动器打不开	排除液压系统故障;检查减速器内部
		(2)履带速度过低	液压系统流量不足	检查液压油箱油位、油泵、马达及溢流阀
		(3)驱动链轮转动而履带跳链	链条过松	调整液压张紧油缸以得到合适的张紧力
		(4)履带断链	履带板或销轴损坏	更换履带板或销轴
液压系统	系统	(1)系统流量不足或系统压力不足	油泵内部零件密损严重,油泵效率下降或内部损坏;溢流阀工作不良;t由位过低,油温过高。 吸油过滤器或油管堵塞;油管破裂或接头漏油	检查泵的性能更换损坏零件,调整溢流阀; 油箱加油检查油温过高原因并做相应处理; 更换过滤器;清理油箱;检查油管和接头
		(2)系统温升过高,油箱发热	冷却供水不足;油箱内油量不足;油污染严重;溢流阀封闭不严;回油过滤器脏;油泵有故障	检查冷却器,油箱加油或换油;清洗有关溢流阀及过滤器;检查油泵内部并更换有关零件
		(3)各执行机构爬行	有关部位润滑不良,摩擦阻力增大;空气吸入系统,压力脉动较大或系统压力过低;吸油口密封不严或油箱排气孔堵塞,油缸平衡阀背压过低	改变润滑情况,清除脏物;检查油箱油位并补加相同牌号的油液;检查溢流阀并调整压力值;排除系统内空气并更换密封件;检查吸油管及其卡箍元件

表 7–7(续)

液压系统	元件	油泵: (1)油泵吸不上油或流量不足	油温过低。油泵旋转方向不对;吸油滤油器堵塞;吸油管路进气,油泵损坏	提高油温,更正油泵旋向;拧紧或更换吸油管卡箍、更换吸油管、清洗或更换吸油滤油器滤网;换泵
		(2)油泵压力上不去	溢流阀调定压力不符合要求;压力表损坏或堵塞;油泵损坏;溢流阀故障	调整溢流阀压力; 更换或清洗压力表;检修油泵; 清洗检修溢流阀
		(3)产生噪音	吸油管及吸油滤油器堵塞;油粘度过高;吸油管吸入空气;电动机、齿轮箱、油泵三者安装不当	清洗吸油管及吸油滤油器使吸油畅通;更换同牌号的液压油;更换吸油管密封圈;调整三者的安装位置
		(4)严重发热	轴向间隙过大或密封环损坏;引起内泄漏,压力太高	拆检,调整间隙及压力, 更换密封环
液压系统	元件	溢流阀: 压力上不去或达不到规定值	调整弹簧变形;锁紧螺母松动;密封圈损坏;阀内阻尼孔有污物	更换调压弹簧;拧紧锁紧螺母;更换密封圈;清洗有关零件
		(1)多路换向阀滑阀不能复位;定位装置不能复位	复位、定位弹簧变形;定位套损坏;阀体与阀杆间隙内有污物挤塞;阀杆生锈;阀上操纵机构不灵活;联接螺栓拧得太紧,使阀体产生变形	更换定位、复位弹簧;更换定位套;清洗阀体内部;调整阀上操纵机构;重新拧紧联接螺栓
		(2)外泄漏	阀体两端O形密封圈损坏;各阀体接触面间O形密封圈损坏;联接各阀片的螺栓松动	更换O形密封圈;拧紧螺栓
		(3)滑阀在中立位置时工作机构明显下降	阀体与滑阀间磨损间隙增大;滑阀位置不对中;锥形阀处磨损,堵塞;油缸活塞密封损坏	修复或更换阀芯;使滑阀位置保持中立;更换锥形阀或清除污物;更换油缸
		(4)执行机构速度过低或压力上不去	各阀间的泄漏大;滑阀行程不对;安全阀泄漏大或补油阀未复位	拧紧联接螺栓;或更换密封件,检查安全阀
		油箱发热	溢流阀长时溢流;油量不足;冷却水未接通	检查溢流阀是否失灵;加油;检查有无冷却水
		滤油器堵塞	油液污染严重,使用时间过长	更换相同牌号的液压油;清洗或更换滤芯
供水系统		压力脉动大, 管道跳动噪声大	进水系统有残余空气;进液过滤器阻塞引起吸液不足	检查系统,放尽空气;清洗过滤器,清除杂物

八、《煤矿安全规程》对掘进机使用的有关规定

第七十一条 使用掘进机掘进应遵守下列规定：

(一)掘进机必须装有只准以专用工具开、闭的电气控制回路开关，专用工具必须由专职司机保管。司机离开操作台时，必须断开掘进机上的电源开关。

(二)在掘进机非操作侧，必须装有能紧急停止运转的按钮。

(三)掘进机必须装有前照明灯和尾灯。

(四)开动掘进机前，必须发出警报。只有在铲板前方和截割臂附近无人时，方可开动掘进机。

(五)掘进机作业时，应使用内、外喷雾装置，内喷雾装置的使用水压不得小于3MPa，外喷雾装置的使用水压不得小于1.5MPa；如果内喷雾装置的使用水压小于3MPa或无内喷雾装置，则必须使用外喷雾装置和除尘器。

(六)掘进机停止工作和检修以及交班时，必须将掘进机切割头落地，并断开掘进机上的电源开关和磁力启动器的隔离开关。

(七)检修掘进机时，严禁其他人员在截割臂和转载桥下方停留或作业。

第七十六条 采掘工作面的移动式机器，司机离开机器时，必须立即切断电源，并打开离合器。

第七十七条 采掘工作面各种移动式采掘机械的橡套电缆，必须严加保护，避免水淋、撞击、挤压和炮崩，每班必须进行检查，发现损伤，及时处理。

复习题

1.简述掘进机的优点和分类。

2.纵轴式和横轴式工作机构各有什么特点？

3.简述掘进机的组成和工作原理。

4.说明AM50型掘进机的组成和工作过程。

5.说明AM50型掘进机的传动原理(切割、装载、行走)。

6.说明AM50型掘进机的液压系统。

7.简述MRH-S100-41型掘进机的适用范围和结构特点。

8.简述MRH-S100-41型掘进机的组成和工作原理。

9.简述MRH-S100-41型掘进机的切割机构、装运机构、行走机构的传动原理。

10.说明EPJ-120TP型掘进机的适用范围。

11.说明EPJ-120TP型掘进机的结构特点。

12.EPJ-120TP型掘进机的切割机构、装运机构、行走机构各有几级齿轮传动？

13.说明EPJ-120TP型掘进机的冷却喷雾系统。

14.简述掘进机的操作过程(开机、停机)。

15.说明掘进机的维护和日常检修内容。

16.掘进机切割部的常见故障有哪些？ 如何处理？

17.掘进机切割部的常见故障有哪些？如何处理？

18.掘进机行走部的常见故障有哪些？如何处理？

讨论题

1.掘进机开机前应做好哪些准备工作？

2.试分析说明AM-50掘进机行走机构的工作原理及操作。

3.讨论掘进机截割头的安装方法。

4.说明S100掘进机的注油部位,加注时间和注油量。

5.掘进机开机前的检查包括哪些内容。

第八章　装载机

第一部分　系统理论知识

第一节　概述

煤矿井下采用钻爆法掘进巷道时，爆破落下的岩石或煤，需要装载到矿车或其他运输设备上运出工作面。装载的工作量很大，并且劳动强度高，所以采用装载机械具有重要的意义。

装载机的作用就是实现装载的机械化，减轻劳动强度，提高掘进效率。

一、装载机的种类

(1)按所装物料的性质分为装煤机和装岩机。

(2)按工作机构的结构可分为铲斗式装载机、耙斗式装载机、蟹爪式装载机和立爪式装载机。常见的是前三种。

(3)按所用动力分为电动装载机、气动装载机、液动装载机。目前我国多用电动装载机。

(4)按行走方式可分为轨轮式装载机、履带式装载机、轮胎式装载机。

二、装载机的用途及使用条件

(1)耙斗式装载机，简称耙装机，普遍应用于我国各矿区，占使用量的80%左右，主要用于30°以内的斜井上下山和平巷，也可用于巷道的交叉或拐弯处。所掘巷道断面在$4m^2$～$10m^2$之间。除用于装岩外，也可用于装煤。

(2)铲斗式装载机，又称铲装机，主要用于井下岩巷掘进工作面装载岩石，故又称装岩机。其结构紧凑，尺寸小，机动灵活，适应性强，能在弯曲巷道中工作。铲斗装载机是利用铲斗铲取岩石，然后提升铲斗将岩石卸入矿车或其他运输设备，卸载后再将铲斗放下进行第二次铲取。由于其铲装过程为间断式装载过程，故适宜装载较大块度且坚硬的岩石。

铲斗装载机主要有两种类型，即后卸式和侧卸式。后卸式在轨道上行走，而侧卸式行走方式采用履带式，机动灵活，可实现无轨作业，逐渐取代了后卸式铲斗装载机。

(3)蟹爪式装载机，和耙斗式装载机及铲斗式装载机相比，蟹爪式装载机的主要优点是：连续装载，生产效率较高；工作高度很低，适合在较矮的巷道使用。能装的最大块度可达300mm，块度小于100mm时效率最高。

第二节　耙斗式装载机

1963年开始在我国煤矿中推广使用的耙斗式装载机(简称耙装机)，目前已普及各矿区，占装载机使用台数的80%左右，成为我国煤矿巷道掘进的主要装岩设备。

特点:优点是结构简单、成本低、维修方便,能装大块岩石;缺点是钢丝绳及耙斗磨损较快。

耙斗式装载机可用于平巷及倾角小于35°的上下山巷道中装岩。

耙斗式装载机在煤矿中已经得到广泛应用。几种常见的耙斗式装载机的技术特征见表8-1所示。

表8-1　　耙斗式装载机的技术特征

<table>
<tr><th colspan="3">型号
技术特征</th><th>P-15B</th><th>P-30B(ZYP-17)</th><th>P-60B(ZYP-30)</th><th>YP-50A</th><th>ZYP-5.5</th></tr>
<tr><td colspan="3">耙斗容积,m^3</td><td>0.15</td><td>0.30</td><td>0.60</td><td>0.60</td><td>0.1</td></tr>
<tr><td colspan="3">生产率,m^3/h</td><td>15</td><td>35~50</td><td>70~100</td><td>80~100</td><td>12</td></tr>
<tr><td rowspan="5">绞车</td><td rowspan="2">牵引力
kN</td><td>工作</td><td>6.40~10.10</td><td>13.50~19.50</td><td>23.80~19.50</td><td>16.38~25.13</td><td>5.17</td></tr>
<tr><td>回程</td><td>5.04~7.85</td><td>9.68~13.92</td><td>17.50~24.50</td><td></td><td>3.14</td></tr>
<tr><td rowspan="2">牵引速度
(m/s)</td><td>工作</td><td>0.9~1.4</td><td>0.85~1.22</td><td>0.97~1.35</td><td>1.6~1.04</td><td>0.9</td></tr>
<tr><td>回程</td><td>1.2~1.9</td><td>1.18~1.70</td><td>1.34~1.86</td><td>1.72~1.15</td><td>0.9</td></tr>
<tr><td colspan="2">型式</td><td>行星轮</td><td>行星轮</td><td>行星轮</td><td>液压内涨摩擦</td><td>锥形摩擦轮</td></tr>
<tr><td colspan="3">外形尺寸mm
(长×宽×高)</td><td>4700×1040×1700</td><td>6600×2045×1950</td><td>8450×3100×2320</td><td>7725×1850×2340</td><td>5800×1300×1690</td></tr>
<tr><td colspan="3">质量,kg</td><td>3200</td><td>4500</td><td>7500</td><td>6140</td><td>1042</td></tr>
</table>

下面我们以P-30B型耙斗式装载机为例来做简单介绍。

图8-1所示为P-30B型耙斗式装载机。

一、组成

耙装机主要由耙斗、绞车、台车和机槽等组成。

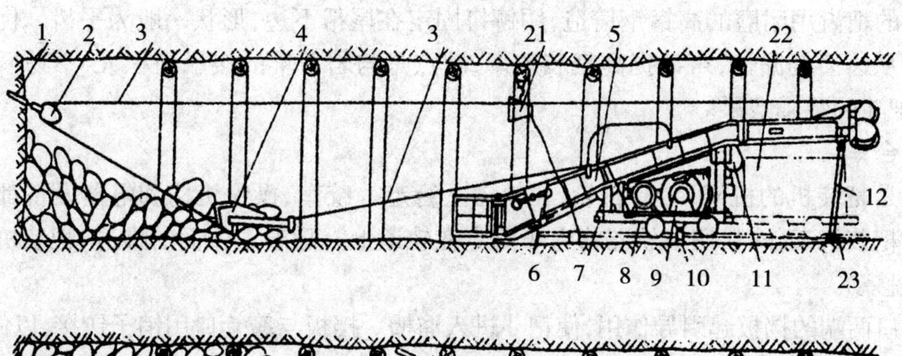

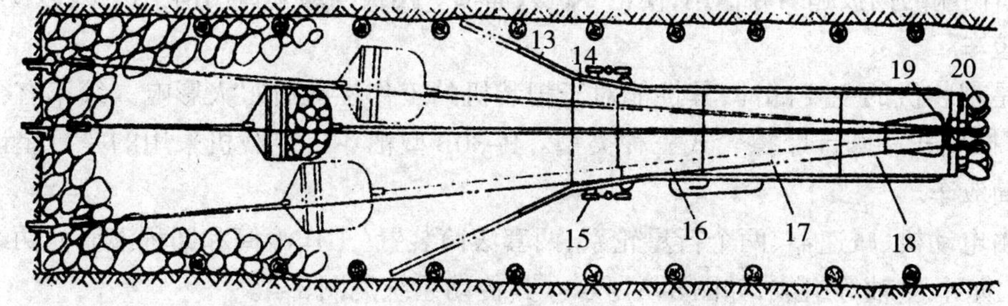

图 8-1　P-30B 型耙斗式装载机构成及工作原理示意图

1——固定楔；2——尾轮；3——钢丝绳；4——耙斗；5——机架；6——护板；7——台车；8——操纵构；9——绞车；10——卡轨器；11——托轮；12——撑脚；13——挡板；14——簸箕口；15——升降装置；16——连接槽；17——中间槽；18——卸载槽；19——缓冲器；20——头轮；21——照明灯；22——矿车；23——轨道

(一)耙斗

耙斗是耙装机的工作机构。结构形式如图 8-2 所示。

耙斗由尾帮、侧板、拉板、筋板等组成。

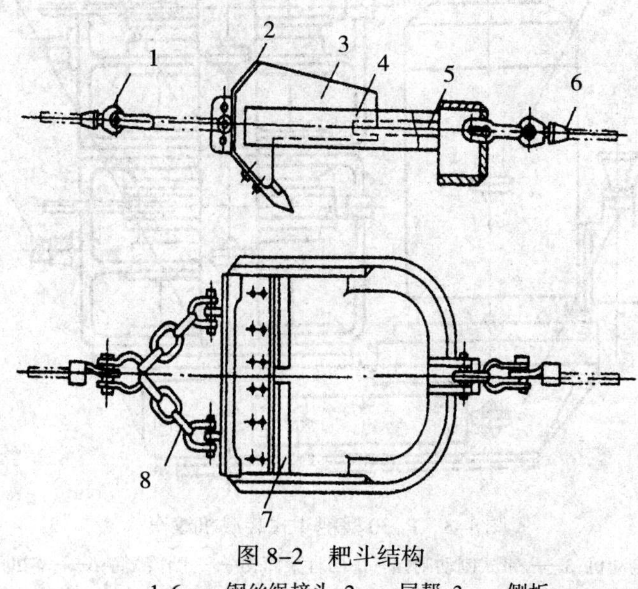

图 8-2　耙斗结构

1、6——钢丝绳接头；2——尾帮；3——侧板；
4——拉板；5——筋板；7——耙齿；8——牵引链

耙斗的耙齿用耐磨的高锰钢铸造，用铆钉固定在尾帮下边，形状一般为平齿。优点是岩石块不会从齿刃处漏掉，可以提高耙装效率；缺点是与岩石堆的接触面积大，不易插入岩石堆，影响耙斗的装载效果。

(二)台车

台车是耙装机的机架，装有轨轮，在轨道上行走。绞车、操纵机构和电器设备都装在台车上边。耙装机工作时，用卡轨器将台车固定在轨道上。随着工作面的推进，耙装机靠绞车牵引向前移动。

簸箕口两端的挡板起引导作用，使耙斗进入溜槽。挡板与簸箕口用销子铰接，以便拆装。

(三)绞车

绞车是耙装机的主要部件，其性能对于耙装机的工作性能有很大影响。绞车有行星轮式、内涨摩擦轮式和圆锥摩擦轮式三种类型。P-30B型耙斗式装载机采用的是行星齿轮传动的双滚筒绞车。

绞车由电动机、减速器、两个行星轮系、两套滚筒装置(工作滚筒和回程滚筒)、两组工作闸、两组辅助闸、主轴等组成，如图8-3所示。其传动系统见图8-4。

减速器是二级圆柱齿轮减速器，采用惰轮是为了使进轴和出轴之间有足够大的中心距。工作滚筒和回程滚筒各经一套行星齿轮传动驱动，它们的中心轮6、9都装在减速器的出轴上。各个行星齿轮传动的内齿圈兼做制动轮，行星架分别与工作滚筒和回程滚筒固定。

机器工作时，开动电动机，经过减速箱中的两级齿轮传动减速后驱动主轴转动。此时两组工作闸都处于松闸状态，两个行星轮系都处于“浮动”状态，两个滚筒都不转动，绞车空转。

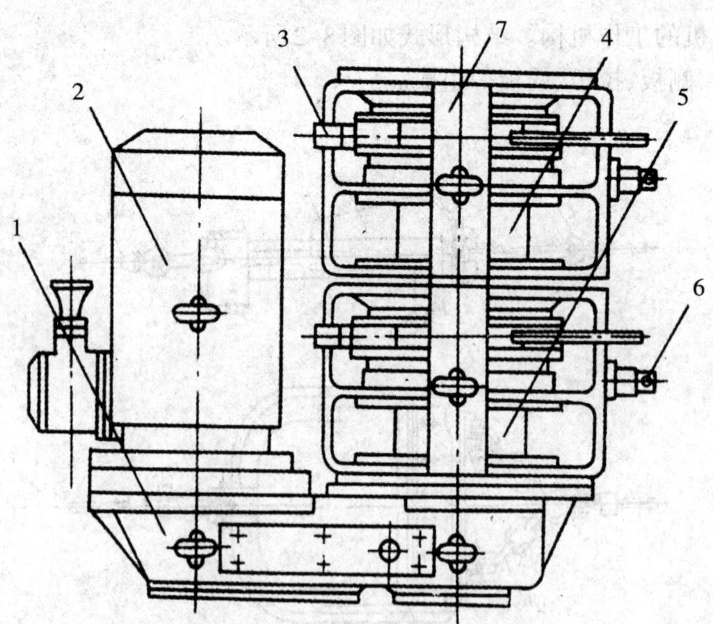

图8-3 P-30型耙斗式装载机绞车

1——减速器；2——电动机；3——带式制动闸；4——回程滚筒；5——工作滚筒；6——辅助闸；7——绞车架

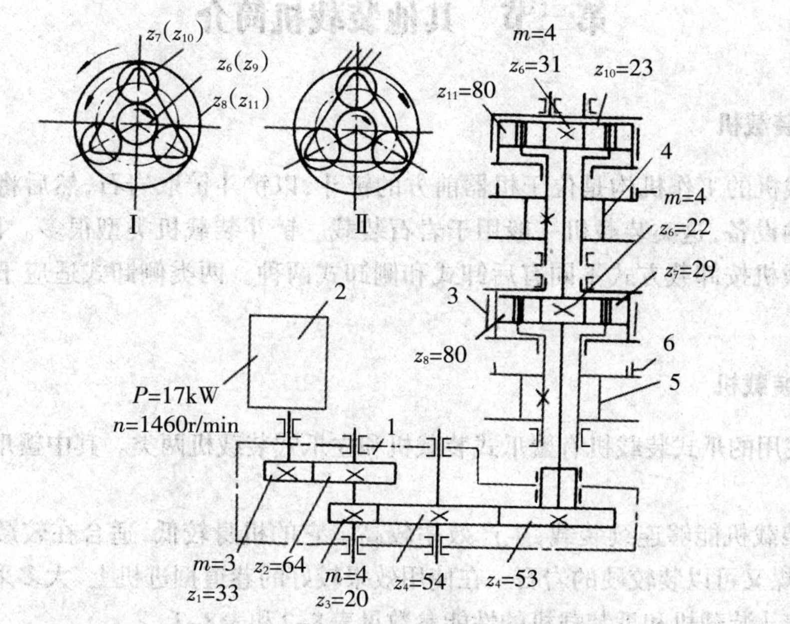

图8-4 绞车(行星轮式)传动系统

1——减速器;2——电动机;3——带式制动闸;4——回程滚筒;5——工作滚筒;6——辅助闸

当操纵工作滚筒的工作闸闸紧时,工作滚筒的内齿圈固定,轮系具有确定的相对运动,行星架与工作滚筒用键连接,带动工作滚筒转动缠绳,牵引耙斗耙装岩石。同时,回程滚筒工作闸处于放松状态,回程滚筒在耙斗牵引下被迫反转放绳。

耙斗到卸料口卸载后,操纵回程滚筒工作闸闸紧而工作滚筒工作闸松开,回程滚筒缠绳,工作滚筒放绳,牵引耙斗返回岩堆。

当两个制动闸都松开时,工作滚筒和回程滚筒都不转动,耙装机处于停车状态。

两套行星轮传动机构的结构相同,但行星轮和中心轮的齿数不同,从而使耙斗在工作行程的运动速度较慢,返回行程的运动速度较快。适应耙装机的耙装工况。

这种传动形式可以方便地实现正转、反转和停车。

辅助闸是带式闸。绞车工作时,松闸的那个滚筒被钢丝绳拉着放绳,停车后由于惯性还会转动,造成乱绳现象。辅助闸可以给滚筒一个不大的摩擦阻力矩,防止乱绳现象。

行星齿轮传动的双滚筒绞车工作可靠,操纵省力,使用很普遍。

二、工作原理

启动绞车后,通过操纵机构可使耙斗往复运动。在耙装过程中,耙斗靠自重插入岩堆,然后沿着簸箕口、连接槽、中间槽到卸载槽,将物料从卸载槽的卸料口卸入矿车或者其他装载设备,然后耙斗返回工作面料堆,开始新的耙装行程。

第三节　其他装载机简介

一、铲斗装载机

铲斗装载机的工作机构是位于机器前方的铲斗，以铲斗铲取岩石，然后将岩石卸入矿车或其他运输设备，这类装载机一般用于岩石装载。铲斗装载机类型很多。目前，煤矿所用的铲斗装载机按卸载方式不同有后卸式和侧卸式两种。两类侧卸式适应于大断面的巷道装载。

二、爪式装载机

煤矿中使用的爪式装载机有蟹爪式装载机和立爪式装载机两类。其中蟹爪式装载机应用较多。

蟹爪式装载机能够连续装载，生产效率较高。它的机身较低，适合在较矮的巷道中工作，既可以装煤又可以装较硬的岩石。在使用效果较好的巷道掘进机上，大多采用蟹爪式装载机。常用铲斗装载机和爪装载机的性能参数见表8–2和表8–3。

表 8-2 **铲斗装载机性能参数**

型号	装载能力 (m^3/h)	铲斗容积 ($/m^3$)	行走速度 (m^3/s)	结构特征	电动机		轨轮行走		质量 (t)	外形尺寸 (长×宽×高) (mm)
					功率 (kW)	台数	装载面宽度(m)	轨距 (mm)		
ZB-17(Z-17)	25~35	0.17		铲斗后翻直接卸载	10.5	2	1.7		$\frac{3.40}{(3.3)}$	$2175\times\frac{1160}{(1070)}\times1200$
ZB-17A (Z-17A)										
ZZ11-2A		0.20	0.97		10.5	1	1.7	600	3.6	2175×1070×1750
ZB-20C (Z-20C)	40				10.5	2	1.95		$\frac{3.5}{(3.4)}$	$2175\times\frac{1160}{(1070)}\times1200$
ZYC-23.5	30~40		0.79		10.5 13	1 1	2.2	600	4.88	2373×1604×2192
ZYC-28	30~45		0.97		13 15	1 1	2.2	600 600	5.16 5.80	2370×1604×2145 2450×1643×2150
ZB-30(Z-30)	60	0.30			10.5 13	1 1	2.2~2.5 (可调)		$\frac{4.5}{(4.0)}$	$2175\times\frac{1287}{(1200)}\times1443$
Z-30B (ZCY-30)	40~60		1.02		15	1	2.67	600 900	5.0	2660×1455×1400
YK-30 (ZCY-30)	45~55		进 0.8 退 0.6	铲斗后翻带转载机	1.5 14	1 1	4	600 900	9.1	8500×1700×1600
ZC-1B(ZC-1)	72	0.60	0.86	铲斗侧卸履带行走	15 22	2 1			7.5	4250×1830×2200
ZC-60B	70		2.62		13 22	1 1			8.2	4135×1880×1550
ZCY-60	40~60		0.61		55	1			8.2	4480×1670×1870
ZLC-60	90		0.80		13 17	2 1			8.5	4210×1800×2110
ZC-2	70		0.83		15 18.5	2 1			7.2	4290×1850×1600

表8-3　爪式装载机性能参数

型号	装载能力（m³/h）	装载部分				行走部分			转载部分				功率（kW）	质量（t）	外形尺寸（长×宽×高）（mm）
		装载面宽度（mm）	摆动次数（次/min）	功率（kW）	最大块度（mm）	速度（m/min）		功率（kW）	速度（m/min）		摆角（°）	功率（kW）			
						工作	调动		刮板	胶带					
ZB-1	150~180	2200	35	15×2	600	9.7	9.7	15×2	1.0			15×2	97.8	20	8837×2290×1960
LB-150	150	2170	35	15×2	700	1.02	1.02	15×2	1.02		±35°	15×2	97.5	23.4	8850×2170×2040
ZXZ60	60	1600	31.8	13×2	500	12.8	20	30	0.81	1.28	±30°		64.5	15	8100×1600×1770
ZS-60	60	1350	35	液压马达	500	5.8	22	7×2（油马达）	0.68	1.0	±30°	5.5×2	22	6	7570×1350×1720
ZMZ_{2A}-17	30	1590	45		300	17.5	17.5		0.91		±45°		17	4.3	7200×1460×2200
ZMZ_3-17	36	1520	40		500	17.5	17.5		0.97		±30°		17	5.2	6892×1480×2200
LZ-80立爪	80	4000				25.5			0.66				37	9	
LZ-100立爪	80~100	2886	40		300	48		摆动油缸	0.66				51	8.8	5440×1250×1700
LZ-120D立爪	120	4100				21			0.72				45	11.3	

第二部分　专业核心知识点

1.装载机的用途和使用条件。

2.装载机的常见类型。

3.耙斗式装载机的组成和工作原理。

4.装载机的操作和有关安全规定。

第三部分　专业技能训练

一、耙斗式装载机的操作步骤

(1)放炮后先在掘进工作面打好上部炮眼,在眼内打好固定楔,挂好尾轮,便可开始耙岩。

(2)压紧牵引卷筒操作手把,牵引卷筒将牵引耙斗耙取岩石,并到卸料口卸入矿车。

(3)压紧牵引返回卷筒操作手把,返回卷筒将牵引耙斗返回工作面。依次重复耙岩动作。

(4)司机可利用调车时间,将岩石耙至簸箕口前,也可使少量岩石耙到机槽上,待空车到达后,司机连续操作装车,提高装载效率。

(5)耙取巷道两侧岩石时,只需移动尾轮即可。

(6)机器在弯道中使用时,采用分段耙的方法,先将工作面岩石耙到转弯处,然后移动尾轮位置,把转弯处岩石耙装到矿车内。

二、《煤矿安全规程》对使用装载机的有关规定

第七十三条　使用装岩(煤)机必须遵守下列规定:

(一)装岩(煤)前,必须在矸石或煤堆上洒水和冲洗巷道顶帮。

(二)装岩(煤)机上必须有照明装置。

第七十四条　使用耙装机必须遵守下列规定:

(一)耙装机作业时必须照明。

(二)耙装机绞车的刹车装置必须完整、可靠。

(三)必须装有封闭式金属挡绳栏和防耙斗出槽的护栏;在拐弯巷道装岩(煤)时,必须使用可靠的双向辅助导向轮,清理好机道,并有专人指挥和信号联系。

(四)耙装作业开始前,甲烷断电仪的传感器,必须悬挂在耙斗作业段的上方。

(五)固定钢丝绳滑轮的锚桩及其孔深与牢固程度,必须根据岩性条件在作业规程中作出明确规定。

(六)在装岩(煤)前,必须将机身和尾轮固定牢靠。严禁在耙斗运行范围内进行其他工作和行人。在倾斜井巷移动耙装机时,下方不得有人。倾斜井巷倾角大于20°时,在司机前方必须打护身柱或设挡板,并在耙装机前方增设固定装置。倾斜井巷使用耙装机时,必须有防止机身下滑的措施。

(七)耙装机作业时,其与掘进工作面的最大和最小允许距离必须在作业规程中明确规定。

第七十五条　高瓦斯区域、煤与瓦斯突出危险区域煤巷掘进工作面,严禁使用钢丝绳牵引的耙装机。

复习题

1.掘进装载机有哪些类型?
2.说明耙斗式装载机的主要组成和工作原理。
3.说明耙斗式装载机的装载绞车的类型和操纵方法。

讨论题

1.说明装载机的有关安全规定。
2.说明三种类型装载机各自的特点。
3.说明装载机的操作步骤。

第九章　凿岩机

凿岩机是以冲击回转方式驱动钎杆、钎头在岩体中钻眼的工具。凿岩机的应用十分广泛。在矿山使用凿岩机在坚硬的岩石上钻凿炮眼。

第一部分　系统理论知识

第一节　概述

一、凿岩机的分类

按驱动力，凿岩机分为风动、电动、液压和内燃4类。矿山大量使用风动凿岩机，它是以压缩空气为动力，将压气能转变为机械冲击能，通过钻具对岩石进行冲击破碎以形成炮眼的钻孔机械，可用于掘进岩巷时钻凿水平或倾斜炮眼。在煤矿上广泛使用的是气腿式凿岩机。电动凿岩机动力单一，效率高，可省去复杂的压气供应系统，与风动凿岩机相比，有省电、节油、减少投资和降低凿岩成本的明显效果，但工作可靠性差，目前煤矿中用得不多。液压凿岩机比风动凿岩机的效率高，但对零件的制造精度和维护保养技术要求较高。内燃凿岩机多用于野外作业，若在矿井中应用，其废气的净化和防爆问题较难解决。

按支承和推进方式，风动凿岩机又分为手持式、气腿式、伸缩式和导轨式4种。手持式风动凿岩机用于钻凿水平、倾斜及垂直向下的炮眼。需要人力的支撑和推进。气腿式风动凿岩机带有起着支承和推进作用的气腿，用手握持工作，可打水平、向上倾斜及向下倾斜的浅炮眼。伸缩式凿岩机又称向上式凿岩机，适合打60°~90°的向上的炮眼，可用于打锚杆孔和挑顶炮眼。导轨式凿岩机的质量较重，它安装在推进器的导轨上，靠推进器支承和推进，可打各种方向的中深炮眼。

二、凿岩机的工作原理

凿孔时，钎刃在冲击力的作用下凿入岩石，凿出一个沟槽，然后将钎子转动一个角度，再次冲击，凿出第二个沟槽，在两沟槽间的岩石被剪切破碎，所产生的岩石碎屑依靠钎子中心孔的压力水或压缩空气冲洗或吹出，保证钎刃和岩石的直接接触。如此反复进行，在推进力作用下孔底的岩石被层层凿碎，孔眼逐渐加深，直到预定深度。

三、凿岩机的型号含义

Y——手持式，YT——气腿式，YS——向上式，YG——导轨式，YTP——气腿式高频，TGP——导轨式高频，YG——外回转。

例如：YTP−26是气腿式高频凿岩机，机重为26kg。

第二节　风动式凿岩机

一、风动式凿岩机的主要组成

风动式凿岩机的类型很多，但用于煤矿岩石巷道掘进的主要是气腿式凿岩机。按照冲击转动式凿岩的动作原理，凿岩机一般由冲击配气机构、转钎机构、推进机构、排粉机构、润滑系统和操纵机构组成。

图9−1　风动式凿岩机

凿岩机的外结构如图9−2所示，钎子1的尾端装入凿岩机2的机头钎套内，注油器3连接在风管5上，使压气中混有油雾，对凿岩机内零件进行润滑，水管4供给清除岩粉用的水，气腿6支撑着凿岩机并给以工作所需要的推动力。

凿岩机的类型虽多，但其结构则大同小异。有些虽主要参数不同、重量不等、尺寸不一，但结构却基本相似；各种风动凿岩主要区别在于冲击配气机构和转钎机构。

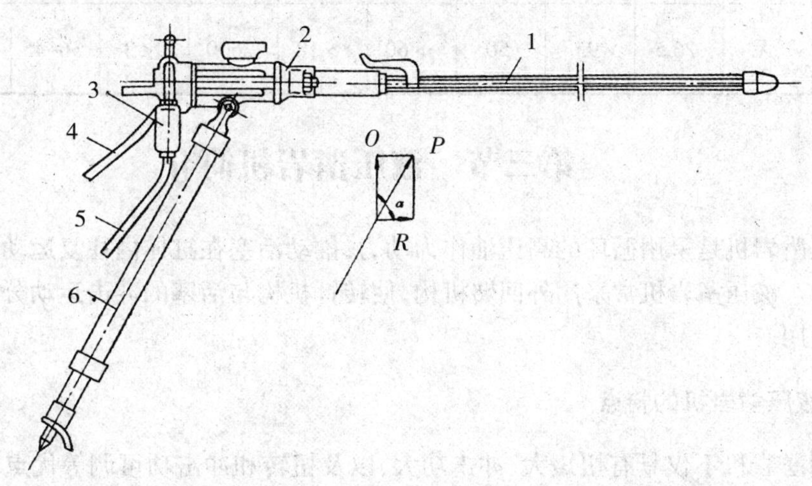

图9−2　气腿式凿岩机

1——钎子；2——机头钎套；3——注油器；4——水管；5——风管；6——气腿

冲击配气机构是气动凿岩机的主要机构。它由配气机构、气缸和活塞以及气路等组成，配气机构的作用是将由节气阀输入的压气依次输送到气缸的后腔和前腔中，推动活塞作往复运动，从而获得活塞对钎尾的连续冲击动作。配气机构制造质量和结构性能的优劣，直接影响到活塞冲击功、冲击频率、转矩和气耗量等主要技术指标，常见的有活阀配气机构、控制阀配气机构和无阀配气机构。其中活阀配气机构结构简单，制造维护方便，动作比较可靠，应用较广。控制阀配气机构启动灵活，工作平稳可靠，耗气量小，但是结构复杂，配合精度高，维修困难。无阀配气，是依靠活塞在气缸中往复运动时活塞位置的变换来实现配气的。优点是结构简单，零件少，维修方便，能充分利用压气的膨胀功，气耗量小，换向灵活，工作稳定可靠。

转钎机构，常见的有内回转和外回转两大类。内回转凿岩机是在活塞做往复运动时，借助棘轮机构使钎杆做间歇转动；外转钎机构是独立的发动机带致力钎杆做连续的转动。

二、气腿式凿岩机的主要技术特征见表9–1

表9–1　　**气腿式凿岩机的主要技术特征**

型号	阀型	质量 kg	气缸直径 mm	活塞行程 mm	冲击功J	扭矩 N·m	冲击频率 次/min	耗风量 m^3/min	直径 mm	深度 m	气腿型号
YT–23	环	24	76	60	>60	>15	2100	<3.6	34~42	5	FT160
YT–24	控	24	70	70	>60	>13	1800	<2.9	34~42	5	FT 140B
YT–26	控	26	75	70	>70	>15	2050	<3.5	34~42	5	FT160
YTP –26	无	26.5	95	50	>60	>18	2600	<3	36~45	5	FT170

第三节　液压凿岩机简介

液压凿岩机是采用循环的高压油作为动力，推动活塞在缸体内往复运动，冲击钎子来破碎岩石的。液压凿岩机常采用外回转机构，使转钎机构与活塞的冲击运动分开，安装在凿岩台车上使用。

一、液压凿岩机的特点

这种凿岩机不仅具有扭矩大、冲击功大，以及扭转和冲击功可调等优点，与风动凿岩机相比还有如下特点：

（1）凿岩速度快。一般情况下液压凿岩机比风动凿岩机速度快30%~50%，个别提高2~3倍，凿岩速度可达1.2m/min~2.4m/min，这是因为液压凿岩机冲击频率高，最高可达每分钟上万次，能自动调节冲击功、扭转和转速等参数，充分发挥其功能。

（2）动力消耗少。液压30%~50%能量凿岩机利用率高，故凿岩机的动力消耗低。风动凿岩机效率只有10%~15%，液压凿岩机可达30%~40%。一般液压凿岩机耗用动力只有风动凿岩机的1/5~1/4。而且还省掉了一套庞大的压气设备及压气管路。

(3)改善了工作环境。液压凿岩机没有废气排出造成的噪声,噪声可降低至风动凿岩机的1/7~1/4,工作人员可在机旁对话。此处,没有润滑油雾排入大气造成的污染,保证了工作面空气洁净,工作视野清晰,改善了工作环境。

(4)润滑条件好,提高了机器寿命。凿岩机所有运动零件都在油液中运转,减少了零件磨损,延长了寿命,如活塞的寿命以进尺计算,可钻凿27000mm长的炮眼。

液压凿岩机的缺点是:由于需要和液压钻车配合使用,所以投资大,单位功率的重量较大,技术要求和维护费用都比较高。

液压凿岩机的技术特征见表9-2。

表9-2　　液压凿岩机技术特征

项目＼型号	YYC-8（中国）	COP1038 HD（瑞典）	AD102（瑞典）	RPH-200（法国）	H-45（法国）	HH4025（德国）	HARD-III（美国）
机重(kg)	80	142	132	90	123	150	215
冲击频率(Hz)	50	42~60	54	33~67	52~55	67	155
冲击功(J)	120	250~350	230	100~200	150~221	255	92
最大扭矩(N·m)	150	415	265	200~300	500	224	190
转速(r·min^{-1})	0~500	0~300	0~230	0~250	130~200	0~280	0~255
钻孔直径(mm)	42~45	45~51		27~41	32~45		
冲击油压(Mpa)	12	23~25	13.5	20	10~13	15~18	18.3
冲击流量(L·min^{-1})	120	90	120	50	90	100~130	83
回转油压(Mpa)	7	9~11	13.5	10	9.5~11.5	10	7.0
回转流量(L·min^{-1})	45	70	33	40~70	45	30~40	47

二、液压凿岩机的类型

按照冲击机构的配有方式不同,液压凿岩机可分为有阀配油和无阀配油两种。有阀配油是利用配油阀,使油流换向实现配油;无阀配油机构是借活塞本身的运动来实现配油的,活塞既起冲击作用,又起配油作用。目前有阀配油机构应用较多,按照配油原理还可以分为油缸前后腔交替进、回油式,前腔常进油式和后腔常进油式三种。

三、液压凿岩机的组成和原理

如图9-3所示,液压凿岩机一般由以下几部分组成:

(1)冲击机构，包括活塞、缸体及配油机构。通过配油机构使高压有交替作用于活塞的两端，形成压差，推动活塞在缸体内做往复运动，冲击钎子。通过改变供油压力调节活塞的冲击功。

(2)转钎机构，液压凿岩机大多采用外回转式。由液压马达驱动，经齿轮减速后带动钎子回转。

(3)推进机构，利用凿岩台车的导轨和推进器实现推进。

(4)排粉机构，一般采用压力水冲洗排粉。

(5)操纵机构，由液压系统实现对它的操纵，包括冲击回路、推进回路和转钎回路。

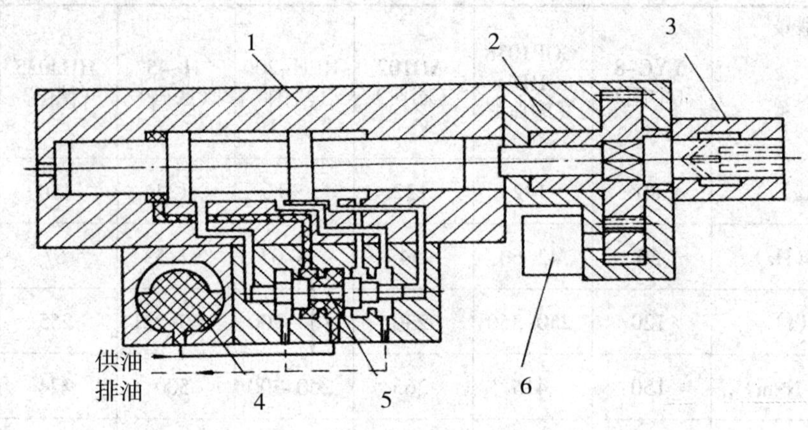

图 9-3 液压凿岩机

1——冲击机构；2——转钎机构；3——排粉机构；4——蓄能器；5——配油阀；6——液压马达

第四节 凿岩台车

凿岩台车是用于煤矿平巷掘进的一种机械化的凿岩设备，用来代替人工扶持冲击式凿岩机。司机坐在台车上可以同时操作2~3台中、重型，高频冲击式凿岩机，并可与装载、转载和运输等设备配套使用，组成机械化程度较高的作业线，可提高凿岩速度，减轻工人劳动强度，改善劳动条件，提高劳动生产率。目前井下使用的凿岩台车类型很多，大体可按以下方法分类：

(1)按其行走机构分：轨轮式、履带式和轮胎式。

(2)按其安装的支臂数分：双机、三机和多机。每个支臂装有一台凿岩机。

(3)按支臂的移动方式分：直角坐标式和极坐标式两种。

(4)按适应巷道断面及配用凿岩机重量分：台车支臂有轻型、中型、重型三种。

此外，直角坐标式的台车支臂又有推进器可翻转、支臂可旋转和支臂可伸缩形式。推进器的推进方式有风马达—丝杠、液压缸—钢丝绳和风马达—链条等结构。

目前我国生产的GGJ-2凿岩台车的主要技术特征见表9-3。

表9-3　　GGJ-2凿岩台车的主要技术特征

名称 \ 型号		GGJ-2
适用巷道断面	最小	1.8×2.0 2.6×3.2
支臂	数目/个 运动方式 平动方式 补偿方式 补偿长度/m	2 直角坐标 液压平动 淮压缸 1.20
推进器	推进方式 推进力/N 推进风马达型号	风马达—丝杠 1960 TM-2.2
行走机构	行走方式 行走功率/kw 行走速度/km·h^{-1}	轨轮 3.5 6~8
液压系统	液压泵型号 工作压力Mpa 驱动功率/kw	YB-A14B-FL 6 2.06
外形尺寸(长×宽×高)/m 机器质量/kg 配套凿岩机型号		5.6×1.3×1.3 2200 YGP-28

第二部分　专业核心知识点

1.凿岩机的类型。

2.风动式凿岩机的组成和原理。

3.液压凿岩机的组成和原理。

4.凿岩机和凿岩台车的使用、维护。

第三部分　专业技能训练

一、凿岩机的使用与维护

（一）凿岩机使用前的准备工作

（1）新购入的凿岩机在使用前需要拆卸清洗内部零件，除掉机器在出厂时所涂的防锈油脂。在重新组装时，应在各零件的配合表面上涂润滑油。使用前还应在低压下试运转10min，检查运转是否正常。

（2）往凿岩机接气管和水管之前，需要放气放水，将各自管内与接头处的污物吹洗净，以免污物进入机体内损坏机件。

（3）凿岩机在开动前应向自动注油器里装放润滑油，调好油阀。注油后应将油盖封好，以防岩粉或污物进入。

（4）检查各操纵手柄是否动作灵活可靠，检查各连接件是否牢靠，以免机件脱落伤人，保证正常运转。

（5）检查工作地点的气压和水压。气压应为0.5~0.6MPa，气压过高会加快零件的损耗；过低则会降低凿岩效率，甚至不能工作。水压应符合凿岩机的要求，水压过高会使水灌入机内破坏润滑，降低凿岩效率及锈蚀零件；过低则会降低冲洗效果。

（6）检查钎子质量，钎尾是否符合凿岩机的要求，不合格的钎禁止使用。钎尾插入凿岩机机头后，用手能转动钎子，否则应更换或及时处理好。

（二）使用注意事项

（1）严格遵守钻眼安全技术操作规程，谨防断钎。一旦出现断钎时，应眼明手快，用手握住手把上的扳机，可减少机器向前的冲力，以防损伤事故。钻眼时，凿岩正前方严禁站人和作业。

（2）润滑油可根据现场温度来选择，温度较高时选用黏度大一些的润滑油；反之，则选用黏度小一些的润滑油。但特别注意在高瓦斯矿井使用时不能选用燃点低、易发火的润滑油，以防爆炸事故。

（3）开钻时应先由轻运转开始，在气腿轴推力逐渐增大的同时再逐渐开全运转凿岩。不得在气腿轴推力最大时使凿岩机骤然开全运转，更不能长时间开全运转空行，以免擦伤和损坏零件。在拨钎时，以中运转状态拨钎为宜。

（4）湿式凿岩机严禁无水作业，更不能拆掉水针作业；否则会损坏阀套等零件，使凿岩机运转不正常。

（5）凿岩过程中一旦钎子被卡住时，绝不能用力强行扭断凿岩机，若扭动方向与正常旋转方向相反时会使棘爪被挤碎，也不能用敲打钎杆的方法去处理，应先使用扳手慢慢转动钎子，再开轻运转逐渐拨出钎子，然后重新工作。

（6）注意检查钎子的运转情况，若钎头损坏或磨钝，钎尾变形或打裂，都要及时更换。当钎头上的硬质合金片碎裂或掉角时,必须将碎片从孔中掏出来才能继续凿岩。

(7)经常观察凿岩机的运转情况,如发现声音不正常,应立即停车检查处理。

(8)操作时要注意气腿的供气量,气量过大,会使钎子顶紧眼底,使机器在超负荷下运转,加速零件的磨损;若气量过小,会减少轴推力,机器产生回跳,振动增大。

(9)操作时应使气腿与地面的支设角度不宜过大或过小,以保证适当的轴推力和必要的支撑力。气腿的支点要可靠,以防气腿滑动伤人。

(10)操作时应注意工作面的岩石情况,随时观察有无冒顶、片帮危险,禁止打残眼。

(三)日常维护

(1)凿岩完毕后,应卸掉水管进行轻运转,吹净机内残存水,以防零件锈蚀;然后将凿岩机放在安全清洁的地方,不能随地乱放。

(2)凿岩机通常每周清洗一次,以保持设备完好状态。

(3)经常检查,按期进行修理,及时更换磨损零件,以保证机器的正常运转。

(4)禁止在工作面拆装凿岩机,以防污物进入和丢零件。

(5)长期不用的凿岩机要拆开清洗干净,涂上防锈油再行装配,并放在干燥清洁的地方保存。

二、凿岩台车的使用与操作

(一)使用注意事项

(1)凿岩台车司机必须经过专业培训持证上岗,专人操作。

(2)开机前要发出信号,确保机器周围的危险区内无人后,方可开机。

(3)在作业期间或是当机器接通电源后,严禁人员在凿岩台车前面及钻凿臂的移动范围内停留。

(4)在改变凿岩机的作业方位时,要事先提醒在工作范围内的所有人员注意安全。

(5)一旦发生危急情况,必须用紧急停车开关立即切断电源。

(6)在未关闭电源之前,司机不得擅自离开机器。

(7)机器较长时间停用,必须断开隔离开关。

(8)在检修作业期间,必须防止机器误动作等危险情况发生。

(9)电气设备的检验、维修工作必须由专职电工进行,必须确保电气设备不失爆。

(10)在有危险的地带,不允许对机器进行维修。

(二)操作时的注意事项

(1)首先启动液压系统的电动机,提醒附近人员撤离危险区。

(2)开始钻凿时,应使钎头慢速靠近岩壁,当达到一定截深后,才能根据负荷情况和机器的振动情况加大时给速度。

(3)当需要调整时,要注意速度变化的平稳性,以防止冲击。

(4)凿岩台车在前进或后退时,必须保证前后左右人员和自身的安全,同时注意防止轧坏电缆。

(5)操纵液压系统的控制阀组手把时,不得用力过猛,以免因液压冲击而损坏机件。

(6)液压缸行程至终点位置时,应迅速扳回操纵阀手把,液压系统长时间溢流发热。

(7)钎头磨损或损坏时,不得开机。

(8)要及时清除机器周围的堆积物和岩块。

(9)当钎头钻凿不正常时,不要强使机器硬顶工作面岩壁,以免损坏机器。

三、凿岩机的常见故障与排除方法,见表9–4

表9–4　　凿岩机的常见故障与排除方法

故障类别	原因	消除方法
凿岩速度降低	工作气压低	1.核算压气管路是否超过额定负荷,如果超过额定负荷,则应适当减少同时工作的凿岩机台数,或者适当减少其他耗气作业 2.消除管路漏耗而造成压力降低的因素,检查和拆换漏气管路及接头 3.避免管路阻尼造成压力降低的因素,输气胶管长度应控制在10～15 m之间,检查和拆换过小的气路管径和气门开关
	润滑不良	1.注油器缺油,应立即装满 2.注油器油路小孔堵塞应清洗,用压气吹进小孔 3.润滑油太脏,黏度太大,应按规定更换
	气腿力不足,伸缩不灵,机器后坐力大	1.气腿胶碗的磨损或松脱,根据情况更换或重新装配 2.架体与外管螺纹连接不紧,造成上下腔窜气,应旋紧架体 3.密封圈损坏或丢失,应及时检查及更换 4.扳机磨损,压缩换向阀时行程不够,气腿不易缩回,应及时更换扳机
	水路不畅,机头端部流水及洗锤	1.水针折断,及时更换 2.钎杆中心孔不通或太小,更换钎杆 3.水针孔径不合规定(一般3 mm)造成水压降低,应更换水针 4.水压高于气压,造成压力水向机内倒流,破坏正常润滑,应及时采取降低水压措施
	主要零件已经失效	1.气缸活塞间隙大于0.08mm 2.导向套与活塞间隙大于0.1mm 3.阀与阀柜主要圆周间隙大于0.05mm 4.螺旋母牙宽磨损大于2.5 mm 5.螺旋棒牙宽磨损大于2.5 mm 6.钎套六方对边磨损至2.5 mm 7.转动套花键牙磨损大于2.5 mm。其他如棘轮、插爪塔形弹簧等也应注意其磨损情况。在显著影响性能时给予更换

表9-4(续)

启动困难	1.无水针作业 2.润滑油粘度大,油量过多 3.压力水进入机体内	1.补装水针 2.更换规定的润滑油,调节油量 3.检查处理漏水现象
水针折断	1.活塞小头端部或钎尾中心孔不正 2.钎尾与钎尾套配合间隙过大 3.水针太长 4.钎尾大孔太浅	1.更换活塞或钎子 2.钎尾套磨损严重,应及时更换 3.修整水针长度 4.应按规格要求制作
水气联动机构失灵	1.水压高于气压 2.气路和水路的小孔堵塞 3.注水阀体内零件锈蚀 4.水阀弹簧疲劳失效 5.密封胶圈损坏	1.应采取措施降低水压 2.疏通小孔 3.清洗除锈 4.更换弹簧 5.更换密封圈
凿岩机不动作,气缸发热	1.活塞损坏或污物卡住转动件 2.润滑油量太少	1.更换或拆装清洗 2.按规定加油
凿岩机工作声音异常,冲击效率降低	1.钎尾长度过短 2.钎卡卡钎不紧 3.配气机构气路堵塞	1.更换合格的钎子 2.更换钎卡弹簧 3.清洗配气阀
卡钎	1.钎头磨钝 2.轴推力过大 3.炮眼内煤粉过多堵塞	1.更换钎头 2.调节轴推力 3.进行强吹
断钎	1.气压过高 2.骤然开全运转 3.钎子变形 4.钎尾凸缎的过渡圆角太小 5.钎尾在热处理时有裂纹	1.采取措施降低气压 2.严格遵守操作规程作业,应缓慢启动 3.修理或更换钎子 4.按规格要求制作 5.改进制作工艺

复习题

1.简述凿岩机的工作原理。

2.凿岩机有哪些类型?

3.说明气腿式凿岩机的组成和工作原理。

4.说明液压凿岩机的组成和工作原理。

5.简述凿岩台车的基本组成部分。

讨论题

1.简述凿岩机使用注意事项。

2.简述凿岩台车的操作。

3.简述凿岩机的常见故障分析。

第十章　山西省煤矿“六个标准”涉及内容

第一节　《山西省煤矿建设标准》相关规定

第八十六条　采煤方法的选择，应根据地质条件、煤层赋存条件、开采技术条件、设备状况及其发展趋势等因素，以安全、高效、低成本、高回采率为目的，经综合技术经济比较后确定。

矿井应以长壁采煤法为主，大、中型矿井采用综合机械化采煤工艺。综采主要设备应包括液压支架、采煤机、刮板输送机、转载机、破碎机、顺槽带式输送机等。

第八十七条　缓倾斜、倾斜煤层采煤方法及工艺的选择，应符合以下规定：

（一）缓倾斜、倾斜煤层宜采用走向长壁采煤法后退式开采；当煤层倾角小于12°且条件适宜时，可采用倾斜长壁采煤法后退式开采。

（二）煤层倾角35°～55°时，可采用伪倾斜走向长壁采煤法后退式开采。

（三）厚度4～6m的煤层，地质构造简单、煤层赋存稳定、煤层较硬，宜采用一次采全高综采工艺。不具备综放开采条件或一次采全高综采工艺条件的，宜采用分层综采工艺。

（四）厚度4～6m的煤层及4m以下的煤层，开采能力大但矿井设计规模较小的工作面，根据选定的采煤机，结合矿井的设计规模配套选择刮板输送机，但工作面顺槽转载机、破碎机及顺槽带式输送机及后续环节的运输设备、给煤设备的选型均不能超能力设计。

（五）对于薄煤层开采的矿井，回采工作面综采设备选型应考虑采煤机截割顶板或底板岩石的影响。

（六）对于厚煤层开采且煤层含有夹矸的矿井，采用放顶煤开采时，刮板输送机选型应考虑混入矸石的影响。

第八十八条　急倾斜煤层采煤方法及工艺的选择，应符合以下规定：

（一）厚度1.5～3.6m、倾角大于55°的煤层，可采用伪倾斜柔性掩护支架采煤以及其他新技术；水资源允许时应优先采用水力采煤法。

（二）厚度大于15m的无煤（岩）与瓦斯（二氧化碳）突出煤层，无冲击地压煤层，条件合适的，宜采用水平分段综采放顶煤工艺。

第九十五条　掘进工作面个数及配备应能确保回采工作面和采区的正常接替，采掘比宜为1:2。

掘进工艺和设备的选用应与地质、采矿条件相适应。优先采用综掘工艺。

第九十六条　矿井掘进机械配备应符合以下规定：

（一）全煤巷道及半煤岩巷掘进：综合机械化采煤的矿井，应采用综合掘进机组或连续采煤机组掘进，配备掘进机及相应的后配套设备。

（二）全岩巷道掘进宜配备液压钻车及相应的后配套设备；有条件时可配备部分断面掘

进机和全断面掘进机。

第九十七条　矿井掘进工作面正常工作的局部通风机必须配备同等能力的备用局部通风机，并能自动切换。正常工作的局部通风机必须采用“三专”（专用开关、专用电缆、专用变压器）供电，专用变压器最多可向4套不同掘进工作面的局部通风机供电；备用局部通风机电源必须取自同时带电的另一电源，当正常工作的局部通风机故障时，备用局部通风机能自动启动，保持掘进工作面正常通风。

第一百三十四条　综采主要设备应包括液压支架、采煤机、刮板输送机、转载机、破碎机、顺槽胶带输送机等；高档普采主要设备应包括单体液压支柱、采煤机、刮板输送机、转载机、破碎机、顺槽胶带输送机等；其他采煤方法、工作面支护与运煤方式应因地制宜。

第一百三十五条　矿井掘进机械配备应符合以下规定：

（一）全煤巷道及半煤岩巷掘进：综合机械化采煤的矿井，应采用综合掘进机组或连续采煤机组掘进，配备掘进机及相应的后配套设备。

（二）全岩巷道掘进宜配备液压钻车及相应的后配套设备；有条件时可配备部分断面掘进机和全断面掘进机。

第三百八十五条　掘进井巷和硐室时，必须采取湿式钻眼、冲洗井壁巷帮、水炮泥、爆破喷雾、装岩（煤）洒水和净化风流等综合防尘措施。

第二节　《山西省煤矿现代化矿井标准》相关规定

第十四条　矿井生产装备实现100%机械化，综采机械化程度达到100%，综掘机械化程度不得低于80%，并积极推广智能化无人(或少用人)采煤工作面，提高工作效率。

第十五条　布置高产高效工作面，大力推广“一井一面”模式。当煤层赋存条件简单、开采条件适宜时，采煤工作面长度不应小于200m，推进长度不应小于2000m，原则上以满足推进时间一年左右为宜，当煤层赋存条件不具备时，应根据实际情况合理确定工作面长度和推进长度。

第十六条　合理确定采煤方法及采煤工艺。根据煤层赋存条件，缓倾斜煤层可采用走向长壁、倾斜长壁开采，倾斜煤层宜采用走向长壁开采；采煤方法原则上一次采全高，采煤工艺特别推广大采高综采、放顶煤综采9、薄煤层综采和刨煤机综采，探索应用水采，并应根据具体情况合理选择。

第十七条　煤与瓦斯突出煤层应积极推广采用无煤柱开采或小煤柱开采。条件具备时，应首先开采保护层。严禁采用放顶煤开采、水力开采和非正规开采工艺。

第十八条　掘进工作面个数应以满足回采工作面正常接替和提高掘进装备水平为原则确定，原则上一个采区内同一煤层的一翼最多只能布置2个掘进工作面同时作业，一个采区内同一煤层双翼或多煤层开采时，最多只能布置4个掘进工作面。

第十九条　主要巷道应优先采用锚杆、锚喷或挂网锚喷支护方式。

第二十条　采煤工作面设备配备应坚持技术先进、性能可靠、环节配套的原则，实现区域自动化，具备自动检测、自动控制与互控功能，有利于实现矿井综合自动化。采煤机应选用双滚筒无链电牵引，具有手动、无线遥控、远程监控、运行及状态参数实时上传功能；液压支架应配备电液控制系统和自动喷雾装置，放顶煤液压支架优先选用低位放顶煤支架，大采高液压支架应配置护帮机构和抬底移架机构；刮板输送机应选用大功率、大运量重型刮板输送机，输送能力不低于采煤机平均生产能力的1.2倍，转载机输送能力不低于刮板输送机输送能力，并具有运行状态监测监控和信号上传功能；破碎机应选用大通过量、宽入料口破碎机，破碎能力不低于转载机生产能力，具有出料粒度调整、运行状态监测控制和上传信号功能。

第二十一条 掘进设备力求适应性强、保护齐全、操控简单，并以实现数字化、自动化、信息化为核心，促进管理简易化。主要以连续采煤机、综掘机、掘锚一体机为主，应根据具体情况合理选择。掘进设备应推广配置无线遥控、具有自动截割成型功能，并应配置远程控制台，实现掘进机的远程控制，具有实现自动钻孔及快速锚固功能。

第十一章　新技术、新装备、新工艺简介

目前采掘机械设备的新技术、新工艺以低碳、循环为主题，向安全、经济、节能方向转变。

一、采煤机的新技术

随着现代科学技术的飞速发展，我国已开发出集电子电力、微电子、信息管理及计算机智能技术于一体的大功率电牵引采煤机、新型电牵引多电机驱动采煤机，总功率1500～2000Kw以上，采用可控传动、微机工况检测监控，采用先进的信息处理技术和传感技术实现了机电一体化。

二、液压支架的新技术

液压支架车经历了引进、消化、吸收几个阶段的发展，目前设计和制造水平得到很大提高，形成了适应不同生产工艺和地质条件下的多品种、多型式、多系列产品、液压支架普遍采用微机电液智能化控制技术，工作阻力达8000～10000Kw。移架速度达6s/架～8s/架以上。目前，国内现场应用最大支架是ZY16800/32/70型大采高支架（在神东矿区使用），晋煤集团研制出ZY20000/37/82D型大采高支架，最大支撑高度可达8.2m，最大工作阻力为20000KN，中心距为2050mm。

三、巷道掘进的新技术

目前巷道掘进配套设备主要有三种：

综掘机掘进（悬臂式掘进机），配套设备主要有综掘机、转载机、输送机、除尘设备等，适用于单巷掘进，适用范围广，但掘锚不能平行作业；连采机掘进（连续采煤机），配套设备主要有连续式采煤机、破碎机、输送机、梭车、锚杆钻车等，在近水平或缓倾斜、顶板稳定条件下，可以实现多巷道快速掘进，掘锚可以交叉作业，但对地质条件要求严格；掘锚机组，配套设备主要有掘锚机组、转载机、转载破碎一体机、输送机等，将掘装功能与钻锚支护功能结合在一起，实现截割、装运、行走、锚杆支护为一体，实现掘锚平行作业，掘进速度快，适用于断面大的单巷掘进，但成本较高，维护要求高。

附录

常用液压元件的职能符号(摘自GB/T786.1-93)

名称	符号	名称	符号
工作管路		管端连接于油箱底部	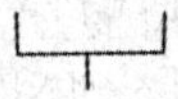
控制管路		密闭式油箱	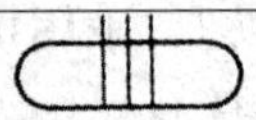
连接管路		直接排气口	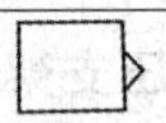
交叉管路	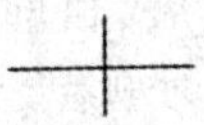	带连接排气口	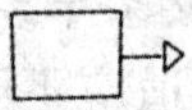
柔性管路		带单向阀快换接头	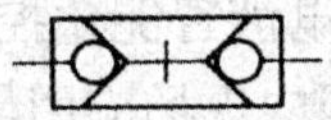
组合无件框线		不带单向阀快换接头	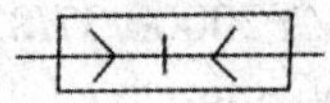
管端在液面以上的油箱		单通路旋转接头	
管端在液面以下的油箱		三通路旋转接头	
单向定量马达	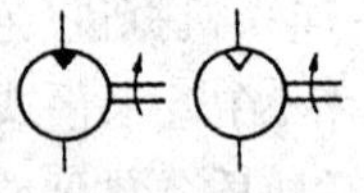	单向变量马达	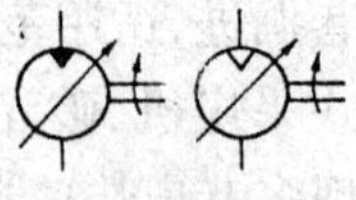
双向定量马达	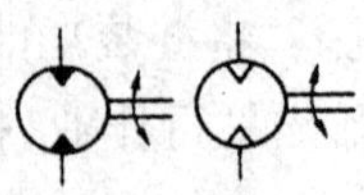	双向变量马达	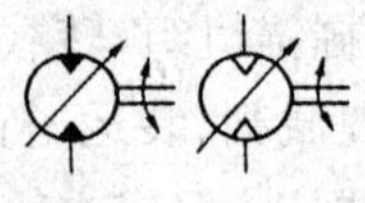
定量液压泵—马达	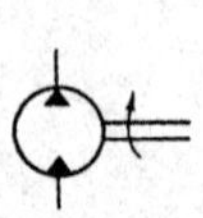	单向缓冲缸	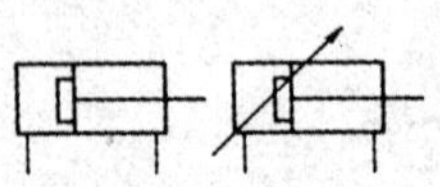
变量液压泵—马达	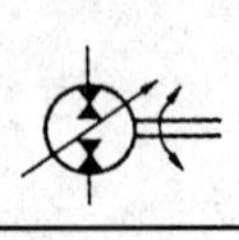	双向缓冲缸	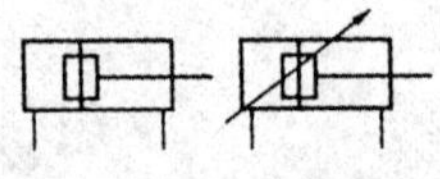

单向定量液压泵	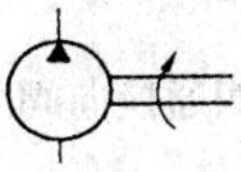	单向变量液压泵	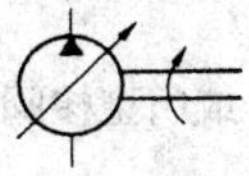
双向定量液压泵	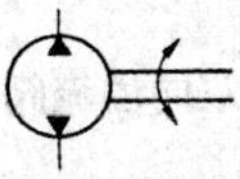	双向变量液压泵	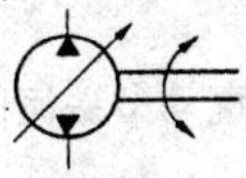
液压整体传动装置		双作用单活塞杆缸	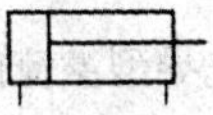
摆动马达	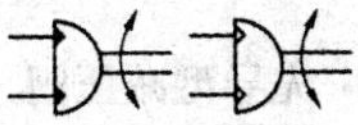	双作用活塞杆缸	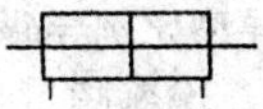
单作用弹簧复位缸	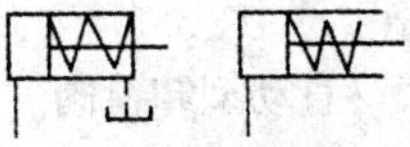	双作用伸缩缸	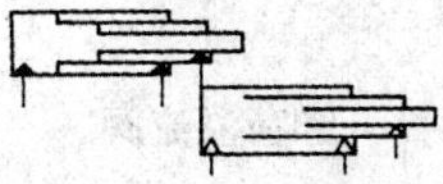
单作用伸缩缸	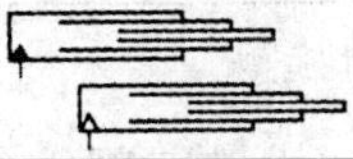	增压器	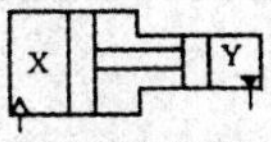 X Y
先导型顺序阀	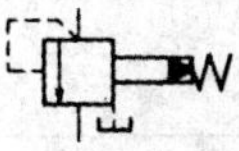	带消声器的节流阀	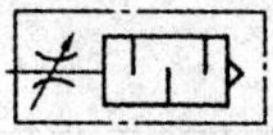
单向顺序阀	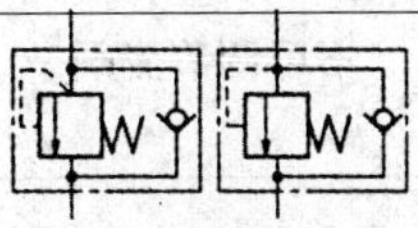	调速阀	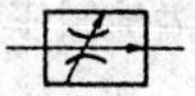
集流阀	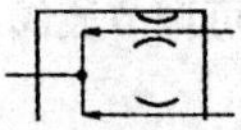	温度补偿型调速阀	
分流阀	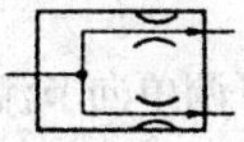	旁通型调速阀	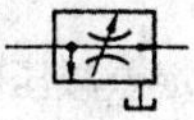
单向阀		单向调速阀	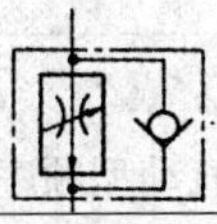
液控单向阀		分流集流阀	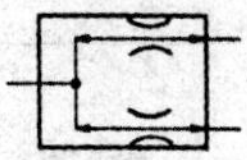
液压锁	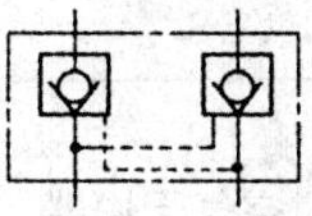	三位四通换向阀	
三位五通换向阀	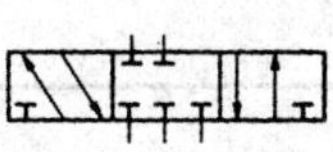	二位三通换向阀	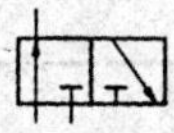

或门型梭阀	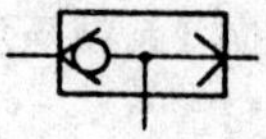	二位四通换向阀	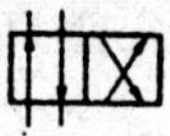
直动型溢流阀	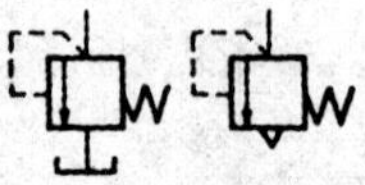	双向溢流阀	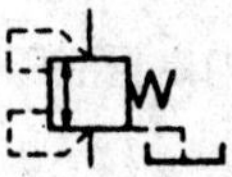
先导型溢流阀	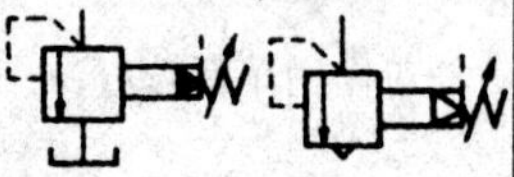	直动型减压阀	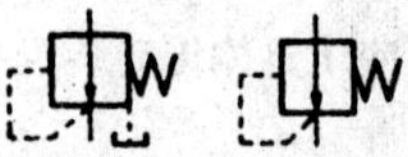
先导型比例导磁式溢流阀	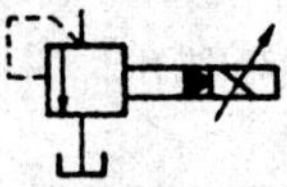	先导型减压阀	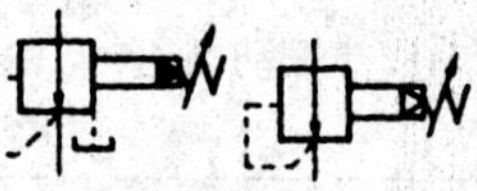
卸荷溢流阀	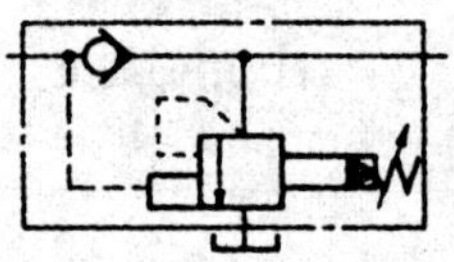	直动型卸荷阀	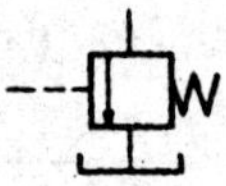
溢流减压阀		制动阀	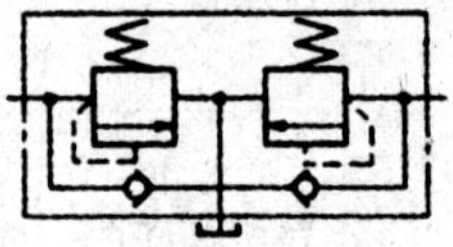
先导型比例电磁式溢流减压阀	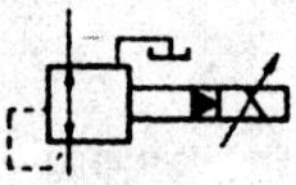	不可调节流阀	
定比减压阀	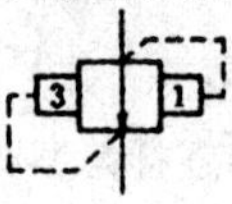 3 1	可调节流阀	
定差减压阀	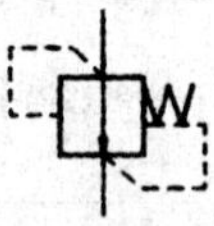	可调单向节流	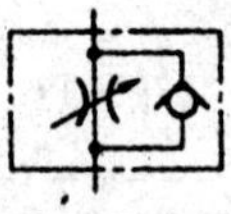
直动型顺序阀	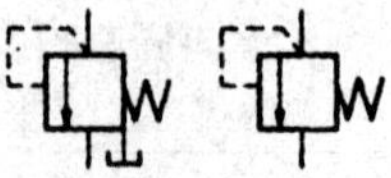	减速阀	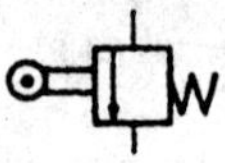
过滤器	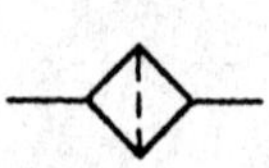	除油器	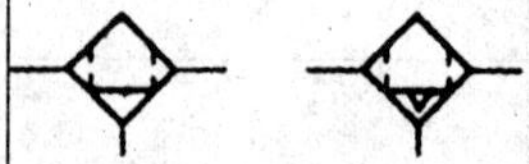
磁芯过滤器		空气干燥器	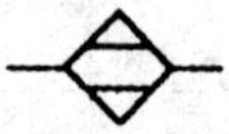

带污染指示过滤器		油雾器	
分水排水器		气源调节装置	
空气过滤器		冷却器	
加热器		压力继电器	
蓄能器		消声器	
气罐		液压器	

参考文献

1.梁兴义,徐蒙良主编.液压传动与采掘机械.北京:煤炭工业出版社,1995

2.韩振川主编.综采工作面采煤机.北京:煤炭工业出版社,1988

3.应自新主编.采煤机械液压传动.北京:煤炭工业出版社,1981

4.李启明主编.煤矿机械检修工艺.北京:煤炭工业出版社,1990

5.刘德喜编.采掘机械.北京:煤炭工业出版社,1993

6.全国煤炭技工教材编审委员会编.采煤机.北京:煤炭工业出版社,2000

7.全国职业培训教学工作指导委员会煤炭专业委员会编.采掘机械液压传动.北京:煤炭工业出版社,2003

8.鲁雁编.综采机械概论.北京:煤炭工业出版社,1991

9.魏正礼,杜长胜 .采煤机司机.徐州:中国矿业大学出版社,2003

10.中国矿业学员机电系主编 .双滚筒采煤机.北京:煤炭工业出版社,1979

11.王寅仓,丁原廉主编.采掘机械.北京:煤炭工业出版社,2004

12.朱真才,韩振铎主编.采掘机械与液压传动.徐州:中国矿业大学出版社,2005

13.全国职业培训教学工作指导委员会煤炭专业委员会编 .液压支架与泵站.北京:煤炭工业出版社,2005

14.煤炭科学研究院太原分院编.国外掘进机.北京:煤炭工业出版社,1986

15.佳木斯煤机厂.S100型掘进机培训教材,1992

16.煤炭科学研究院太原分院编 .EBJ120—TP型掘进机使用维护说明,2003

17.郭福忠,王乃旺主编.采煤机修理工.北京:煤炭工业出版,2006

18.郭福忠,潘献全主编.掘进机修理工.北京:煤炭工业出版,2006

19.刘光荣主编.掘进机司机.北京:煤炭工业出版,2003

20.国家安全生产监督管理总局宣传教育中心编.采煤机司机操作资格培训考核教材.徐州:中国矿业大学出版社,2009

21.国家安全生产监督管理总局宣传教育中心编.煤矿掘进机操作作业操作资格培训考核教材.徐州:中国矿业大学出版社,2011

22.中国煤炭工业劳动保护科学技术学会编.煤矿工人安全技术操作规程指南(采煤)(掘进).北京:煤炭工业出版社,2006

23.国家安全生产监督管理总局,国家煤矿安全监察局编.煤矿安全规程.北京:煤炭工业出版社,2011